Heinrich Honsell

Was ist Gerechtigkeit?

2. Auflage

Stämpfli Verlag

Das Umschlagfoto zeigt den Gerechtigkeitsbrunnen in Bern.
Fotografin: Margareta Sommer. Es stammt aus dem Buch «Bern», das im Oktober 2019 ebenfalls im Stämpfli Verlag erschienen ist. Wir danken herzlich für die Abdruckgenehmigung.

Bibliografische Information der Deutschen Nationalbibliothek
Die Deutsche Nationalbibliothek verzeichnet diese Publikation in der Deutschen Nationalbibliografie; detaillierte bibliografische Daten sind im Internet über http://dnb.d-nb.de abrufbar.

www.staempfliverlag.com

ISBN 978-3-7272-3556-6 (Stämpfli)
ISBN 978-3-214-25142-0 (Manz)
ISBN 978-3-406-81034-3 (C.H.Beck)

Über unsere Online-Buchhandlung
www.staempflishop.com
ist zudem folgende Ausgabe erhältlich:

E-Book ISBN 978-3-7272-3557-3

FSC
www.fsc.org
MIX
Papier aus verantwortungsvollen Quellen
FSC® C006701

Heinrich Honsell

Was ist Gerechtigkeit?

Vorwort zur 2. Auflage

Die Gerechtigkeit ist ein Menschheitstraum von Anbeginn. Eine Welt, in der niemand Unrecht tut und niemand Unrecht oder Not leidet, bleibt eine Utopie und ist doch notwendig das Ziel. Gerechtigkeit ist objektiv das Ideal der Rechtsordnung. Subjektiv ist sie eine Tugend. Sie lässt sich nicht in einer abstrakten, allgemeingültigen Definition erfassen. Beschreiben kann man aber ihre einzelnen Aspekte, die zwar für sich allein und isoliert den Begriff nicht vollständig erklären, jedoch in ihrer Zusammenschau ein Bild ergeben. Auch Unrecht lässt sich allgemein nicht einfach definieren. Doch ist Recht ex negativo leichter zu bestimmen und im konkreten Fall weiss man fast immer, wenn jemandem Unrecht geschieht. Die materielle Gerechtigkeitsethik, der Gesetzgebung und Rechtsprechung idealiter entsprechen müssen, wird seit der Antike als «Naturrecht» bezeichnet. Sie hat ihre Quelle in einer humanen Ethik, die unserem Gewissen entspringt. Zentrale Aspekte der Gerechtigkeit sind Fairness, Toleranz und vor allem Gleichheit, welche die schwierige Frage aufwirft, was gleich ist; denn die Lebensverhältnisse sind auch innerhalb von Nationen oder Gesellschaften sehr verschieden. Auch verlangt jeder Vergleich eine Abstraktion, in der die Gefahr falscher Verallgemeinerung ebenso angelegt ist, wie Verfehlung des Konkreten. Nur Gleiches soll gleich, Ungleiches grundsätzlich ungleich behandelt werden. Ungerecht ist die Ungleichbehandlung von Gleichem und in der Regel ebenso die Gleichbehandlung von Ungleichem. Ein Dauerthema der sozialen Gerechtigkeit ist die gerechte Verteilung, von Gütern und Lasten, Chancen und Risiken. Dazu gehört die alte Streitfrage, ob die Güterverteilung nach Leistungs- oder Bedarfsgerechtigkeit erfolgen soll. Einer Abstimmung mit der Gleichheit bedarf die Freiheit, denn alle sollen gleich frei sein, und zu grosse Freiheit des einen kann für den anderen Unfreiheit bedeuten. Der Freiraum des Individuums hat seine Grenze dort, wo der gleiche Freiheitsraum der anderen tangiert wird. Schliesslich bedarf die Gerechtigkeit der Ergänzung durch zwei weitere Tugenden, nämlich Wahrheit (Wahrhaftigkeit) und Mass (Verhältnismässigkeit).

Dem Phänomen der Gerechtigkeit nähert man sich am besten historisch. Denn ihre Ideengeschichte ist objektiv unsere wichtigste Erkenntnisquelle und zeigt eine erstaunliche anthropologische Konstante.

Das Buch wendet sich an Juristen und interessierte Laien in den deutschsprachigen Ländern, aus denen auch die zitierte Literatur, die aktuellen Gerechtigkeitsfragen und Beispiele überwiegend stammen. Diese wurden für die Neuauflage aktualisiert und um Themen vermehrt, die seither im Vordergrund standen, namentlich die Pandemie der Jahre 2020–2022 sowie Klimawandel und Umweltzerstörung und der barbarische Vernichtungskrieg Russlands gegen die Ukraine. Eine weitere Herausforderung sind Flucht und Vertreibung, die weltweite Migration und ihre Ursachen. Zu Gerechtigkeitsdefiziten führten schliesslich auch Exzesse des neoliberalen Kapitalismus und des mit ihm einhergehenden Wachstumsfetischismus. Endlich hat eine ultralockere Geldpolitik namentlich in den USA und in Europa den Markt mit Billionen Dollar bzw. Euro überschwemmt, die Inflation angeheizt und die Schere zwischen Arm und Reich weiter geöffnet.

Ich danke wiederum den Verlagen C.H. Beck (München) und Manz (Wien) für die Aufnahme des Buches in ihr Verlagsprogramm. Mein besonderer Dank gilt dem Verlag Stämpfli, namentlich den Herren Dr. Rudolf Stämpfli und Stephan Kilian, für die verlegerische Betreuung des Büchleins.

Salzburg und Zürich im Frühjahr 2023
Heinrich Honsell

Inhaltsverzeichnis

I. Kapitel: Gerechtigkeit – Geschichte und Idee

1. Recht und Gerechtigkeit

Das Recht ist **objektiv** die verbindliche soziale **Ordnung** des menschlichen Zusammenlebens und die Gerechtigkeit ist ihr Ideal, nach dem Gesetzgebung und Rechtsprechung streben müssen.[1] Sie ruht auf zwei grundlegenden Prinzipien. Das eine ist die Achtung der menschlichen Würde und der Menschenrechte. Das andere die Verfolgung eines bonum commune (*κοινή συμφέρον*[2] – «Gemeinwohl»), als Voraussetzung einer sozialen Gemeinschaft zu gegenseitiger Achtung und zum Nutzen der Mitglieder. Das sind die beiden tragenden Pfeiler des seit der Antike sog. Naturrechts.[3] Die richtige Ordnung bezeichnen wir als gerecht. Gerechtigkeit wird erst relevant, wenn Menschen in Gemeinschaft leben und sich eine Ordnung geben müssen. In Einsamkeit und Freiheit ist Gerechtigkeit kein Thema und für Robinson auf der Insel

---

1 Vergleichbar dem Wahren, Schönen und Guten in Philosophie, Ethik und Kunst, deren teilweises Vorbild das griechische Ideal der Καλοκαγαθία – Kalokagathia ist, ein Kunstwort aus καλὸν καὶ ἀγαθόν – kalòn kaì agathón.

2 Aristoteles Nik. Eth. V 1160a sagt geradezu, das δίκαιον sei das *το κοινή συμφέρον* – das Gerechte sei das der Gemeinschaft Zuträgliche; vgl. auch HIRZEL, Themis, Dike und Verwandtes (1907/1966) – Ein Beitrag zur Geschichte der Rechtsidee bei den Griechen 204 mwNw in Fn 2. – Zum heutigen Begriff, zu dessen Konkretisierung Rechtssicherheit, Legitimität und Zweckmässigkeit in den Vordergrund gerückt werden, s. Brugger/Kirste/Anderheiden (Hrsg., 2002), Gemeinwohl in Deutschland, Europa und der Welt.

3 Vgl. *Verdross*, Statisches und dynamisches Naturrecht (1971) 104 f. Zum (umstrittenen) Naturrecht und seiner zeitlosen Geltung unten I 2 u. IV 1.

spielt sie keine Rolle. Die soziale Kontingenz der Gerechtigkeit zeigt sich auf zwei Ebenen, einmal im Verhältnis von Gemeinschaft und Bürgern, zum anderen im Verhältnis der Bürger untereinander. Bei der ersten geht es um Macht und Herrschaft sowie um Verteilung von Chancen und Risiken, Gütern und Lasten durch den Staat. Bei der zweiten um den Ausgleich von Konflikten und die Korrektur von Rechtsverhältnissen, bei denen sich durch ungerechte Verträge oder unrechtmässige Handlungen eine Abweichung von der «rechten Mitte» (μεσότης) ergeben hat. Die eine ist die **verteilende** (unten I 3 a), die andere die **ausgleichende Gerechtigkeit** (unten I 3 b). Die eine ist Aufgabe staatlicher Politik in Legislative und Exekutive, die andere Sache der Justiz, welcher der Ausgleich von Unrecht der Bürger untereinander obliegt. Dass der Staat selbst kein Unrecht begeht, ist eigentlich eine Selbstverständlichkeit, wird aber nur in einem Idealstaat verwirklicht. Beide Arten der Gerechtigkeit haben eine lange Geschichte und sind uns zuerst in dieser Dichotomie bei *Aristoteles* überliefert.[4] Auf römischen Münzen wurde die Gerechtigkeit als personifizierte Gottheit (Aequitas) dargestellt, mit Füllhorn und Balkenwaage,[5] die das Zuteilen und das Ausgleichen symbolisieren (unten I 3).

Im Gegensatz zur objektiven Gerechtigkeit als dem Ideal der Rechtsordnung ist Gerechtigkeit **subjektiv** eine **Tugend**. Das ist die Eigenschaft einer Person, die sie zu richtiger Verteilung von Gütern oder Lasten oder zu weiser Entscheidung

---

4 Nikomachische Ethik 1130b i.f.–1131a unten Fn 52.

5 Näher H. LANGE, Die Wörter AEQUITAS und IUSTITIA auf römischen Münzen SZ 52 (1932) 296 ff.; G. SCHIEMANN, Aequitas, in: Der Neue Pauly I (1996) Sp. 188; MAYER-MALY, Aequitas, in: Der Kleine Pauly, Bd. 1 (1964) Sp. 97 f. Das Füllhorn symbolisiert allgemein Glück und Reichtum. In späteren Darstellungen der Gerechtigkeit ist es, weniger sympathisch, durch das Schwert ersetzt (unten Fn 322).

von Rechtsfällen befähigt. *Aristoteles* nannte sie die vollkommenste Tugend, so staunenswert wie Abend- und Morgenröte.[6] Nach *Cicero*[7] ist sie die Herrin und Königin aller anderen Tugenden. Seit der Antike kennt man vier Kardinaltugenden:[8] Gerechtigkeit (δικαιοσύνη – dikaiosyne, iustitia), Tapferkeit (ἀνδρεία – andreia, fortitudo, constantia), Mässigung, Besonnenheit (σωφροσύνη – sophrosyne, temperantia, moderatio) und Klugheit (σοφία – sophia, prudentia, sapientia). Dieser Vierer-Kanon galt über die Jahrhunderte hinweg und gilt noch heute.[9]

Das Wort Gerechtigkeit (Recht, gerecht) hängt zusammen mit recht, gerade, richtig, und ist **etymologisch** ein Lehnwort, das sich von lat. recte ableitet, das (wie das griechische δίκαιος – dikaios) recht, gerade heisst und semantisch gleichbedeutend ist mit ius[10], iustus, iustitia (lat. für Recht, richtig, gerecht, Gerechtigkeit), just, juste, justice (engl., frz. für gerade, gerecht, Gerechtigkeit), giustizia (it.), justicia (span.)

---

6 Nik. Ethik 1129b: πολλάκις κρατίστη τών άρετών ... και ούτε έσπερος ούτε έώος ούτω θαυμαστός. Das kann man auch mit *Abend- und Morgenstern* übersetzen.

7 De off. III 19: Iustitia enim una virtus omnium est domina et regina virtutum.

8 *Aristoteles* Rhet. I 9, 1366b 9 ff.; *Cicero* de off. I 14 ff., 3, 95 f. u. öfter.

9 In der theologischen Tradition kommen noch Glaube (fides), Hoffnung (spes) und Liebe (caritas) hinzu, sodass sich eine Siebenzahl ergibt; vgl. z.B. *Drewermann*, Die sieben Tugenden (2012). Die drei sind aber keine Tugenden i.S.d. klassischen Tradition.

10 Das Grundwort *ius* ist in der Bedeutung Recht nur noch als lateinisches Fremdwort im Deutschen erhalten, so studiert man in Österreich Jus oder in Deutschland Jura; überlebt hat aber die ganz andere Bedeutung *Sosse, Saft, Brühe* in frz. jus; vgl. auch *Ciceros* Wortspiel in der zweiten Rede gegen Verres I 121 mit der Doppeldeutigkeit und dem Pleonasmus *ius Verrinum* (Recht/Schweinebrühe des Verres = Eber).

und justiça (portug.). Daneben finden wir auch die dem deutschen «Recht» verwandten und ebenfalls von recte abgeleiteten Wörter diritto, derecho, droit und right. Auch «richten» und «Gericht» gehören zu diesem Wortstamm.

Die **älteste Aussage** zu Recht und Gerechtigkeit in der europäischen Antike findet sich in der griechischen Mythologie. Nach *Hesiod*[11] hat Zeus für seine Geschöpfe folgende Ordnung (Nomos) erlassen: «Den Fischen, Tieren und Vögeln befahl er, einander zu fressen, weil unter ihnen keine Gerechtigkeit herrscht, dem Menschen aber gab er das Recht und die Gerechtigkeit» (δίκη, δικαιοσύνη – dike, dikaiosyne). In der Fabel von Habicht und Nachtigall geht es um die «Macht des Stärkeren».[12] Das *Recht des Stärkeren* war in der griechischen Antike ein alter Topos. Noch *Thrasymachos* hatte be-

---

11 *Hesiod*, Theogonie 902; Werke 275; dazu FLÜGEL, Die Idee des Rechts und der Gerechtigkeit bei Homer und Hesiod, Zs. f. Philosophie und Pädagogik 16 (1909) 161 ff. VERDROSS, Die Begründung der antiken Rechtsphilosophie durch Hesiod, Anz. öAk. Wiss. (1946) 23 ff.; VERDROSS(-DROSSBERG), Grundlinien der antiken Rechts- und Staatsphilosophie[2] (1948) 16 ff.; MAYER-MALY, Nachdenkliches über Jus, Mél. Schmidlin (1998) 481 ff. = Ges. Schr. (2019) 247 ff.

12 *Hesiod*, Werke 202:
«So zur Nachtigall, der melodischen, sagte der Habicht,
Als mit den Krallen sie fassend, er hoch in den Wolken dahinzog;
Diese jedoch wehklagte, zerfleischt von den Krallen, den krummen,
Jämmerlich – jener nun sprach zu ihr die gebietende Rede:
‹Törin! Wozu das Geschrei? Du bist in des Stärkeren Macht jetzt;
Bist du die Sängerin auch, du gehst, wohin ich dich bringe;
Je nach Belieben erwähl' ich zum Schmaus dich oder entlass dich;
Tor ist, wer sich erkühnt, mit dem Stärkeren je sich zu messen›».

Hesiod betont aber die Überlegenheit der Dike über die Hybris:
«Hör, o Perses, aufs Recht, und hüte dich wohl vor Gewalttat!
Wahrlich, Gewalttat ist für den Niedrigen schlimm; doch der Hohe

hauptet, «Recht ist, was dem Stärkeren nützt».[13] Ein Satz, der nach Hesiod und Platon zugunsten einer gerechten Ordnung überwunden werden muss. Was sagt uns das heute?[14]

Die Frage nach der Gerechtigkeit muss jede Zeit neu stellen, selbst wenn die Antwort meist unverändert ist. Auch wenn nicht angenommen werden kann, unsere heutige Gerechtigkeitsvorstellung sei einfach ein Produkt aus Antike und Christentum, Scholastik und Aufklärung,[15] so zeigt die faszinierende Ideengeschichte der Gerechtigkeit doch eine erstaunliche «anthropologische Konstante»[16] und bleibt objek-

---

Selber verfällt ihr leicht und fühlt als drückende Last sie,
Wenn er ins Unglück stürzte. Der andere Weg, zu dem Siege
Sich zu verhelfen, ist besser, das Recht steht über Gewalttat,
Wenn es zum Ende gelangt, und im Leiden begreift es ein Tor selbst».
(Übersetzung nach *H. Gebhardt*, bearbeitet von *E. Gottwein*)

13 *Platon*, Politeia 338c; näher unten 203 u. 213.

14 Es geht hier nicht um die Fragestellung des Historikers «wie es wirklich gewesen ist» und was eine Aussage im Zeitkontext bedeutet, sondern um die zeitlose Gültigkeit der wichtigsten Fragen der Menschheit.

15 So befürchtet z.B. H. DREIER, Recht und Gerechtigkeit 69, in: Verrone/Nickl (Hrsg.) Welche Gerechtigkeit? (2016) 70, dass ein ziemlich ungeniessbarer Begründungsbrei zusammengerührt würde, wenn man annähme, unsere freiheitlich moderne Ordnung sei sozusagen ein Gesamtprodukt aus antiker Philosophie, christlich-jüdischem Denken, Spätscholastik und Aufklärung. Denn verkannt würde da die staatsphilosophisch tiefe Kluft zwischen Antike und Mittelalter einerseits, Neuzeit andererseits. Weiter gehen viele Historiker, die aktuell überhaupt keine Aussage aus alten Quellen für heutige Fragen heranziehen wollen, weil sie durch Herauslösung aus dem Kontext verändert würde. Dieser Einwand ist fehl am Platz, denn es geht hier nicht um den historischen Kontext, sondern um die zeitlose Gültigkeit.

16 *Verdross*, Grundlinien 101; von einer anthropologischen Konstante der Ungerechtigkeit spricht *Schopenhauer* (unten Fn 29), 236 dazu *J. Petersen* (ebd.) 48 f.

tiv unsere wichtigste Erkenntnisquelle. Zum Beispiel ist die Vertragsidee, der Schutz des Schwächeren und die Absage an das Recht des Stärkeren, noch heute aktuell, und der Gegensatz von Naturrecht und Positivismus, strengem Recht und Billigkeit (IV. Kapitel) zieht sich wie ein roter Faden durch die Geschichte, von der griechischen Antike bis zur Gegenwart. Ebenso die für das Recht wesentliche Frage, ob ein Gesetz strikt nach seinem Wortlaut anzuwenden ist oder nach Sinn und Zweck (V. Kapitel). Die allen Menschen zustehenden universellen Menschenrechte, die Fragen von Recht und Ethik, von Gesetz und Ordnung, ergeben das Bild einer zeitlosen und an weltweit geltenden Werten orientierten Rechtsanthropologie und sind unverändert aktuell und modern.

Ein weiterer Grund und Vorzug geschichtlicher Betrachtung liegt darin, dass historische Zeugnisse und Aussagen über Gerechtigkeit **verifizierbar** sind und **empirische Urteile** zulassen. Das geltende Recht und die Frage der Gerechtigkeit hingegen ist **normativer Natur** und die Meinungen darüber, was im Einzelfall gerecht ist und was ungerecht, gehen namentlich bei parteipolitischen Fragen der Verteilungsgerechtigkeit häufig auseinander. Auch im Spannungsfeld zwischen Freiheit und Gleichheit, zwischen Einzelfallgerechtigkeit und Rechtssicherheit (zwischen materieller und formeller Gerechtigkeit) stehen sich die Meinungen oft diametral gegenüber. Gerechtigkeit und Rechtssicherheit stehen auch stellvertretend für Naturrecht versus Positivismus.[17] Im Gegensatz zu dem normativen Aspekt bietet der empirische einen Einblick in die Idee der Gerechtigkeit im Wandel der Jahrhunderte.[18]

---

17 Vgl. insbesondere das 2. und das 4. Kapitel.

18 Anders KIRSTE, Die Zeitlichkeit des positiven Rechts und die Geschichtlichkeit des Rechtsbewußtseins (1998) 394 f., 396 ff., der von einer «notwendigen Verzeitlichung» des Rechts ausgeht und die Zeitlosigkeit gewisser ethisch verbindlicher und rechtlicher Grundnormen leugnet; dies in Auseinandersetzung mit ALEXY,

Auch wenn Juristen und Rechtsphilosophen keine abschliessende Antwort geben können auf die abstrakte Frage, was Gerechtigkeit ist,[19] so sagt uns das unverbildete Rechtsgefühl des Laien und das nicht durch eine déformation professionnelle beeinträchtigte Judiz des Juristen doch meist, wenn etwas (und was) im konkreten Fall ungerecht ist. Die positive Aussage, was gerecht ist, ist schwieriger.[20] Solange es kein Unrecht gibt, erübrigt sich die Frage nach der Gerechtigkeit. Erst durch das Unrecht wird sichtbar, was gerecht wäre. Recht wird gewissermassen erst durch Unrecht bestimmt.[21]

Law, discourse and time, in: Time, Law, and Society, Bjarup/ Blegvad Hrsg. (ARSP Beiheft 64, 1995) 101 ff., der zutreffend zeitlose Gültigkeit bestimmter Elemente des Rechts annimmt, namentlich der fundamentalen Menschenrechte.

19 Zum Beispiel schreibt J. SCHRÖDER, Verzichtet unser Rechtssystem auf Gerechtigkeit? (2005) 36, man könne nicht ein für allemal angeben, was Gerechtigkeit eigentlich sei. Dennoch ist Gerechtigkeit, entgegen dem resignierenden Urteil Kelsens, keine Illusion, sondern eine Idee, der wir immer verpflichtet bleiben; vgl. KELSEN, Die Illusion der Gerechtigkeit (1985 aus dem Nachlass hrsg. v. Hans Kelsen-Institut) 365; s. aber auch KELSEN, Was Ist Gerechtigkeit? (1953/2016), dazu unten Fn 26 und 248; vgl. noch OLECHOWSKI U.A., Hans Kelsen (2. Aufl. 2021) 863 ff.

20 Ähnlich sagt H. DREIER, Recht und Gerechtigkeit 69, in: Verrone/ Nickl (Hrsg.), Welche Gerechtigkeit? (2016), wir könnten uns über das, was absolut ungerecht ist, in der Regel leichter verständigen als über die gerechteste Regelung; ebenso H. HOFFMANN, Einführung in die Rechts- und Staatstheorie (2. Aufl. 2003) 72 ff.; OSTERKAMP, Juristische Gerechtigkeit (2004) 43; ähnlich KRIELE, Kriterien der Gerechtigkeit (1963) 69, die Frage nach Recht und Unrecht lasse sich «nicht abstrakt, sondern nur anhand eines konkreten Falles … entscheiden».

21 SCHOPENHAUER, Die Welt als Wille und Vorstellung, 1844 (Schopenhauer Werke, Zürcher Ausgabe A. Hübscher, Hrsg., 1977) I/2 § 63, 423; DERS., Preisschrift über die Grundlagen der Moral (1841); DERS., 1851 (a.a.O. II/1 § 121) 262: Der Begriff Unrecht sei der ursprüngliche und gäbe es kein Unrecht, würde nie vom

Gerechtigkeit kommt nicht so extrem vor wie Ungerechtigkeit. Es gibt grosses Unrecht, aber nur eine einfache Gerechtigkeit. Das Adjektiv *gerecht* ist an sich nicht steigerungsfähig. Noch deutlicher ist dies bei dem Begriff *wahr*. Immerhin kann sich der Laie auch zu der Frage, welche Lösung in einem Einzelfall gerecht ist, in aller Regel eine Meinung bilden – Empathiefähigkeit, Unparteilichkeit und fehlendes Eigeninteresse vorausgesetzt.

Die erste und wichtigste Forderung an die Gerechtigkeit ist das Unterbleiben von Unrecht. Gerechtigkeit ist allerdings mehr als die blosse Abwesenheit von Unrecht, so wie Glück mehr ist als das blosse Ausbleiben von Unglück.

Wird niemand unterdrückt oder diskriminiert, so stellt sich als nächstes die Frage nach sozialer Gerechtigkeit und gesellschaftlicher Teilhabe. Hier gibt es, anders als bei der Wahrheit, keine absoluten, sondern, wie bei Politik und Meinungen, nur subjektive bzw. relative Aussagen. Eine vorsichtige Antwort könnte lauten, dass jeder die **Chance** haben sollte auf einen gewissen **Anteil an privatem Glück**. Dabei geht es um mehr als ein blosses Streben nach prosperierenden materiellen Verhältnissen oder einem an physischer und psychischer Lust orientierten Hedonismus, wie im Garten *Epikurs*. Für den Menschen als soziales Wesen (ζῷον πολιτικόν[22] – zoon politikon, ens sociale) ist Anerkennung und (insbesondere beruflicher) Erfolg ebenso wichtig. Das Gelingen privaten Glücksstrebens **(pursuit of happiness)** hängt auch sonst von vielen Faktoren ab. Zunächst aber ist «jeder seines

Recht geredet worden sein. Zu der weiteren Schlussfolgerung, Unrecht sei der positive Begriff, Recht die Negation, mithin der negative, s. JENS PETERSEN, Schopenhauers Vorstellung der Gerechtigkeit (2018) 78 ff., 90 f.; H. HOFFMANN, Gerechtigkeitsphilosophie aus Unrechtserfahrung – zum Gerechtigkeitssinn der Arbeiter im Weinberg, FS Heckel (1999) 547 ff.

22 ARISTOTELES, Politik 1153a 1–11.

eigenen Glückes Schmied» und «den Tüchtigen hilft das Glück» (fortes fortuna adiuvat). Staat und Gesellschaft können lediglich günstige Rahmenbedingungen für individuelles Glücksstreben schaffen.

Der Begriff der Gerechtigkeit wird mitunter in einem weiteren Sinne verstanden, der über das Verhältnis Bürger – Staat oder der Bürger untereinander hinausgeht. So sprechen wir etwa von Umweltgerechtigkeit (unten IX 3) oder Generationengerechtigkeit (unten VIII 2). Dabei geht es weniger um Gerechtigkeit, als allgemein um Vernunft und Zweckmässigkeit; man könnte auch sagen, und um ein «Natur- bzw. Vernunftrecht» in einem modernen Sinn.

Im 20. Jahrhundert hat man auf die Frage, was Gerechtigkeit ist, verschiedene Antworten gegeben. Für *Rawls* bestand der zentrale Aspekt der Gerechtigkeit in **Fairness**.[23] Diese ist aber nicht das wichtigste generelle Prinzip der Gerechtigkeit, sondern spielt hauptsächlich als Verfahrensgrundsatz oder im Verhalten gegenüber anderen eine Rolle, wie man am besten im Sport sehen kann. Sie geht über eine «Legitimation durch

---

23 A Theory of Justice (1971), dt. Eine Theorie der Gerechtigkeit (1975) 28 ff.: «Die Gerechtigkeitsgrundsätze sind diejenigen Grundsätze, die freie und vernünftige Menschen in ihrem eigenen Interesse in einer anfänglichen Situation der Gleichheit zur Bestimmung der Grundverhältnisse ihrer Verbindung annehmen würden. […] Diese Betrachtungsweise der Gerechtigkeitsgrundsätze nenne ich Theorie der Gerechtigkeit als Fairness»; s. auch dens., Justice as fairness (1985); Kelly (Hrsg., 2006) Schulte (Übers.), Gerechtigkeit als Fairness (2006). Freilich geht *Rawls* Theorie noch weit über den Aspekt der Fairness hinaus, s. Fn 45, 125, 148. – Zur Fairness s.a. SALADIN, Das Verfassungsprinzip der Fairness, in: Festgabe der schweizerischen Rechtsfakultäten zur Hundertjahrfeier des Bundesgerichts (1975) 41 ff., 86 ff., der den Rechtsstaatsgedanken, das Gerechtigkeitsgebot, das Willkürverbot und die oben genannten Justizgrundrechte unter diesem Gedanken zusammenfasst.

Verfahren»[24] noch hinaus, denn Fairplay erschöpft sich nicht im Einhalten von Regeln, sondern bedeutet Achtung und Respekt vor dem Gegner. Art. 6 der UN-Menschenrechtskonvention garantiert ein «Recht auf ein faires Verfahren». Fairness erfasst aber im Recht nicht alle Aspekte der Gerechtigkeit, sondern nur den Teilausschnitt der Verfahrensgerechtigkeit, im Zivilprozess Waffengleichheit (in der Schweiz spricht man bildlich von «gleich langen Spiessen»), rechtliches Gehör (z.B. Art. 103 Abs. 1 GG), insbesondere die Anhörung beider Seiten (audiatur at altera pars) und Unparteilichkeit. Die wichtigsten Justizgrundrechte im Strafverfahren sind: Keine Strafe ohne klares, bestimmtes und vorausgehendes Gesetz – nulla poena sine lege certa, clara, praevia (Art. 103 Abs. 2 GG; näher dazu unten V 3), die Unschuldsvermutung (in dubio pro reo) und das Verbot der Doppelbestrafung oder der zweimaligen Strafverfolgung wegen derselben Sache (ne bis in idem Art. 103 Abs. 3 GG); dazu auch unten III 1.

In ähnlicher Weise erhebt *Kelsen*[25] einen Teilausschnitt zum Wesen der Gerechtigkeit, das er in der **Toleranz** sieht. Toleranz gegenüber Andersdenkenden ist eine der wichtigsten Maximen in der Demokratie und in der pluralistischen Gesellschaft. Historisch bestand das Toleranzgebot namentlich gegenüber anderen Religionen. Die Idee der (religiösen) Toleranz ist das zentrale Thema in der Ringparabel in *Lessings* Nathan der Weise. Heute ist Toleranz vor allem gegenüber Fremden und politisch Andersdenkenden gefordert. Das Toleranzgebot besteht natürlich nicht gegenüber Intoleranz und bedeutet nicht Akzeptanz von unethischem oder rechtswidri-

---

24 S. dazu die gleichnamige Schrift von LUHMANN (1969); ferner R. HOFFMANN, Verfahrensgerechtigkeit (1992). «Prozedurale Theorien der Gerechtigkeit» in dem umfassenden Sinn eines rationalen Diskurses erörtert *A. Tschentscher* (2000/2009).

25 Was ist Gerechtigkeit? (1953/2016) 45 ff.; zur Toleranz und ihren Grenzen zuletzt J. GAUCK, Toleranz: Einfach schwer (2019).

gem Verhalten. Auch die Toleranz stellt aber nur einen Teilaspekt der Gerechtigkeit dar, die weit darüber hinausreicht.

Für *Radbruch*, *Dworkin* oder *Perelman* u.a. bedeutete Gerechtigkeit **Gleichheit**.[26] Gleichheit vor dem Gesetz ist in der *Demokratie* heute eine unbestrittene Selbstverständlichkeit. Der Gleichheitsbegriff ist formal. Bei *Wahlen* gilt *gleiches Stimmrecht*. Es ist der wichtigste Fortschritt zur Demokratie, dass das Stimmrecht nicht mehr an Geburt (Adel) oder Besitz gebunden ist. Ein wachsendes Problem ist allerdings, dass es auch unabhängig ist von Bildung und Wissen.[27] Bildung

---

26 Zum Beispiel RADBRUCH SJZ 1946, 105, 107 «die Gleichheit, die den Kern der Gerechtigkeit ausmacht»; zu *Radbruch* auch unten Fn 233; DWORKIN, Was ist Gleichheit? (2009); DERS., Gerechtigkeit für Igel (2012), befasst sich mit dem Satz des altgriechischen Lyrikers Archilochos (7. Jh. v.Ch.) «der Fuchs weiss viele Dinge aber der Igel weiss eine grosse Sache». Danach ist u.a. gerecht, wer gelingendes Leben mit der Verantwortung für andere verbindet. Gegen diese Definition ist kaum etwas einzuwenden. Mit dem Igel des Archilochos hat sie indes nichts zu tun; dazu HONSELL/MAYER-MALY, Rechtswissenschaft[8] (2017) § 11 VIII, wo ein Zusammenhang mit der Maxime non multum sed multa vermutet wird. – Für Gleichheit als Kern der Gerechtigkeit ferner PERELMAN, Gerechtigkeit 21 ff., 27 f.: «Es sind sich wohl alle darin einig, dass gerecht sein, die Menschen auf die gleiche Weise behandeln heisst.» B. JESTAEDT, Recht und Gerechtigkeit (1990) 16: «Gerechtigkeit im objektiven Sinn bedeutet Gleichheit»; kritisch z.B. HÖRSTER, Was ist eine gerechte Gesellschaft? (2013).

27 Daran hat man schon früh Kritik geübt: Plinius epistulae 1, 12: Sed hoc pluribus visum est. *Numerantur enim sententiae non ponderantur*; nec aliud in publico consilio potest fieri, in quo nihil est tam inaequale quam aequalitas ipsa. Nam cum sit *impar prudentia, par omnium ius es.* Doch das schien der Mehrheit richtig. Denn die Stimmen werden gezählt nicht gewogen. Das kann auch in öffentlichen Versammlungen nicht anders sein, in denen nichts so unbillig ist, wie die Gleichheit selbst. – Zu unterschiedlichen intellektuellen Fähigkeiten, die an gleichen Rechten nichts ändern s.a. Cicero, de

bleibt das wichtigste Remedium gegen populistische Verführungen und orientierungsloses Querdenkertum, Gefahren, die durch das Internet gewachsen sind.

Eine Pflicht zu *materieller Gleichbehandlung* gibt es nicht (dazu unten II 2). Wenn es nur um eine Erstverteilung ginge und quasi bei Null begonnen werden könnte, sollten alle das Gleiche erhalten. Wo es nicht um einen Neustart geht, ist aber die Forderung *Jedem das Gleiche* illusorisch. Massgeblich sind die ganz unterschiedlichen Verhältnisse, in welche die Menschen hineingeboren werden, sei es in Europa oder in der Dritten Welt, sei es in reiche oder in arme Verhältnisse. Nicht zuletzt bestehen Unterschiede in den intellektuellen Fähigkeiten. Gewährt wird lediglich *Chancengleichheit*, vor allem in der Bildung.

Ungleiches wird im Grundsatz ungleich behandelt. So hat niemand Einwendungen, wenn alle ein gleich grosses Stück Kuchen bekommen, aber das Geburtstagskind ein grösseres. Erhält aber, wie im Gleichnis von den Arbeitern im Weinberg (Matth. 20, 1–16), jeder Arbeiter einen Denar Tageslohn, egal wann er angefangen hat? Man hat dies «Ungerechtigkeit durch Gleichbehandlung» genannt.[28] Eine differenzierende Antwort ist seit der griechischen Antike, dass nicht immer **alle das Gleiche** erhalten, sondern **jeder das Seine**, das ihm Gebührende – suum cuique. Was das heisst, ist freilich unklar und noch mehr umstritten (dazu unten 3 a). Der Satz ist zunächst eine Einschränkung einer formalen und generellen Gleichbehandlung und verlangt Differenzierung i.S.e. reasonable discrimination (vernünftigen Differenzierung). Das beantwortet aber die Frage nicht, was «das Seine» ist. Der Staat soll *gleiche*

re publica 1,49 (unten II 2 bei Fn 141) – Politische Bildung als Voraussetzung einer Teilnahme an demokratischer Willensbildung bleibt auch heute eine Utopie.

28 H. HOFFMANN, FS Heckel (1999) 547, 567 f.

Lebenssachverhalte gleich behandeln und *ungleiche verschieden*. Gleichbehandlung ist ex negativo nur ein Verbot der Ungleichbehandlung, also der unvernünftigen Diskriminierung (unreasonable discrimination). **Gleichbehandlungs*gebot*** und **Diskriminierungs*verbot*** gehören zusammen, sind nur die zwei Seiten ein und derselben Münze und werden auch nebeneinander genannt, z.B. in Art. 3 Abs. 1 und 3 GG.

2. Grundprinzipien und Definition der Gerechtigkeit

Entgegen einer immer noch verbreiteten Auffassung kann die Existenz einer materiellen Gerechtigkeitsethik jenseits des positiven Rechts nicht ernsthaft in Frage gestellt werden (unten IV). Dabei ist es gleichgültig, ob man sie als «Naturrecht» bezeichnet, was seit der griechischen Antike üblich ist (unten IV 1), oder als göttliche Ordnung, oder ob man auf eine Herkunftsangabe verzichtet und schlicht das Gewissen als Quelle einer humanen Ethik angibt, sodass das Natur- oder Vernunftrecht gleichsam eine Externalisierung unseres Gewissens ist. Das Gewissen in uns ist nicht genetisch angelegt – ein Gerechtigkeitsgen hat man noch nicht gefunden – sondern ein Produkt menschlicher Zivilisation. Es bildet sich in der frühkindlichen Erziehung zu sozialem Verhalten und hat eine archetypische Dimension. Wichtig ist in unserem Kontext allein, dass es sich um ethische Rechtssätze handelt, die alle kennen und die jedem einleuchten. Allerdings stellt die Gerechtigkeit geringere Anforderungen als Moral und Ethik, die verlangen, das Gute um seiner selbst willen, selbstlos zu tun. Gerechtigkeit verlangt Fairness, aber nicht notwendig Altruismus, sondern nur Freiheit von Egoismus.[29] Dass z.B. Kleinkinder das Teilen erst lernen müssen, lässt sich beobachten. Gerechtigkeit fordert in nuce jedenfalls, was auch der weltweit gebräuchliche Kindervers, die berühmte *Goldene Regel*, besagt: «Was du nicht willst, dass man dir tu', das füg' auch keinem anderen zu.» Das bedeutet zunächst, dass man niemandem schaden soll (neminem laedere, dazu sogleich). Die Beachtung allein dieses Minimalstandards hätte den grauenhaften Zivilisationsbruch des Naziregimes oder des Stalinismus, oder religiös motivierte Terrororganisationen wie den Islamischen Staat, Al Qaida oder die Taliban verhindert. Auch der mörderische Überfall Russlands auf das friedliche Nachbarland Ukraine gehört hierher.

Die Maxime ist, seit es Aufzeichnungen gibt, in allen Gesellschaften anerkannt, neben der griechisch-römischen Antike auch im Vorderen Orient und im Fernen Osten.[30] In der Bibel finden wir sie im apokryphen Buch Tobit.[31] Das Neue Testament hat die positive Variante «Was ihr also von anderen er-

---

29 In ihm sieht *Schopenhauer* geradezu den Gegenbegriff zur Gerechtigkeit, Preisschrift über die Grundlagen der Moral, 1841 (Schopenhauer Werke, Zürcher Ausgabe Bd. VI A. Hübscher, Hrsg.,1977) 236, 238; dazu J. PETERSEN, Schopenhauers Vorstellung der Gerechtigkeit (2018) 41 ff.

30 S. *Forschner* u.a. (Hrsg.), Lexikon der Ethik[7] (2008) 118; MAYER-MALY, Rechtsgeschichtliche Bibelkunde (2003) 26 ff. In der griechischen Antike ist die früheste Quelle einer der Sieben Weisen, vielleicht Thales von Milet (zu ihm auch Fn 151, 173, 206), vgl. DIOGENES LAERTIOS, Leben und Lehren berühmter Philosophen, (1921), *Thales* I 36 i.f.: «Wie kann man am Besten und Gerechtesten leben? Wenn wir, was wir an anderen tadeln, selber nicht tun.» Zahlreiche Nw. bei Wikipedia «Sieben Weise von Griechenland».

31 Tobit 4, 15 (Septuaginta): καὶ ὃ μισεῖς, μηδενὶ ποιήσῃς – was du (selbst) verabscheust, sollst du niemandem tun; Tobit 4, 16 (Vul-

wartet, das tut auch ihnen».[32] Hierher gehört auch das alte «do ut des» – ich gebe, damit du gibst, der Konnex zwischen Leistung und Gegenleistung der synallagmatischen Verträge, die von Aristoteles bei der korrigierenden Gerechtigkeit thematisiert werden (Nik. Eth. 1131a dazu unten 3). Quasi in umgekehrte Richtung geht die kausale Variante, die auch die Rache (unten VI 1) einschliessende Maxime «wie du mir – so ich dir».

Die Goldene Regel reflektiert das psychologische Faktum, dass wir absolut empfindlich sind, wenn uns selbst Unrecht geschieht, dagegen je nach Empathiefähigkeit nur mehr oder weniger, wenn es anderen widerfährt. Daher ist die Kontrollüberlegung nützlich, wie wir uns fühlen würden, wenn dasselbe uns geschähe. Das gilt auch für Kinder, die ab einem gewissen Alter[33] im Allgemeinen ein deutliches Gerechtigkeitsgefühl haben, wenn man vom Teilen einmal absieht. In einer philosophischen Fassung begegnet uns die Goldene Regel im kategorischen Imperativ von *Immanuel Kant*: «Handle

---

gata): Quod ab alio oderis fieri tibi, vide ne alteri tu aliquando facias – was du von anderen fürchtest, sieh zu, dass du es nicht selbst einmal einem anderen antust.

32 *Mattheus* 7,12 u. *Lukas* 6,31 (Vulgata): Omnia ergo quæcumque vultis ut faciant vobis homines, et vos facite illis. – Und wie ihr wollt, dass euch die Menschen tun sollen, so tuet auch ihr ihnen. Allgemein nennt Jesus als wichtigstes Gebot neben der Gottesliebe: «Liebe deinen Nächsten wie dich selbst» (*Markus* 12, 29–31). Beide Varianten finden sich auch bei *Thomas Hobbes*, Leviathan (or The Matter, Forme and Power of a Common Wealth Ecclesiastical and Civil, 1651 abgedruckt bei Wikisource s.h.v.) I 14: This is that law of the gospel: Whatsoever you require that others should do to you, that do ye to them. And that law of all men, quod tibi fieri non vis, alteri ne feceris.

33 In den kognitiven Neurowissenschaften ist nicht gesichert, ob sich ein Gerechtigkeitssinn schon mit drei oder eher erst mit sechs Jahren entwickelt.

so, dass die Maxime deines Willens jederzeit zugleich als Prinzip einer allgemeinen Gesetzgebung gelten könnte.»[34]

Aus der Erkenntnis der Goldenen Regel wurde der Grundvertrag zwischen den Menschen entwickelt, den die Schwächeren abschliessen, damit der Stärkere nicht tun kann, was er will, wie das in dem ursprünglichen Zustand der Natur der Fall war. So heisst es z.B. bei *Ovid* (Fasti 3, 279): Inde datae sunt leges ne firmior omnia posset – die Gesetze sind darum erlassen worden, dass sich der Stärkere nicht alles erlauben kann. Ein Beleg aus vorsokratischer Zeit ist der Anonymos Jamblichi[35]:

> Denn da die Menschen nicht im Stande sind, für sich allein zu leben, haben sie sich der Not gehorchend zusammengeschlossen [...] Zusammenzuleben und doch ohne Gesetz zu sein, erwies sich aber als unmöglich – [...] darum herrschen Gesetz und Recht königlich über die Menschen und das wird niemals anders werden, denn es ist durch die Kraft der Natur festgelegt.

Die Vorstellung, dass das Recht auf einem *Vertrag der Bürger* beruht, findet sich weiter bei *Platon*, Politeia[36] und bei

---

34 *Kant,* Kritik der praktischen Vernunft, § 7 Grundgesetz der reinen praktischen Vernunft, AA V 30.

35 *Diels/Kranz* II 402 fr. 6.

36 Der Dialog Politeia handelt auf weiten Strecken von der Gerechtigkeit, ist aber für das Thema weniger ergiebig. Die Kernstelle beschäftigt sich mit Spitzfindigkeiten über Unrechttun und Unrechtleiden, den Freunden nützen und den Feinden schaden. – Polit. 358e – 359a: πεφυκέναι γὰρ δή φασιν τὸ μὲν ἀδικεῖν ἀγαθόν, τὸ δὲ ἀδικεῖσθαι κακόν; πλέονι δὲ κακῷ ὑπερβάλλειν τὸ ἀδικεῖσθαι ἢ ἀγαθῷ τὸ ἀδικεῖν; τοῖς μὴ δυναμένοις τὸ μὲν ἐκφεύγειν τὸ δὲ αἱρεῖν δοκεῖ λυσιτελεῖν συνθέσθαι ἀλλήλοις μήτ᾽ ἀδικεῖν μήτ᾽ ἀδικεῖσθαι· καὶ ἐντεῦθεν δὴ ἄρξασθαι νόμους τίθεσθαι καὶ συνθήκας αὑτῶν, καὶ ὀνομάσαι τὸ ὑπὸ τοῦ νόμου ἐπίταγμα

dem griechischen Redner Demosthenes, den der römische Jurist Marcian zitiert (Dig. 1, 3, 2: συνθήκη κοινή: Gemeinschaftsvertrag). Diese «philosophische Vertragstheorie»[37] setzt das auf Gemeinsamkeit angelegte und angewiesene Lebewesen (vgl. oben), einen Staatsbürger voraus und ist nur eine modellhafte Vorstellung.[38] Sie begegnet bei Epikur (Kyriai doxai – Hauptlehrsätze 32, 33): «Gerechtigkeit an sich hat es nie gegeben. Alles Recht beruhte nur auf einer Übereinkunft zwischen den Menschen, einander nicht zu schaden und voneinander nicht geschädigt zu werden.» Hier taucht die Goldene Regel in Gestalt einer Vereinbarung wieder auf. Von dem fiktiven Vertragscharakter abgesehen, geht es auch nicht nur um das friedliche Nebeneinander und den gegenseitigen Nutzen. Auf der Gemeinschaft und der gegenseitigen Anerkennung beruht die sittliche Existenz des Menschen als Individuum mit einer sozialen Moral.[39]

νόμιμόν τε καὶ δίκαιον: καὶ εἶναι δὴ ταύτην γένεσίν τε καὶ οὐσίαν δικαιοσύνης, μεταξὺ οὖσαν τοῦ μὲν ἀρίστου ὄντος, ἐὰν ἀδικῶν μὴ διδῷ δίκην, τοῦ δὲ κακίστου, ἐὰν ἀδικούμενος τιμωρεῖσθαι ἀδύνατος ᾖ: τὸ δὲ δίκαιον ἐν μέσῳ ὂν τούτων ἀμφοτέρων … – Unrechttun sei von Natur aus gut, Unrechtleiden schlecht. «Daher schliessen Menschen, die nicht in der Lage sind, ungestraft Unrecht zu begehen und zugleich das Unrechtleiden zu vermeiden, Verträge ab und stellen Gesetze auf, die das Unrechtleiden verhindern, indem sie das Unrechttun untersagen. Dies sei also das Wesen und die Entstehung der Gerechtigkeit: die Mitte zwischen dem Besten, Unrecht zu tun ohne bestraft zu werden, und dem Schlechtesten, Unrecht zu erleiden, ohne sich wehren zu können; Gerechtigkeit ist der Mittelweg zwischen beiden …» (Übersetzung in Anlehnung an *O. Apelt*). S. auch *Platon*, Gorgias 483 und 489.

37 Zu den griechischen Wurzeln bei Platon und Aristoteles auch HÖFFE, Demokratie im Zeitalter der Globalisierung (1999) 48 ff.

38 VERDROSS, Abendländische Rechtsphilosophie[2] (1963) 240.

39 Wie hier VERDROSS, Statisches und dynamisches Naturrecht (1971) 101 f.

Die Idee eines *contractualism*[40] lebt freilich fort bis zum heutigen Tag. Sie wurde vertreten von *John Locke* und *Thomas Hobbes* und begegnet uns im *contrat social* von *Jean Jacques Rousseau*[41] und zuletzt bei *John Rawls,*[42] der einen Schleier des Nichtwissens fingiert (veil of ignorance), um zu gewährleisten, dass niemand seine eigenen Verhältnisse kennt, damit

---

40 A. SEN, The Idea of Justice (2009) verkennt den antiken Ursprung und hält den contractualism für eine Idee der Aufklärung.

41 Du Contrat social ou principes du droit politique – Vom Gesellschaftsvertrag oder den Prinzipien des Staatsrechts (1762). Ähnliche Vorstellungen bei LOCKE, Two Treatises of Government – Zwei Abhandlungen über die Regierung (1689). Bei Hobbes besteht ein angelsächsisches Misstrauen gegenüber bindenden Kontrakten ohne Gegen- oder Vorleistung. Daher erzwingt der Leviathan die Einhaltung. Der Naturzustand ist das bellum omnium contra omnes – war of everyone against everyone, wo die Menschen einander nicht Gott, sondern Wolf sind (homo homini deus, homo homini lupus). Diese müssen daher durch den Staat (allegorisch die Ungeheuer Behemoth und Leviathan) in Schach gehalten werden, s. HOBBES, Leviathan (or The Matter, Forme and Power of a Common Wealth Ecclesiastical and Civil, 1651, abgedruckt bei Wikisource) I 15: «But because covenants of mutual trust, where there is a fear of not performance on either part (as hath been said in the former chapter), are invalid, though the original of justice be the making of covenants, yet injustice actually there can be none till the cause of such fear be taken away; which, while men are in the natural condition of war, cannot be done.» Sublimiert finden sich die Idee von der «bürgerlichen Vereinigung» und der «Notwendigkeit eines Herrschers» auch bei KANT, Idee zu einer allgemeinen Geschichte in weltbürgerlicher Absicht (1784), fünfter Satz – fin; sowie bei SCHOPENHAUER, Parerga et Paralipomena (1851) II/1 § 123, 236 (Zürcher Ausg., A. Hübscher, Hrsg. 1977); ders. Welt als Wille und Vorstellung (1844) I/2 § 61, 414 ff.; dazu J. PETERSEN, Schopenhauers Gerechtigkeitsvorstellung (2018) 19.

42 A.a.O. 28 ff.; krit. dazu HÖRSTER, Gibt es eine gerechte Gesellschaft? (2013).

sich so die Bürger auf eine vernünftige Verteilung und auf Gerechtigkeitsprinzipien einigen.

Der römische Jurist Ulpian[43] definiert die Gerechtigkeit in Anlehnung an griechische Vorbilder, die idealistisch sind, aber relativ abstrakt:

> Ulpian D. 1, 1, 10 pr. – 1: iustitia est constans et perpetua voluntas ius suum cuique tribuendi. iuris praecepta sunt haec: honeste vivere, alterum non laedere, suum cuique tribuere.
>
> Gerechtigkeit ist der beständige und dauernde Wille, jedem das Seine zuzuteilen. Die Gebote des Rechts sind diese: ehrenhaft leben, dem anderen nicht schaden, jedem das Seine zuzuteilen.

Diese Definition betrifft die Gerechtigkeit als Tugend. Sie wird ergänzt durch die drei Gebote, wobei das dritte Gebot in einer Wiederholung der Definition besteht. Auch Justinian betont als herausragendes Merkmal des Naturrechts *Ewigkeit*[44] und *Unveränderlichkeit* und bringt es mit dem göttlichen Ursprung des Rechts in Verbindung, das im Gegensatz

---

43 Der spätklassische Jurist lebte am Übergang vom 2. zum 3. Jh. n. Ch. und stammte aus Tyros im heutigen Libanon (Dig. 50, 15, 1). Er hat uns ein Werk enzyklopädischen Umfangs hinterlassen; etwa ein Drittel der Digesten stammt von ihm. Er wurde zur Zeit des Kaisers Alexander Severus 223 (228?) in einem Aufstand der Prätorianergarde ermordet; zu Leben und Werk WIEACKER, Röm. Rechtsgeschichte (2006) 130 f.

44 Eine Anleihe bei den unveränderlichen, ewigen Rechten nimmt auch die «Ewigkeitsgarantie» des Art. 79 Abs. 3 GG, die allerdings auf die Menschen- und Grundrechte beschränkt bleiben sollte; s. dazu Fn 257.

steht zu menschlichen Gesetzen, die ständigen Änderungen[45] unterworfen sind (s. auch unten IV 1).

> Justinian Inst. 1, 2, 11: sed naturalia quidem iura, quae apud omnes gentes peraeque servantur, divina quadam providentia constituta semper firma atque immutabilia permanent: ea vero, quae ipsa sibi quaeque civitas constituit, saepe mutari solent vel tacitu consensu populi vel alia postea lege lata.
>
> Die natürlichen Rechtsgrundsätze, die von allen Völkern beachtet werden und gewissermassen durch göttliche Vorsehung begründet sind, bleiben immer gültig und unabänderlich; diejenigen aber, die sich eine Bürgerschaft selbst gibt, pflegen oft geändert zu werden, sei es durch stillschweigenden Konsens des Volkes, sei es durch ein späteres Gesetz.

Die bei Ulpian zur näheren Bestimmung herangezogenen drei *praecepta iuris* sind sehr allgemein gehaltene Handlungsmaximen[46]. **Honeste vivere** gilt heute weniger als Maxime des Rechts, als der Ethik. Das Recht stellt nicht so hohe Anforderungen wie die Ethik, verlangt nicht Altruismus oder Nächstenliebe, sondern begnügt sich – wie die Goldene Regel – mit neutralem und nicht rechtswidrigem Handeln. Zu weit geht jedoch die Definition *G. Jellineks*[47], wonach Recht

---

45 Wer sich von den permanenten Änderungen moderner Gesetzgebung ein Bild machen will, muss nur einen Blick in die Gesetz- und Amtsblätter werfen. Näher HONSELL, Vom heutigen Stil der Gesetzgebung (1979). Tacitus 3, 27 hält die Vielzahl der Gesetze für das Zeichen eines korrupten Staates: corruptissima re publica plurimae leges.

46 Dazu HONSELL/FARGNOLI, Römisches Recht[9] (2021) 19 ff.; HÖFFE, Gerechtigkeit[5] (2015) 49 ff.

47 Die sozialethische Bedeutung von Recht, Unrecht und Strafe[2] (1878/1908) 20 ff., 42, 45.

nichts anderes sei als das «ethische Minimum». Diese Aussage ist von einer positivistischen Tendenz geprägt, während Ulpian vom Naturrecht handelt. Richtig ist, dass das Recht in Einklang stehen muss mit den ethischen Grundwerten, ihnen nicht widersprechen darf.[48] Vor allem die Menschenwürde muss es beachten und schützen. Als Tugend setzt Gerechtigkeit Anständigkeit und Ehrbarkeit voraus. Dazu galt schon im Römischen Recht, dass nicht alles, was erlaubt ist, auch anständig ist: Non omne quod licet honestum est (Paulus Dig. 50, 17, 144 pr).

Auch die zweite Maxime, **neminem laedere** (niemandem schaden) gilt zunächst selbstverständlich insoweit, als der Staat selbst niemanden schädigen darf. Schon in der griechischen Antike war die Schädigung der Bürger durch ungerechte Urteile ein Dauerthema.[49] In Rom gab es eine eigene

---

48 Mehr zum Positivismus tendierend R. DREIER, Der Begriff des Rechts, NJW 1986, 890, 896, der nur ein «Minimum an ethischer Rechtfertigung und Rechtfertigungsfähigkeit» verlangt; s. aber auch DENS., Recht und Gerechtigkeit (1991), 95, wo gesagt wird, die Frage nach der «materialen Richtigkeit des Rechts, sei die Frage nach der Gerechtigkeit». Nach MAYER-MALY, FS Schmidlin (1998) 481 ff., 484 = Ges. Schr. 247 ff., 250 «wird durch den beträchtlichen Grad an Akzeptanz ausgeglichen, was dieser Ansicht an Präzision abgehen mag»; zum ungerechten Gesetz unten IV 1. Zum Positivismus s. auch bei Fn 236 ff.; zur Radbruch'schen Formel bei Fn 233 ff.

49 «Unehrlichen Richterspruch» und «käufliche Richter» beklagt schon *Hesiod*, Werke 219 f. Andere Beispiele sind der Prozess gegen Sokrates oder der Arginusenprozess, in dem die (siegreichen!) Flottenkommandanten zum Tode verurteilt wurden, weil sie die Toten nach der Seeschlacht bei den Arginusen nicht geborgen hatten, was wegen eines aufkommenden Sturmes nicht möglich gewesen war (*Xenophon* Hellenika 1, 6 u. 7; *Diodor* XIII 101 ff.). – Die Liste von Justizverbrechen lässt sich beliebig verlängern vom Prozess Jesu über Inquisition und Hexenprozesse bis zu Freislers

Klage gegen den korrupten Richter, «der sich selbst den Prozess aufgeladen hat» (qui litem suam fecit, Gaius Dig. 50, 13, 6). In Gestalt einer politischen Justiz, die z.B. auf den abstrakten Vorwurf staatsgefährdenden Handelns, wie Rebellion usw., einfache Demonstranten zu absurden Strafen verurteilt, findet man sie auch heute nicht nur in Unrechtsstaaten wie z.B. Nordkorea oder Belarus, in zu Diktaturen entarteten Demokratien wie der Türkei oder Russland, um nur einige zu nennen (weitere Beispiele unten VI 2). Korrupt sind auch die Versuche der Einflussnahme auf die Justiz in Polen und Ungarn. In zivilisierten Staaten gibt es, von vereinzelten Ausreissern und Fehlurteilen abgesehen, jedenfalls im Prinzip, kein *Legal-* oder *Justizunrecht.* Doch kommt es, wo Menschen nach abstrakten Gesetzen richten, auch zu ungerechten Urteilen.

Neminem laedere ist sodann eine Forderung an die Bürger; keiner soll den anderen schädigen. Niemand soll Unrecht tun, niemand Unrecht leiden. Das ist die oberste Maxime des Deliktsrechts. Auch entspricht es natürlicher Billigkeit, dass sich niemand mit dem Schaden eines anderen rechtswidrig bereichert: Iure naturae aequum est, neminem cum alterius detrimento et iniuria fieri locupletiorem.[50] Auch diese Devise

---

Volksgerichtshof und Schauprozessen in (Semi-)Diktaturen mit Pseudogerichten, wie z.B. in Russland oder der Türkei.

50 Pomp. Dig. 12, 6, 14 (= 50, 17, 206). Das wird als Schädigungs- und als Bereicherungsverbot verstanden. Vgl. *Cicero* de off. III 21: Detrahere igitur alteri aliquid et hominem hominis incommodo suum commodum augere magis est contra naturam quam mors, quam paupertas, quam dolor … – Jemandem etwas wegnehmen und den eigenen Vorteil auf Kosten des Nachteils anderer zu vermehren ist mehr gegen die Natur als Tod, Armut oder Schmerz …; s. auch 22 u. 23.; Paulus Dig. 47, 2,1, 3 bezeichnet das unredliche Antasten fremden Gutes in gewinnsüchtiger Absicht als nach einem Naturgesetz verboten … contrectatio rei fraudulosa lucri faciendi gratia quod lege naturali prohibitum.

ist nicht so eindeutig, wie es zunächst scheint. Ersatzpflichtig macht nur die rechtswidrige (widerrechtliche) Schädigung. Man muss also zwischen erlaubtem und unerlaubtem Verhalten unterscheiden. So darf man z.B. in Notwehr die Schädigung eines Angreifers bei der Abwehr in Kauf nehmen und allgemein gilt der Satz, dass niemanden schädigt, wer (nur) von seinem Recht Gebrauch macht: Qui suo iure utitur neminem laedit. Allerdings war dies ein rhetorisches Argument, das seine Grenze in der gegenläufigen Regel hatte (Gaius Inst 1, 53): male enim nostro iure uti non debemus – wir dürfen nämlich unser Recht nicht in schlechter Weise ausüben. Die missbräuchliche, schikanöse Rechtsausübung, mit der keine Interessen verfolgt werden, sondern nur die Schädigung eines anderen, ist verboten. Dagegen sind etwa Wettbewerbsmassnahmen, die das eigene Unternehmen fördern aber dadurch gleichzeitig der Konkurrenz schaden, nicht per se rechtswidrig, sondern nur, wenn es sich um sog. «unlauteren» Wettbewerb handelt[51]. Wie lässt sich das konkretisieren? Abstrakt und als Bonmot zugespitzt kann man nämlich sagen, dass jede wirtschaftliche Tätigkeit darauf gerichtet ist, aus fremdem Geld eigenes zu machen. Trotzdem besteht ein fundamentaler Unterschied zwischen einem Bankraub und der Gründung einer Bank; entgegen der ironischen Frage von *Bert Brecht*, Dreigroschenoper: «Was ist ein Einbruch in eine Bank gegen die Gründung einer Bank?». Das eine ist verboten und strafbar, das andere rechtmässig und erlaubt. Gleichwohl ist es bemerkenswert, dass der ehrbare Kaufmann und der Dieb in dem Götterboten Hermes (römisch: Merkur) einen gemeinsamen Schutzpatron hatten: Er war der Gott von Handel und Gewinn, der Kaufleute und der Diebe. Hermes war auch der Schirmherr der Redner, weil er die Kunst der

---

51 S. dazu die Gesetze gegen unlauteren Wettbewerb – UWG in D/A/CH, zu denen es eine uferlose und kleinteilige Judikatur gibt; z.B. hat der deutsche Kommentar zum UWG von *Köhler/Bornkamp* 2040 Seiten.

Überredung besass und nie um Ausreden verlegen war. Von Hermes abgeleitet ist schliesslich der Begriff der Hermeneutik (Lehre vom Verstehen von ἑρμηνεύειν – hermēneúein, erklären, übersetzen, auslegen, weil Hermes den Menschen die göttlichen Gebote überbracht hat).

3. Verteilende und ausgleichende Gerechtigkeit

Die älteste und noch heute relevante Einteilung ist die bereits erwähnte Unterscheidung des Aristoteles zwischen **verteilender** und **ausgleichender** oder **korrigierender Gerechtigkeit** (δικαιοσύνη διανεμητική – dikaiosyne dianemetike, **iustitia distributiva** und δικαιοσύνη διορθωτική – dikaiosyne diorthotike, *iustitia correctiva*, Nik. Ethik 1130b – 1131a).[52] Die verteilende Gerechtigkeit nennt Aristoteles

[52] Wegen ihrer Bedeutung wird die zentrale Stelle hier in einem Auszug im griechischen Original wiedergegeben: (1130b i.f. – 1131a) τῆς δὲ κατὰ μέρος δικαιοσύνης καὶ τοῦ κατ' αὐτὴν δικαίου ἓν μέν ἐστιν εἶδος τὸ ἐν ταῖς διανομαῖς τιμῆς ἢ χρημάτων ἢ τῶν ἄλλων ὅσα μεριστὰ τοῖς κοινωνοῦσι τῆς πολιτείας ἐν τούτοις γὰρ ἔστι καὶ ἄνισον ἔχειν καὶ ἴσον ἕτερον ἑτέρού, (1131a) ἓν δὲ τὸ ἐν τοῖς συναλλάγμασι διορθωτικόν. (6.) ἐπεὶ δ' ὅ τ' ἄδικος ἄνισος καὶ τὸ ἄδικον ἄνισον, δῆλον ὅτι καὶ μέσον τι ἔστι τοῦ ἀνίσου. τοῦτο δ' ἐστὶ τὸ ἴσον … εἰ γὰρ μὴ ἴσοι, οὐκ ἴσα ἕξουσιν, ἀλλ' ἐντεῦθεν αἱ μάχαι καὶ τὰ ἐγκλήματα, ὅταν ἢ μὴ ἴσα ἴσοι ἢ μὴ ἴσοι ἴσα ἔχωσι καὶ νέμωνται. ἔτι ἐκ τοῦ κατ' ἀξίαν τοῦτο δῆλον: τὸ γὰρ δίκαιον ἐν ταῖς νομαῖς ὁμολογοῦσι πάντες κατ' ἀξίαν τινὰ δεῖν εἶναι, τὴν μέντοι ἀξίαν οὐ τὴν αὐτὴν λέγουσι πάντες [ὑπάρχειν], ἀλλ' οἱ μὲν δημοκρατικοὶ ἐλευθερίαν, οἱ δ' ὀλιγαρχικοὶ πλοῦτον, οἳ δ' εὐγένειαν, οἱ δ' ἀριστοκρατικοὶ ἀρετήν. ἔστιν ἄρα τὸ δίκαιον ἀνάλογόν τι. – Von der besonderen Gerechtigkeit und dem ihr entsprechenden Gerechten betrifft die eine Art die Zuteilung von Ehren (Ämtern), Geld

geometrisch proportional, die ausgleichende Gerechtigkeit arithmetisch proportional.[53] Jene findet sich vorwiegend im öffentlichen Recht[54], diese ist eine Korrektur der Privatauto-

---

und anderen Dingen, die unter die Mitglieder der Gemeinde aufgeteilt werden können; denn bei diesen besteht ja die Möglichkeit, dass der eine gleich viel wie der andere erhält oder auch nicht gleich viel; (1131a) die ausgleichende Gerechtigkeit regelt die Austauschverhältnisse. (6.) Da das Ungerechte ein Feind der Gleichheit und das Unrecht ein Verstoss gegen die Gleichheit ist, so muss es offenbar auch ein Mittleres zwischen dem Ungleichen geben und das ist eben das Gleiche … Wenn sie nicht gleich sind, werden sie nicht Gleiches haben dürfen und von daher rührt aller Streit, der entsteht, wenn Gleiche Ungleiches oder Ungleiche Gleiches haben oder zugeteilt bekommen. Das ergibt sich ja auch, wenn man den Massstab der Würdigkeit anlegt. Denn alle stimmen darin überein, dass das Gleiche im Verteilen auf einer bestimmten Würdigkeit beruhen muss. Doch diese Würdigkeit ist nicht für alle dieselbe, sondern die Demokraten sehen sie in der Freiheit, die Oligarchen im Reichtum, andere im Adel (Geburt), die Aristokraten in der Tugend. Das Gerechte ist also etwas Proportionales … (Übersetzung nach *Gigon,* hrsg. v. Nickel, 2. A. 2007).

53 Die Unterscheidung zwischen geometrischer und arithmetischer Proportionalität im Kontext der Gerechtigkeit ist unklar. Ein Erklärungsversuch bei MANTHE, Beiträge zur Entwicklung des antiken Gerechtigkeitsbegriffs I: Die Mathematisierung durch Pythagoras und Aristoteles, ZRG RA 113 (1996) 4 ff.

54 Abweichend CANARIS, Die Bedeutung der iustitia distributiva im deutschen Vertragsrecht (1997) und LARENZ/CANARIS, Schuldrecht II 2^{13} (1994) 354, 607 f., der – hierin ESSER (Grundlagen und Entwicklung der Gefährdungshaftung, 1941, 73) folgend – in der Gefährdungshaftung ein Beispiel der iustitia distributiva sehen will und annimmt, dass der Gesetzgeber an der «Spitze des Dreiecks» zwischen den Parteien quasi verteilend tätig werde; ähnlich ST. ARNOLD, Vertrag und Verteilung: Die Bedeutung, der iustitia distributiva im Vertragsrecht (2014) 34. Gegen diese quellenferne These und gekünstelte Konstruktion HONSELL, 2. FS Mayer/Maly

nomie durch den Richter. Jene ist ungleich schwieriger zu gewährleisten als diese. Verteilende und ausgleichende Gerechtigkeit werden gemeinsam dargestellt in der symbolischen Figur der *Aequitas* (ἐπιείκεια – epieikeia, auch Billigkeit, dazu unten III 2), die als personifizierte Gottheit mit den Symbolen Füllhorn und Waage abgebildet wird (oben I 1).

a) Die **verteilende Gerechtigkeit** des Aristoteles ist identisch mit der dritten Maxime Ulpians, die am schwierigsten zu konkretisieren ist und die in die Definition der Gerechtigkeit aufgenommen wurde: **«Suum cuique tribuere – Jedem das Seine zuteilen.»**[55] Nach *Aristoteles* muss der Staat sie bei

---

(2002) 287 ff. m.w.Nw. – Die Einteilung des Aristoteles sorgt weiterhin für Irrtümer: Die Zivilrechtslehrertagung hat 2019 in Hamburg eine Podiumsdiskussion über «Verteilungsgerechtigkeit und Privatrecht» veranstaltet (AcP 219, 2019, 796 ff.). Auch dort wurde die Zuordnung der *iustitia distributiva* zum öff. Recht verkannt und im Übrigen der schiefe Begriff der *iustitita commutativa* verwendet, was dann z.B. bei *Stürner* (802) zu der Feststellung führt, die Unterscheidung sei nicht sinnvoll. Seit Aristoteles geht es im Privatrecht um die ausgleichende Gerechtigkeit, die nicht Tauschgerechtigkeit ist und richtig *iustitia correctiva* heisst (unten b und Fn 83).

55 Weil diese Maxime nichts darüber sagt, was das Seine ist, was jedem Einzelnen gebührt, hat man sie als Leerformel bezeichnet. Kritik an der Formel schon bei *Schopenhauer*, der sie für inhaltslos hielt, weil man niemandem zu geben brauche, was ihm schon gehöre; richtig sei: «keinem das Seine nehmen», SCHOPENHAUER, Preisschrift über die Grundlagen der Moral, 1841 (SCHOPENHAUER, Werke, Zürcher Ausgabe Bd. VI A. Hübscher, Hrsg.,1977) 256; dazu JENS PETERSEN, Schopenhauers Vorstellung der Gerechtigkeit (2018) 89; An dem Vorwurf der Leerformel ist richtig, dass sie ungeachtet ihrer ethischen Ausrichtung gegen Pervertierung nicht geschützt ist; so haben sie die Nationalsozialisten über das Tor des Konzentrationslagers Buchenwald geschrieben. S. zu der Maxime z.B. KLENNER, Jedem das Seine! Geschichte eines Schlagworts, Ossietzky 4 (2002) <http://www.sopos.org/aufsaetze/3c7d45aeb

der Vergabe von Ämtern oder der Verteilung von Gütern beachten. Hierher gehört auch *Platon* Politeia (331e, 332c), wo Sokrates Simonides mit dem Satz zitiert τὸ τὰ ὀφειλόμενα ἑκάστῳ ἀποδιδόναι δίκαιον ἐστι, was wörtlich heisst: «jedem das Geschuldete zurückzugeben ist gerecht», z.B. eine Darlehensrückzahlung o.Ä. Da einerseits die Rückgabe des Geschuldeten selbstverständlich ist und kein Problem der Verteilungsgerechtigkeit, andererseits sogar das Geschuldete nicht immer zurückzugeben ist,[56] kritisiert Sokrates Simonides und gelangt zu dem allgemeinen Satz, dass es gerecht sei

2e57/1.phtml>. Zu radikal KAUFMANN/VON DER PFORDTEN, in: Hassemer/Neumann/Saliger, Rechtsphilosophie[9] (2016) 24, die nicht nur suum cuique für eine Leerformel halten, sondern auch die Goldene Regel, den Kategorischen Imperativ, das Toleranz- oder das Fairnessgebot. Ebenso (von einem extrem positivistischen Standpunkt aus, s. unten IV 1) KELSEN, Was ist Gerechtigkeit 29 ff., 39 f., 41: «wissenschaftliche Wertlosigkeit». Diese Grundsätze sagen zwar nicht, was im Einzelfall gerecht ist, geben aber immerhin die Richtung an und können mit naturrechtlichen Inhalten gefüllt werden. Nach VERDROSS, Abendl. Rechtsphilosophie[2] (1963) 281 ff. ist das suum cuique nur dann eine Leerformel, wenn man das Naturrecht leugnet.

56 *Sokrates* (Politeia 331c) bringt das Beispiel der Rückgabe einer in Verwahrung genommenen Waffe an einen inzwischen in geistige Umnachtung gefallenen Freund; s. auch *Cicero* De off. 3. 95 und *Seneca* De beneficiis 3, 49, 4. Tryphonin (Dig. 16, 3, 31) erörtert den Fall der Hinterlegung einer gestohlenen Sache durch einen Dieb und begründet die Herausgabe an den Eigentümer – ungeachtet der an sich aus der fides abzuleitenden Rückgabepflicht an den Dieb (als Hinterleger) – mit der «Gerechtigkeit, die jedem das Seine in der Weise zuteilt, dass keiner Person mit einem gerechteren Rückforderungsanspruch etwas weggenommen wird» – iustitia, quae suum cuique ita tribuit, ut non distrahatur ab ullius personae iustiore repetitione. Es ist dies die einzige Digestenstelle, in der das suum cuique in einem praktischen Fall als Argument verwendet wird; s. zu dem Fall FINKENAUER, Die römischen Juristen

ἑνι ἑκάστῳ τὸ προσῆκον ἀποδιδόναι – *jedem das ihm Zukommende zu geben.* Das ist genauer und weniger breviloquent als das suum cuique von Ulpian und Aristoteles, weil es nicht dahin missverstanden werden kann, dass das gemeint ist, was jemand schon hat. Diese Interpretation würde gegen das Verbot der Inversion (Umkehrung) verstossen, wäre eine Vorwegnahme des Thema probandum. Was das *«ihm Zukommende»* ist, weiss man freilich immer noch nicht. So wenig wie in der Definition des Cicero,[57] der in de inventione (2, 160) sagt, dass die Gerechtigkeit darin bestehe, *jedem seine Würde* zuteil werden zu lassen: «Iustitia est habitus animi, communi utilitate conservata, suam cuique tribuens dignitatem» – «Gerechtigkeit ist eine Geisteshaltung, die im Gemeinwohl bewahrt ist und jedem seine eigene Würde zu Teil werden lässt». Hier wird also nicht nach Würdigkeit verteilt, sondern jedem wird die ihm zustehende dignitas zuteil.[58] Vielleicht bestimmt sich die Würdigkeit nach der Nützlichkeit für die Gesellschaft. Direkt gesagt wird das aber nicht. Der Gedanke, dass jeder seinen Beitrag zur Gemeinschaft leisten soll, findet sich in der Politeia, wo das später so gefasst wird (433a): τὸ τὰ αὑτοῦ πράττειν καὶ μὴ πολυπραγμονεῖν – das Seine zu tun und sich nicht in Vieles zu verzetteln.[59] Es sei ein «Bild der Gerechtigkeit», wenn der zum Schuster veranlagte nichts anderes tue als zu schustern, der Baumeister zu bauen usw.» (443c): «εἴδωλόν τι τῆς δικαιοσύνης, τὸ τὸν μὲν σκυτοτομικὸν φύσει ὀρθῶς ἔχειν σκυτοτομεῖν καὶ ἄλλο

---

und die Gerechtigkeit, in: O. Höffe (Hrsg.), Recht und Gerechtigkeit (2014) 11 ff.

57 De officiis I 15; de legibus I 19.

58 Diese Würdigkeit ist nicht zu verwechseln mit der *unantastbaren Menschenwürde*, z.B. in Art. 1 GG u. Art. 7 BV, die für alle Menschen gleich gilt.

59 S. noch *Gellius*, Noctes Atticae 13, 24, wo Cato zitiert wird: Suum cuique per me uti atque frui licet – Von mir aus kann jeder das Seine brauchen und geniessen.

μηδὲν πράττειν, τὸν δὲ τεκτονικὸν τεκταίνεσθαι, καὶ τἆλλα δὴ οὕτως.» Das hat mit Gerechtigkeit wenig zu tun, auch nicht mit «Beitragsgerechtigkeit».[60] Wohl aber spiegelt die Forderung die Erkenntnis wieder, dass sich die Menschen zur Befriedigung ihrer Bedürfnisse und Optimierung ihrer Leistungen zur Arbeitsteilung zusammenschliessen müssen. Platon lässt Sokrates wenig später sagen (444a), man habe den gerechten Mann und Staat und die wahre Bedeutung der Gerechtigkeit in ihnen gefunden – τὸν μὲν δίκαιον καὶ ἄνδρα καὶ πόλιν καὶ δικαιοσύνην, ὃ τυγχάνει ἐν αὐτοῖς ὄν ... εὑρηκέναι ... Dieser Kontext zeigt, dass es hier mehr um den Idealstaat geht, in dem natürlich Gerechtigkeit herrscht.

Die ungerechte Güterverteilung und die Lage der Arbeiter hat im 19. Jahrhundert neben *Marx* eindrücklich *Schopenhauer* beschrieben. Der Text ist auch heute in Zeiten der Globalisierung aktuell.[61]

---

60 So aber *Kaufmann/von der Pfordten* a.a.O. 30.

61 SCHOPENHAUER, Parerga et Paralipomena 1851 (Zürcher Ausg., A. Hübscher, Hrsg. 1977) II/1 § 125, 266 (dazu JENS PETERSEN, Schopenhauers Gerechtigkeitsvorstellung, 2018, 158 ff.): «Armut und Sklaverei sind also nur zwei Formen, fast möchte man sagen, zwei Namen derselben Sache, deren Wesen darin besteht, dass die Kräfte eines Menschen grossenteils nicht für ihn selbst, sondern für andere verwendet werden; woraus für ihn teils Überladung mit Arbeit, teils kärgliche Befriedigung seiner Bedürfnisse hervorgeht. Denn die Natur hat dem Menschen nur so viel Kräfte gegeben, dass er unter mäßiger Anstrengung derselben seinen Unterhalt der Erde abgewinnen kann: großen Überschuss von Kräften hat er nicht erhalten. Nimmt man nun die gemeinsame Last der physischen Erhaltung des Daseyns des Menschengeschlechts einem nicht ganz unbeträchtlichen Teil desselben ab; so wird dadurch der übrige übermäßig belastet und ist elend. So zunächst entspringt also jenes Übel, welches, entweder unter dem Namen des Sklaverei, oder unter dem des Proletariats, jederzeit auf der großen Mehrzahl des Menschengeschlechts gelastet hat. Die entferntere Ursache desselben

Der Begriff der δικαιοσύνη διανεμητική bei Aristoteles leitet sich von νέμειν[62] (nemein, verteilen, zuteilen) ab und betrifft vorwiegend das Rechtsgebiet, das wir heute als *öffentliches Recht* bezeichnen. Bei der iustitia distributiva geht es um das

---

aber ist der Luxus. Damit nämlich einige Wenige des Entbehrliche, Überflüssige und Raffinierte haben, ja, erkünstelte Bedürfnisse befriedigen können, muss auf Dergleichen ein großes Maß der vorhandenen Menschenkräfte verwendet und daher dem Notwendigen, der Hervorbringung des Unentbehrlichen, entzogen werden. Statt Hütten für sich, bauen Tausende Prachtwohnungen für Wenige.» Schopenhauer war sehr sprachgewaltig und seine manchmal übertreibenden Texte und Sprüche sind noch heute interessant, ja vergnüglich. So sagte er, als eine Frau gestorben war, die er zur Tür hinausgeworfen und der er dabei einen Arm gebrochen hatte, weshalb er eine lebenslange Rente von 6 Thalern zahlen musste: obit anus abit onus – Die Alte (das «A») stirbt, eine Last fällt weg; ein kunstvolles Wortspiel aus Doppeldeutigkeit und chiastischer Alliteration. Zum Fall siehe MUSCHELER, Der Schopenhauer-Maquet-Prozess und das preussische Recht (1999). Von Schopenhauer stammt auch der Satz «Wer alles liest, läuft Gefahr sich dumm zu lesen», Paerga und Paralipomena (1851) § 299: «Daher kommt es, dass wer sehr viel und fast den ganzen Tag liest, dazwischen aber sich in gedankenlosem Zeitvertreibe erholt, die Fähigkeit, selbst zu denken, allmälig verliert. – Wie Einer, der immer reitet, zuletzt das Gehn verlernt. Solches aber ist der Fall sehr vieler Gelehrten: Sie haben sich dumm gelesen.»

62 Das Gesetz war also schon damals geradezu das Synonym für das Nehmen und Geben des Staates. So sagt etwa Cicero, de legibus 1, 19: … Itaque arbitrantur prudentiam esse legem, cuius ea vis sit, ut recte facere iubeat, vetet delinquere; eamque rem illi Graeco putant nomine νόμον <a> suum cuique tribuendo (νέμειν) appellatam, ego nostro lex a legendo – Daher glauben sie, dass die Vernunft das Gesetz ist, das die Macht hat, das Richtige zu gebieten und das Unerlaubte zu verbieten; und sie meinen, dass daher der griechische Begriff νόμος (Gesetz) kommt, von jedem das Seine zuteilen (νέμειν), wie ich glaube, dass lex (Gesetz) a legendo kommt, von dem, was man lesen muss. – Zu νέμειν s. auch unten bei Fn 324.

gerechte Verteilen von Leistungen oder Belastungen durch den Staat. Der Satz gewinnt jedoch Gehalt, wenn man beachtet, dass der Akzent darauf liegt, nicht jedem das Gleiche zu geben, sondern zu differenzieren, sei es nach «Würdigkeit»[63], sei es nach Bedarf. Es soll also trotz der Gleichheit vor dem Gesetz (*Isonomia* unten II 2) *nicht an alle das Gleiche* verteilt werden, sondern jedem das Seine gegeben werden. Was das heisst, ist freilich offen. Nach Aristoteles wird die Würdigkeit in jeder Staatsform anders beurteilt. Während die Aristokratie auf Tüchtigkeit abstelle und andere auf Geburt (Adel), sei es in der Demokratie Freiheit. Heute würden wir hier zuerst die Gleichheit nennen (unten II 2). Ein Beispiel bei Aristoteles ist die Verteilung von Flöten: Für diese ist selbstverständlich nicht Schönheit oder Adel massgeblich, sondern Kunstfertigkeit im Flötenspiel.[64] Überträgt man die aristotelische Würdigkeit auf das heutige öffentliche Recht mit der staatlichen Leistungsgewährung und Daseinsvorsorge, so fallen zuerst «**Leistungs-** und **Bedarfsgerechtigkeit**» ins Auge. Jedem nach seinen Leistungen oder jedem nach seinen Bedürfnissen?[65] Das sind zunächst gegensätzliche Prinzipien. Während

---

63 Nik. Eth 1131a (s. Fn 52 a.E.) enthält teilweise fragwürdige Kriterien. In Politik III 9, 1280a 8 ff. unterscheidet er zunächst eine oligarchische und eine demokratische Gerechtigkeit redet dann aber nur von formaler Gleichheit: «So scheint die Gleichheit gerecht zu sein und sie ist es, aber nicht unter allen, sondern unter den Ebenbürtigen. Und ebenso scheint die Ungleichheit gerecht zu sein, und ist es auch, aber unter den Unebenbürtigen» (Pol. II 9, 1280a 13 – 16). Heute würden wir nach Verdienst oder nach Bedürftigkeit zuteilen (vgl. oben).

64 Beispiel von *Aristoteles*, Politik III 12, 1282b a.E.

65 MARX/ENGELS, Gesamtausgabe (1987) Bd. 19, 21 wandelte in seiner Kritik des Gothaer Programms der SAP von 1875 den Satz ab: «[erst] in einer höheren Phase der kommunistischen Gesellschaft ... kann die Gesellschaft auf ihre Fahne schreiben: Jeder nach seinen Fähigkeiten, jedem nach seinen Bedürfnissen!».

es im Arbeitsleben auf eine leistungsgerechte Bezahlung ankommt, ist in der Sozialhilfe die Bedürfnisgerechtigkeit die Richtschnur. Sie gewährleistet nur einen Mindeststandard. Das Beispiel der Arbeiter im Weinberg vernachlässigt die Leistungsgerechtigkeit, ist, wenn man so will, «Ungerechtigkeit durch Gleichbehandlung» (oben I 1). Es trägt aber dem Bedarfsgedanken Rechnung. Bei gleicher Bedürftigkeit ist eine Gleichbehandlung gerechtfertigt. Eine Einschränkung dieses Prinzips ergibt sich jedoch insofern, als darauf zu achten ist, keine falschen Anreize zu setzen.

Das bedarfsunabhängige *Kindergeld für alle* ist ein Negativbeispiel fehlender Bedarfsgerechtigkeit. Als Argument wird angeführt, dass dem Staat alle Kinder gleich viel wert sind und nicht gesichert sei, dass Kinder aus finanziell gutgestellten Familien von ihren Eltern auch entsprechend unterstützt würden. Zwar mag es solche Fälle geben, sie sind aber die Ausnahme nach der eine Regel nicht gebildet werden sollte. Bei dem an alle gleich verteilten Kindergeld ist auch nicht gesichert, dass es den Kindern wirklich zugutekommt. Das heutige «Giesskannenprinzip» verhindert, dass die wirklich Bedürftigen angemessen unterstützt werden, denn dafür reicht das Geld dann nicht.[66] Auch ist es keine vernünftige Verteilungspolitik und kein sinnvoller Umgang mit Steuermitteln, den Wohlhabenderen einen beträchtlichen Teil ihres Einkommens wegzunehmen, um es danach an alle zu verteilen, und damit auch ihnen teilweise zurückzugeben. Es macht keinen Sinn, nur wegen der formalen Gleichheit auch Reiche aus einem tendenziell knapp zu haltenden und begrenzten Steueraufkommen zu bedienen. Unvernünftige Verteilungen

---

66 Die Kindergrundsicherung in Hartz IV ist nicht ausreichend und zu bürokratisch. Entgegen einer verbreiteten Meinung (*Rossbach* SZ v. 10.1.2019, S. 4) spricht das aber nicht für eine eigene Grundsicherung für Kinder, *unabhängig von der Lebens- und Einkommenssituation der Eltern* (Hervorhebung hinzugefügt).

an alle hat man auch in der Corona-Pandemie (z.B. kostenlose Tests, Impfungen und Masken) und in der Inflation (Energiegeld, 9-Euro-Ticket, zahlreiche Massnahmen der sog. Entlastungspakete) beobachten können.

Die gesetzliche Rente folgt im Prinzip der Maxime, nicht «Jedem das Gleiche», sondern «Jedem das Seine», denn sie basiert im Grundsatz auf Beitrags- und Bedarfsgerechtigkeit. Trotzdem gibt es viele Ungerechtigkeiten. So ist zum Beispiel das einheitliche Renteneintrittsalter für Beamte und Arbeiter verfehlt, denn Arbeiter sind dank ihres körperlich anstrengenderen Berufs früher erwerbsgemindert und leben statistisch um fünf Jahre kürzer als Beamte und Angestellte. Dies müsste durch ein früheres Renteneintrittsalter kompensiert werden. Ein Bauarbeiter könnte mit 63 in Rente gehen, ein Beamter dagegen mit 68. So notwendig es ist, die Rente von Geringverdienern zu erhöhen, die trotz 30 oder 40 Jahren Arbeit am Ende zum Leben nicht reicht, so falsch ist es andererseits dies ohne Bedürfnisprüfung mit der Giesskanne zu tun, sodass z.B. auch viele Ehefrauen, die ein paar Stunden pro Woche im Geschäft ihres Mannes mitgearbeitet haben (Stichwort: «Zahnarztgattin») in den Genuss der Erhöhung kommen. Noch unvernünftiger ist das immer wieder geforderte *bedingungslose Grundeinkommen für alle*, das ohnehin unbezahlbar ist, denn es würde allein für Deutschland jährlich ca. eine Billion Euro kosten. Zuletzt hat es diese unvernünftige Idee sogar ins Grundsatzprogramm der Grünen geschafft. Es gäbe zahllose Bezieher, die gar nicht darauf angewiesen wären und umgekehrt sozial Bedürftige für deren Bedarf dann ausreichende Mittel nicht vorhanden wären. Knapp 13 Millionen Menschen leben in Deutschland an oder unter der Armutsgrenze, davon sind 2,8 Millionen Kinder[67]. Das Grundein-

[67] Durch die Inflation hat sich zuletzt die Lage noch verschlechtert. Zur Kinderarmut s. zuletzt C. und Ch. Butterwegge, Kinder der

kommen für alle ist ein Musterbeispiel für ein verfehltes «Jedem das Gleiche». Trotz wachsenden Zuspruchs wird das Modell von einer Mehrheit immer noch abgelehnt. Die Beispiele zeigen, wie schwer es in der politischen Auseinandersetzung einer pluralistischen Gesellschaft ist, selbst einfache Grundsätze umzusetzen. Der Staat soll nach Bedürftigkeit unterstützen, wie umgekehrt Lasten, namentlich Steuern, nach Leistungsfähigkeit auferlegen, was sich in einem progressiven Einkommensteuertarif widerspiegelt. Das bedeutet, dass Bezieher höherer Einkommen nicht nur absolut höhere Steuern bezahlen, sondern auch proportional, d.h., dass auch der Steuersatz mit wachsendem Einkommen ansteigt. Das ist heute weitgehend Konsens. Gestritten wird aber über den Spitzensteuersatz für Reiche und über die Abflachung der zum Teil früh ansteigenden Kurve, die selbst Kleinverdiener in die Progression führt. Verteilungsgerechtigkeit bedeutet in der *sozialen Marktwirtschaft* auch eine gewisse Umverteilung, welche die Ungerechtigkeiten auszugleichen versucht, die sich aus dem Markt, den ungleichen Startbedingungen und Löhnen, dem Vererben von Vermögen (usw.) ergeben (s. auch oben I 3 a u. unten II 1). Beträchtlich zur Vermögensungleichheit haben (neben dem Erbrecht) in neuerer Zeit leistungslose Planungs- und Urbanisierungsgewinne beigetragen, die kaum abgeschöpft wurden. Einen Anfang machte die Schweiz, *wo* mit einem neuen Raumplanungsgesetz des Bundes *den Kantonen* zwingend eine Mehrwertabschöpfung vorgeschrieben wurde.[68] In Deutschland gibt es bis heute keine Wertschöpfungs- oder Grundstückgewinnabgabe, trotz zahlloser Initiativen und Anläufen (zuletzt Jochen *Vogel*, Mehr Gerechtigkeit – Wir brauchen eine neue Bodenordnung,

---

Ungleichheit: Wie sich die Gesellschaft ihrer Zukunft beraubt (2021).

68 Eine ähnliche Massnahme ist es, wenn in Deutschland und Österreich bei der Baugenehmigung von Wohnhäusern ein bestimmter Anteil von Sozialwohnungen vorgeschrieben wird.

2019). Grund- und Boden ist knapp und dient dem elementaren Wohnbedürfnis und sollte deshalb nicht wie eine gewöhnliche Ware nach Angebot und Nachfrage gehandelt und zu einem Spekulationsobjekt gemacht werden. Sonst wird Wohnen unbezahlbar. Heute stehen den leistungslosen Bodengewinnen in Billionenhöhe für einige wenige unbezahlbare Mieten für viele gegenüber. Die Wohnungskosten der niedrigeren Einkommen betragen in Ballungsgebieten zum Teil bereits 50 Prozent und mehr. Diesen Zusammenhang kann man nicht übersehen. Es ist heute vielleicht das drängendste Problem ungerechter Verteilung.

Richtig bleibt, dass es zu dem privaten Gewinn- und Glücksstreben (pursuit of happiness) keine echte Alternative gibt. Denn es ist der beste Motor für eine allgemeine Prosperität. Die Marktwirtschaft generiert, wie ex negativo insbesondere Marxismus und Kommunismus mit der weitgehenden Abschaffung des Privateigentums gezeigt haben, einen höheren Wohlfahrtsgewinn, der die Voraussetzung jeder Verteilung ist; denn es ist eine Binsenweisheit, dass nur umverteilt werden kann, was zuvor erwirtschaftet worden ist. Deshalb wird privates Gewinnstreben in der sozialen Marktwirtschaft grundsätzlich nicht behindert, sondern gefördert.[69] Der Staat partizipiert über die Steuern und kann mit diesem Aufkommen für einen gewissen Ausgleich sorgen. Damit verwirklicht er das Sozialstaatsprinzip (Art. 20 Abs, 1 GG und Art. 12 u. 41 BV) und die Sozialpflichtigkeit des Eigentums (Art. 14 Abs. 2

69 Als Argument für das Privateigentum führt schon *Aristoteles* an, dass sich der Einzelne um seine Güter besser kümmere als die Gemeinschaft (Politik II 5, 1262b). So würde die Wirtschaftlichkeit durch Privateigentum verbessert (Pol. 1263b). Allerdings sei auch in Bezug auf das Vermögen das Mittlere das Beste, denn dann gehorche man am ehesten der Vernunft (Pol. IV 11,1295b). Gegen Mass und Mitte wird heute vielfach verstossen. Man denke etwa an obszöne Vorstandsgehälter und Boni, aber auch an überzogene Preise pharmazeutischer Produkte (s. z.B. unten I 3 u. II 3) usw.

S. 1 GG). Auf diese Weise können Leistungs- und Bedarfsgerechtigkeit miteinander kombiniert und in eine vernünftige Balance gebracht werden. Freilich besteht insoweit noch deutlicher Handlungsbedarf, denn eine Umverteilung findet nur in bescheidenem Rahmen statt. Der Staat betreibt teuren bürokratischen Aufwand und hat zu viele Aufgaben übernommen, insbes. eine Vielzahl z.T. nicht gerechtfertigter Subventionen. Immerhin beträgt die Sozialleistungsquote in den alten Bundesländern ca. 30 Prozent und in den neuen sogar 50 Prozent. Auch China hat die Planwirtschaft weitgehend und den Staatskapitalismus teilweise hinter sich gelassen und ist in einer *sozialistischen* Marktwirtschaft angelangt, die in der Theorie als Vorstufe einer kommunistischen Gütergemeinschaft gilt. Das Ziel eines Kommunismus, in dem jeder nicht mehr gemäss seinen Fähigkeiten, sondern nach seinen Bedürfnissen alimentiert wird, ist auf ein späteres Stadium verschoben, in dem Überfluss herrscht. In der Demokratie gilt ein permanentes Wirtschaftswachstum als Ziel. – Die angestrebten 3 Prozent + x sind indes aus Umweltgründen nicht mehr vertretbar (unten IX 3).

Ein Paradigma der **Distributionsgerechtigkeit** ist die besonders schwierige Frage der *Organzuteilung* bei der *Transplantation.*[70] Dass man dies nicht dem Markt und damit der Privatautonomie überlassen kann, ist ethisch unmittelbar einleuchtend. Es entstünde sonst ein Organhandel mit Zuschlag an den Meistbietenden. Die Verteilungsfrage spitzt sich zu, weil sie oft eine Frage von Leben und Tod ist. Es geht um die Frage, wer leben darf und wer sterben muss. In Deutschland stirbt jeder fünfte Patient auf der Warteliste. Denn es gibt viel

70 Dazu etwa H. SCHMIDT, Politik der Organverteilung – Eine Untersuchung über Empfängerauswahl in der Transplantationsmedizin (1996); s. auch CANARIS, Die Bedeutung der iustitia distributiva im deutschen Vertragsrecht (1997) 42 f.

zu wenig Organe, was mit dem restriktiven Erfordernis zusammenhängt, zur Organentnahme eine Zustimmung des Spenders und/oder der Hinterbliebenen zu verlangen.[71] Die sind in ihrem Schmerz und aus vermeintlicher Pietät sowie aus Unkenntnis des Hirntods[72] (bei dem die komatösen Patienten lebend erscheinen) mit einer solchen Entscheidung oft überfordert. Deshalb gilt in den europäischen Ländern heute überwiegend die *Widerspruchslösung*[73], die ein Ausdruck der Solidarität ist. In der Schweiz wurde eine Rückkehr zur Widerspruchslösung, die vor dem chTransplantationsG 2007 in den meisten Kantonen gegolten hatte, von den Räten abgelehnt.

Die *Organzuteilung* wirft noch schwierigere Fragen auf, die hier nur kurz angedeutet werden können:[74] So ist man sich

---

71 So das deutsche Transplantationsgesetz (TG 1997) und das schweizerische TG 2007. Die meisten Transplantate werden – relativ gesehen – in Österreich gewonnen, das an der Widerspruchslösung festhält (§ 5 OrgTransplG 2012).

72 Ist eine Explantation geplant, so muss die Herz-Lungenfunktion künstlich aufrechterhalten werden. Der irreversible Hirntod, dessen Kriterien genau definiert sind (u.a. EEG-Nulllinie u. keine Spontanatmung nach Abschalten des Respirators, s. Bundesärztekammer, Dt. Ärzteblatt 1982, 45 ff.), muss von zwei Ärzten bescheinigt werden, die vom Transplantationsteam unabhängig sein und Erfahrung in der Intensivbehandlung von Patienten mit schwerer Hirnschädigung haben müssen.

73 Eher vordergründig ist es, wenn gegen sie das Selbstbestimmungs- und das Persönlichkeitsrecht oder gar die Freiheit ins Feld geführt wird. In einer für die Gesellschaft so wichtigen Frage ist es zumutbar, sich damit zu befassen, ob man zu den Spendern gehören will und tätig zu werden, wenn man das nicht will. Das verlangt nur minimale Solidarität. Gegen einen «libertären Paternalismus» ist insoweit nichts einzuwenden (vgl. auch Fn 338).

74 Dazu etwa H. SCHMIDT, Politik der Organverteilung – Eine Untersuchung über Empfängerauswahl in der Transplantationsmedizin (1996); s.a. CANARIS, Die Bedeutung der iustitia distributiva im

zwar einig, dass nur *medizinische Kriterien* in Betracht kommen, nicht z.B. gar pekuniäre oder soziale, wie etwa die Stellung in der Gesellschaft. Insoweit herrscht also formale Gleichheit, doch ist z.B. umstritten, inwieweit das Alter des Empfängers zu berücksichtigen ist. Der junge Patient kann mit dem Organ länger leben als der alte. Schwierig ist auch die Abwägung zwischen Dringlichkeit und Organkompatibilität. Soll man das Organ dem dringendsten Fall geben oder eher dem, der bei dem sog. Gewebematch die höchste Punktzahl erreicht, weil er das geringste Abstossungsrisiko hat? In Deutschland wird die Entscheidung über die Organvergabe einer Vermittlungsstelle übertragen und die einzelnen Transplantationszentren sind auf die Einhaltung der von der Bundesärztekammer erlassenen Richtlinien verpflichtet.[75] Auch wenn der Staat die Aufgabe aus einleuchtenden Gründen nicht selbst erledigt, handelt es sich doch, wie bei den übrigen Zuteilungsfragen, um öffentliches Recht.

Fragen der Distributionsgerechtigkeit stellten sich auch während der ***Corona-Pandemie***. Für die Verteilung knapper **Impfstoffe** war Solidarität nicht nur europaweit, sondern weltweit gefordert. Insuffizient war das Beschaffungsmanagement der EU, die, wegen angeblich notwendiger Gleichbehandlung der Lieferanten, auch bei denen bestellte, die noch gar keinen fertigen Impfstoff hatten, und dafür bei denen, die bereits über einen Impfstoff verfügten (wie Biontec, Moderna u.a.), weit weniger als sie hätte bekommen können. In Deutschland waren deshalb bis Ende März 2021 gerade

deutschen Vertragsrecht (1997) 42 f. Die Problematik stellt sich neuerdings bei der Verteilung knapper Intensivbetten in der Corona-Pandemie, dazu sogleich im Text und HÖRNLE/HUSTER/POSCHER, Triage in der Pandemie (2021).

75 S. Richtlinien der Bundesärztekammer für die Wartelistenführung und die Organvermittlung gem. § 16 Abs. 1 S. 1 Nr. 2 u. 5 dTPG.

mal 6 Millionen geimpft, in den USA dagegen über 100 Millionen. Mit zunehmendem Impffortschritt zeigte sich indes, dass nicht mehr fehlender Impfstoff, sondern eine zu grosse Gruppe von mehr als **20 Prozent Impfunwilligen** das Problem war, das einer Herdenimmunität im Wege stand (vgl. unten II 1). Neben der überwundenen Knappheit des Impfstoffes stellte die Zuteilung knapper *Intensivbetten ein* weiteres Problem dar. Es ist misslich, wenn Ärzte in die Situation kommen, wie bei einer *Triage* entscheiden zu müssen, wen sie behandeln und wen sie sterben lassen müssen (s. auch unten IV 1). Die Impfpflicht vermeidet den Tod auf der Intensivstation ebenso wie die Überlastung des Gesundheitswesens, das für andere Krankheiten nicht mehr genug Intensivbetten zur Verfügung stellen kann. Mit ihrer voreiligen Festlegung gegen eine Impflicht hat die Politik die Weichen falsch gestellt und gestattet einer unvernünftigen Minderheit die Tyrannei der vernünftigen Mehrheit, indem sie an sich unnötige Lockdowns und Engpässe in der Intensivmedizin verursacht. Sofern sich die Impfpflicht in den DACH-Staaten überhaupt noch durchsetzt, kommt sie jedenfalls nach langen Debatten und einem verfehlten Freiheitsbegriff der FDP im Wahlkamf (vgl. unten II 1) für die Omikronwelle zu spät.

Verteilungsfragen gibt es auch im **Privatrecht**, z.B. im *Erbrecht.*[76] Ein gerechter Testator wird seine Kinder i.d.R. zu

[76] Verwirrend viele Teilungsmodelle enthält die Ziegenparabel (RÜSTER, Gerechtigkeit: Eine Legende, Atlantis,1944, 87 f.; zitiert nach E. FECHNER, Rechtsphilosophie², 1962, 11): A besitzt 30 Ziegen, B 3 Ziegen, C 0 Ziegen. A u. B statten ihren Bruder C aus, der Ziegenhirt werden will: A gibt ihm 5 Ziegen, B 1 Ziege. Als C stirbt, ist seine Herde auf 132 Ziegen angewachsen, A hat inzwischen 50, B 10 Ziegen. Diskutiert werden folgende Lösungen: 1. (Halbteilung, wie im geltenden Erbrecht), jeder erhält die Hälfte, also 66. Die ursprünglichen Beiträge spielen keine Rolle. 2. Jeder erhält zunächst seinen Beitrag zurück, dann wird hälftig geteilt, also 68:63. 3. Nach

gleichen Teilen bedenken, aber auch ihre jeweiligen Verhältnisse berücksichtigen. Auch der notwendige Erhalt oder Fortbestand eines Hauses oder Hofes in der Familie kann eine ungleiche Verteilung rechtfertigen. Hingegen wird bei der *Gütergemeinschaft* oder beim *Miteigentum* (usw.) – wie bei der ausgleichenden Gerechtigkeit (dazu sogleich) – zu gleichen Teilen geteilt. Hier kann die *gerechte Realteilung* ein Problem darstellen, wie man an der Regel maior dividat, minor eligat,[77] (der Ältere teilt, der Jüngere wählt) sehen kann. Ungleiche Anteile können privatautonom vereinbart werden. Eine Gesellschaft, in der einer den Gewinn allein erhält und der andere die Verluste trägt, heisst societas leonina.[78] Der Begriff «Löwenanteil» ist noch heute gebräuchlich.

b) Anders als im öffentlichen Recht gilt im *Zivilrecht für Streitigkeiten der Bürger untereinander* sowie im *Strafrecht* (dazu unten VI 1) nicht die verteilende, sondern die **ausgleichende Gerechtigkeit** (δίκαιον διορθωτικόν έν τοις συναλλάγμασι – dikaion diorthotikon en tois synallagmasi, ausgleichende Gerechtigkeit bei den Austauschverhältnissen). Unter Privaten herrscht – wenn man so will – Willkür; das ist die Freiheit zu vertraglicher Vereinbarung, die im Bereich des dispositiven Rechts allen anderen Rechten vorgeht. Die *iustitia correctiva* ist eine Beschränkung der Privatautonomie durch den Richter, der (nur) bei krassen Abweichungen einer vertraglichen Vereinbarung von der rechten Mitte[79]

ihrem ursprünglichen Beitrag 5:1 /5/6:1/6, also 110:22. 4. Nach ihrem Opfer: A gab 1/6 seiner Herde, B 1/3, also 44:88.

77 *Seneca*, controversiae 6, 3.

78 *Ulpian* Dig. 17, 2, 29, 2; dazu HINGST, Die societas leonina in der europäischen Privatrechtsgeschichte (2003) 35 ff. Der Begriff geht zurück auf eine Fabel des Phädrus (1,5), in der ein Löwe mit einer Kuh, einer Ziege und einem Schaf eine Gesellschaft zum Zwecke der Beschaffung von Futter eingeht, das er dann allein auffrisst.

79 Dazu auch F. BYDLINSKI, Die Suche nach der Mitte als Daueraufgabe des Privatrechts, AcP 204 (2004) 309, 310.

(Mesotes – μεσότης), zwischen einem Zuviel und einem Zuwenig[80] mit der ausgleichenden Gerechtigkeit eingreift.[81] Beispiele für diese sind im Privatrecht das Deliktsrecht oder zwingende Normen zum Schutz der schwächeren Vertragspartei vor Übervorteilung und namentlich Wucher. Sie ist nach Aristoteles nicht geometrisch, sondern arithmetisch proportional, d.h. es wird nicht nach Würdigkeit verteilt, sondern der Richter greift ein, wenn die «rechte Mitte» zwischen den Parteien nicht eingehalten worden ist. Diese Vorstellung wird in Platons Politeia auf die Gerechtigkeit schlechthin angewandt. Ausgehend von der Antithese zwischen Unrechttun und Unrechtleiden hält Platon (Glaukon)[82] ungestraft Unrechttun, ohne zur Rechenschaft gezogen zu werden, für das Beste, Unrechtleiden, ohne sich wehren zu können, für das Schlechteste. Die Mitte ist, kein Unrecht zu tun und keins zu leiden. Daher schliessen ja die Schwächeren den Vertrag, um das Unrechttun zu verbieten.

Der in diesem Zusammenhang verwendete weitere Begriff der **iustitia commutativa,** der **Austauschgerechtigkeit,** ist nicht klassisch, sondern beruht auf einer ungenauen Übersetzung. *Thomas von Aquin* hat aus dieser «Tauschgerechtigkeit» eine Lehre vom gerechten Preis (iustum pretium) entwickelt.[83] Diese wurde freilich weder damals noch heute in

---

80 Nik. Ethik 1106 a–b u. passim; speziell zur Gerechtigkeit 1131; das gilt auch für andere Tugenden, bei denen es um das rechte Mass geht, dessen Einhaltung, ja selbst eine Tugend ist (vgl. III 2); so ist die Tapferkeit die Mitte zwischen Feigheit und Tollkühnheit.

81 HONSELL, FS Mayer-Maly (2002) 288 f.

82 Politeia 259a oben Fn 36.

83 *Thomas von Aquin*, Summa theologica II-II qu. 61 ff.; dazu HONSELL, FS Mayer-Maly (2002) 288 f. mit Fn 4; δίκαιον διορθωτικόν ἐν τοις συναλλάγμασι heisst ausgleichende (korrigierende) Gerechtigkeit in den Austauschverhältnissen und nicht Tauschgerechtigkeit (iustitia commutativa), wie *Thoma v. Aquin*

Jurisprudenz oder Ökonomie anerkannt. Die römischen Juristen formulierten sogar, dass es *natürlich* erlaubt sei, sich gegenseitig zu übervorteilen: naturaliter concessum est se invicem circumscribere (Paulus Dig. 19, 2, 22, 3).[84] Auch heute wird noch von Einigen die Meinung vertreten, dass im Hinblick auf die Privatautonomie selbst eine krasse Verletzung der Leistungsäquivalenz für sich allein keine richterliche Korrektur verlange. So setzen Vorschriften über die Übervorteilung (Art. 21 OR) oder Wucher (§ 138 Abs. 2 BGB, § 879 Abs. 2 Ziff. 4 ABGB) neben einem krassen Missverhältnis zusätzlich ein subjektives Kriterium voraus (Notlage, Unerfahrenheit, Leichtsinn), was zeigt, dass ein objektives Missverhältnis allein, ohne subjektive Komponente nicht ohne Weiteres ausreicht.[85] Zurecht wird aber einer absoluten Grenze das Wort

---

übersetzt hat. Gleichwohl wird der Begriff immer wieder verwendet, z.B. von *Canaris* oder *Arnold* (oben Fn 54). Letzterer lässt den griechischen Text unbeachtet und meint schlicht, der Begriff der iustitia commutativa sei vorzugswürdig (34). Die Irrtümer nehmen kein Ende: Einige sprechen neuerdings von iustitia commu*ni*tativa, z.B. WILLOWEIT, Gerechtigkeit und Recht (2017) 55; K. OTT, Umwelt, Gerechtigkeit, Freiwilligkeit – insbes. bei der Realisierung eines Endlagers (2018) 69.

84 Näher HONSELL, FS Gauch (2004) 101 ff., 107 f.

85 BGE 115 II 236 E.4c: «Eine Sittenwidrigkeit könnte auch das von der Klägerin behauptete Missverhältnis von Leistung und Gegenleistung nicht begründen. Eine Wertdisparität der Vertragsleistungen zu verbieten, ist gerade nicht Ziel der erwähnten Grundwerte unserer Rechtsordnung; dieser Problemkreis wird vielmehr abschliessend vom Übervorteilungstatbestand des Art. 21 OR erfasst, wonach ein offenbares Missverhältnis zwischen Leistung und Gegenleistung ausnahmsweise dann die einseitige Unverbindlichkeit des Vertrages zur Folge hat, wenn die eine Partei dessen Abschluss durch Ausbeutung der Notlage, der Unerfahrenheit oder des Leichtsinns der andern herbeigeführt hat.» Ähnlich die Lit., vgl. etwa BUCHER, OR AT 258 f. u. Berner Komm/*Merz* ZGB Art. 2 N 193). Auch im deutschen Recht wird für Geschäfte, die

geredet, bei deren Überschreitung es auf eine subjektive Komponente nicht mehr ankommen soll. Dann greift zwar § 138 Abs. 2 BGB oder Art. 21 OR (Wucher, Übervorteilung) nicht ein, es liegt aber gleichwohl Sittenwidrigkeit vor. Bei besonders grobem Missverhältnis gilt eine Vermutung für ein Handeln aus verwerflicher Gesinnung und Sittenwidrigkeit nach § 138 Abs. 1 BGB. Die subjektiven Voraussetzungen des Abs. 2 sind dann entbehrlich.[86] Das ist eine Wiederkehr der **laesio enormis** des römischen Kaisers Diokletian, die noch heute in § 934 ABGB («Verkürzung über die Hälfte») fortlebt.[87] Sie liegt vor, wenn der Wert der Leistung mehr als doppelt so hoch ist wie der der Gegenleistung oder umgekehrt weniger als halb so gross; z.B. wenn eine Sache die 100 wert ist für 49 verkauft wird oder eine die 49 wert ist für 100. Der Benachteiligte kann Anpassung bis zum vollen Wert verlangen oder den Vertrag anfechten. In Deutschland wird dies (zufällig?) bei der alten Grenze der laeso enormis angenommen. Auch für die Schweiz wird man annehmen dürfen, dass bei einem krassen Missverhältnis statt Art. 21 OR Art. 20 OR angewendet würde. Problematisch ist bei einer starren Grenze, dass die Rechtsfolge schon bei geringfügiger Überschreitung eingreift. Wegen dieser Härte ist dem Gesetzgeber bei Art. 1674 CC ein Denkfehler unterlaufen, der in den über 200 Jahren des Code civil nie beseitigt wurde. Die laesio enormis ist wie bei Diokletian auf den zu billigen Grundstücksverkauf beschränkt. Eine lésion liegt aber nicht schon dann vor, wenn der Verkäufer weniger als 50 Prozent erhält, sondern erst,

---

nicht alle Tatbestandselemente des Wuchers nach § 138 Abs. 2 BGB erfüllen, z.B. ein Vertrag mit auffälligem Missverhältnis, aber ohne die subjektive Komponente, grundsätzlich Gültigkeit angenommen. Zu den Ausnahmen oben im Text.

86 BGH NJW 2001, 1127; w.Nw. bei *Palandt/Ellenberger*, Komm. BGB[77] (2018) § 138 Rn 27 ff., 34 ff.

87 Näher dazu und zum Folgenden *Honsell/Fargnoli*, Röm. Privatrecht[9] 125, 128 f.

wenn der Preis niedriger ist als 5/12 des Grundstückswertes. Diese Grenze hat man gewählt, «damit nicht der Vertrag schon wegen einer geringfügigen Unterschreitung der 50-Prozent-Grenze angefochten werden kann». Das Argument der zu scharfen Grenze besteht aber bei 5/12 genauso wie bei 5/10.

Ein alter Streitfall handelte von einer Hungersnot auf Rhodos und einem Getreideschiff aus Ägypten. Es ging nicht nur um die Frage, ob auch bei einer Hungersnot die *Preisbestimmung durch Angebot und Nachfrage* erfolgen darf. Die bei Cicero berichtete Kontroverse lautete, ob der ägyptische Getreidehändler, dessen Schiff als Erstes in Rhodos ankommt, sagen muss, dass noch andere Getreideschiffe unterwegs sind, oder ob er dies verschweigen und sein Getreide so teuer wie möglich verkaufen darf. Die Frage war unter den Stoikern kontrovers.[88] Die Juristen haben eine *Aufklärungspflicht* verneint:

> Cicero de off. 3, 50 ff.
>
> Sed incidunt, ut supra dixi, saepe causae, cum repugnare utilitas honestati videatur, ut animadvertendum sit, repugnetne plane, an possit cum honestate coniungi. Eius generis hae sunt quaestiones: Si (exempli gratia) vir bonus Alexandria Rhodum magnum frumenti numerum advexerit in Rhodiorum inopia et fame summaque annonae caritate: si idem sciat, complures mercatores Alexandrea solvisse navesque in cursu, frumento onustas petentes Rhodum viderit: dicturusne sit id Rhodiis, an silentio suum quam plurimo venditurus? Sapientem, et bo-

[88] Cicero behandelt in de officiis den Gegensatz von utile (richtig, zweckmässig) und honestum (anständig, ehrenhaft). Seine griechische Vorlage war das Werk des *Panaitios*, Über die Pflicht – περὶ τοῦ καθήκοντος, vgl. auch Fn 158.

num virum fingimus: de eius deliberatione et consultatione quaerimus: qui celaturus Rhodios non sit, si id turpe iudicet: sed dubitet, an turpe non sit. In huiusmodi causis aliud Diogeni Babylonio videri solet, magno et gravi Stoico: aliud Antipatro, discipulo eius, homini acutissimo. Antipatro omnia patefacienda, ut ne quid omnino, quod venditor norit, emptor ignoret: Diogeni venditorem, quatenus iure civili constitutum sit, dicere vitia oportere: cetera sine insidiis agere: et quoniam vendat, velle quam optime vendere. ... Aliud est celare, aliud tacere: neque ego nunc te celo, si tibi non dico, quae natura deorum sit, qui sit finis bonorum, quae tibi plus prodessent cognita quam tritici utilitas: sed non, quicquid tibi audire utile est, idem mihi dicere necesse est. – Es kommen, wie ich oben gesagt habe, häufig Fälle vor, in denen die Zweckmässigkeit mit der Ehrenhaftigkeit in Widerstreit zu liegen scheint, sodass man sehen muss, ob sie wirklich in Widerspruch stehen oder ob sie miteinander in Einklang gebracht werden können. Wenn zum Beispiel ein anständiger Mensch eine grosse Menge Getreides von Alexandria nach Rhodos verschifft, weil auf Rhodos ein höchster Mangel an Getreide und eine Hungersnot besteht, und dieser Mann nun weiss, dass mehrere Händler mit Schiffen von Alexandria aufgebrochen sind mit Ziel Rhodos, und wenn er sie unterwegs gesehen hat, soll er das den Rhodiern sagen oder kann er sein Getreide schweigend so teuer wie möglich verkaufen? Wir unterstellen einen weisen und anständigen Mann und fragen nach seiner Überlegung und Entscheidung. Er würde dies den Rhodiern nicht verschweigen, wenn es sittenwidrig wäre, aber er zweifelt, ob es sittenwidrig ist. In diesen Fällen bestand ein Streit

> unter den Stoikern. Anders hat Diogenes von Babylon entschieden, einer der grössten und berühmtesten Stoiker, anders Antipater, sein Schüler, ein besonders scharfsinniger Mensch. Antipater meinte, es müsse alles offenbart werden, auf dass nichts, was der Verkäufer weiss, der Käufer nicht wisse. Diogenes hingegen war der Auffassung, man müsse nur Fehler angeben, die nach dem Zivilrecht offenbart werden müssen. Im Übrigen könne man ohne Arglist verkaufen um so viel wie man wolle … Verschweigen und Verheimlichen ist nicht dasselbe; so verheimliche ich dir nichts, wenn ich dir nicht sage, was die Natur der Götter ist oder der Zweck des Guten, ein Wissen, das dir weit nützlicher wäre als der Besitz von Getreide; aber ich muss dir nicht alles sagen, was zu hören für dich nützlich wäre.

Die Frage ist noch heute strittig. Allerdings wird in den deutschsprachigen Ländern die Unterscheidung zwischen blossem *Verschweigen* und aktivem *Verheimlichen* zu Unrecht nicht mehr gemacht. Eine Aufklärungspflicht wird immer schon dann bejaht, wenn sie nach Treu und Glauben geboten ist. Denn wo man nach Treu und Glauben zum Reden verpflichtet ist, wäre Schweigen eine culpa in contrahendo (Verschulden bei Vertragsschluss). Problematisch daran ist, dass man auf dieser Grundlage eigentlich kein Schnäppchen mehr machen kann.[89] Auch Explorationsgesellschaften müssten ihre Erkenntnisse über mögliche Bodenschätze dann wohl mit den Grundstückseigentümern teilen. Im US-amerikanischen Recht existiert ein altes, unverändert gültiges Präjudiz,

---

[89] Anders AG Coburg NJW 1993, 938 f., das beim Kauf eines Notenfaszikels, in dem sich ein Mozartautograph befand, eine Aufklärungspflicht des Käufers verneinte. Ebenso Cicero (de off. 3, 92) für den Fall, dass der Käufer billig Gold gekauft hat, das der Verkäufer für Messing hielt.

das ganz in der Tradition von Cicero eine Haftung verneint, sofern kein aktives Verheimlichen vorliegt.[90]

Obwohl die Parteien grundsätzlich frei sind, vorteilhafte bzw. nachteilige Geschäfte zu schliessen, gibt es doch Grenzen, bei deren Überschreitung die **Wertdisparität** korrigiert werden muss. Namentlich den Verbrauchern im Massengeschäft diktierte Preise, aber auch Wohnungsmieten[91] können nicht allein nach Angebot und Nachfrage bestimmt werden, sondern müssen sich an eine Preiskalkulation mit vertretbarem Gewinn halten. Das gilt insbesondere bei einer Angebotsverknappung. Wasser in der Wüste oder Getreide in einer Hungersnot können nicht nach Angebot und Nachfrage beliebig in die Höhe getrieben werden. Das verlangt auch der Grundsatz der Verhältnismässigkeit (unten III 2). Auffällig sind auch überzogene Preise von patentgeschützten Erzeugnissen der Pharmaindustrie, die quasi beliebig festgesetzt und von den Gerichten praktisch nie korrigiert werden. So kostete z.B. das Hepatitis-C-Präparat «Sovaldi» pro Behandlungszyklus (84 Pillen) 60 000 EUR, denen (geschätzt) höchstens 100 EUR Herstellungskosten gegenüberstanden. Ähnliche Preise finden

---

90 US Supreme Court Laidlaw v. Organ, 15 U.S. 178 (1817: Organ hatte seinen Wissensvorsprung ausgenutzt und billig gekauft, indem er verschwieg, dass die britische Seeblockade aufgehoben war, weshalb die Tabakpreise stark ansteigen würden. Der Supreme Court unterschied – wie die römischen Juristen – zwischen (passivem) Verschweigen und (aktivem) Verheimlichen und verneinte eine Aufklärungspflicht.

91 Z.B. ist es überzogen, wenn, wie in Deutschland, Modernisierungskosten in Höhe von 11 Prozent p.a. (jetzt immer noch 8 Prozent) auf den Mieter abgewälzt werden können und dies auch nach erfolgter Abschreibung beibehalten werden darf («Herausmodernisieren»); oder die Koppelung von Miet- und Hypothekarzins in der Schweiz ohne Rücksicht darauf, ob und in welchem Umfang Fremdmittel überhaupt in Anspruch genommen werden (Art. 13 VMWG).

sich bei Krebsmedikamenten, deren Nutzen zudem oft zweifelhaft oder jedenfalls gering ist. Auch die Berufung auf (meist intransparente) Forschungs- und Zulassungskosten kann solche Preise nicht rechtfertigen. Die Preispolitik der Pharmaunternehmen wird durch den Umstand begünstigt, dass der Patient regelmässig versichert ist, also den Preis nicht selbst bezahlen muss. Die Krankenkassen und Versicherungen wehren sich zu wenig gegen wucherische Preise, insbesondere solange sie in der Lage sind, die Kosten durch Prämienerhöhungen abzuwälzen. Die Pharmafirmen verlangen, was sie wollen. Inakzeptabel sind auch die Preise, die in der Energiekrise verlangt werden. Bei Strompreisen von 0,4 EUR/Kwh handelte es sich nicht um Preissteigerung wegen Angebotsverknappung, sondern um Gewinnmaximierung durch Oligopol-Missbrauch. Anbieter, die den Strom selbst billig erzeugen, lukrieren unter Berufung auf den Markt manipulierte Spotmarktpreise. Das sind ökonomisch nicht gerechtfertigte, neoliberale Auswüchse des «freien Marktes», die eine staatliche Regulierung erforderlich machen. Die Untätigkeit der Behörden und Regierungen ist unverständlich, denn **Wucher** (Übervorteilung) ist strafbar und wucherische Geschäfte sind nichtig (§ 138 Abs. 2 BGB, Art. 21 OR, § 879 Abs. 2 Ziff. 4 ABGB). Ähnliches gilt etwa für überteuerte Ersatzteile, namentlich in der Autobranche, wenn z.B. ein Aussenspiegel 1600 EUR kostet. Auch dort wird ein Monopol ausgenutzt, weil der Kunde auf bestimmte Ersatzteile angewiesen und in der Entscheidung über den Erwerb nicht frei ist.

Eine moderne Unsitte ist es, entgegen aller **Preistransparenz,** für ein und dieselbe Leistung ganz verschiedene Preise zu verlangen. Es ist heute offenbar normal, dass die Hotelpreise einer Stadt während einer Messe oder eines Festivals auf das Doppelte und mehr hochschnellen; oder wenn nahezu jeder Passagier in demselben Flugzeug einen anderen Preis bezahlt hat; dass selbst die Bahn keinen Grundtarif für einen Kilometer mehr hat, sondern für unterschiedliche Zeiten und

Strecken verschiedene Preise festsetzt. Es soll sogar vorkommen, dass Anbieter mit Hilfe von Algorithmen für individuelle Kunden, je nach Interesse und Kaufgewohnheiten unterschiedliche Preise ausweisen. Man sollte diese Auswüchse, welche erst die Digitalisierung ermöglicht hat, wieder zurückschneiden. Auch die täglichen Preisänderungen an den Tankstellen sollte man einschränken, weil ihnen kein legitimer Anpassungsbedarf zugrunde liegt, sondern nur das Bestreben, ein Kartell zu verschleiern. Nach immer noch geltender Rsp. stellt ein blosses Parallelverhalten keinen Kartelltatbestand dar.

Zu den Grundprinzipien und Kardinalpflichten des Rechts gehört schliesslich auch die *Ethik des gegebenen Wortes*. Die *fides* ist die Vertragstreue, die Pflicht zum Worthalten. Cicero (de off. 1, 23) nennt sie das Fundament der Gerechtigkeit (fundamentum iustitiae). Sie bedeutet, dass man Vereinbarungen halten muss **(pacta sunt servanda)**. Das ist gewissermassen das vertragsrechtliche Pendant zu dem deliktischen neminem laedere und genauso wichtig wie dieses. Dies gilt natürlich nicht, wenn der Vertrag wegen Sitten- oder Verbotswidrigkeit, Wuchers, Täuschung oder Irrtums (usw.) nichtig oder anfechtbar ist. Ein Sonderfall, in dem der Grundsatz pacta sunt servanda eingeschränkt ist und *Langzeitverträge*, wie Pacht- oder Miete aufgehoben oder angepasst werden können, sind unvorhergesehene, aussergewöhnliche Umstände und höhere Gewalt. Beispiele aus der Antike sind Ernteausfall wegen Dürre oder Überschwemmung, Einfall von Staren oder Krähen usw.[92] Ein Beispiel aus der Moderne ist ein Ertragsausfall bei der Laden- oder Geschäftsraummiete wegen

92 Weitere Beispiele bei Ulp. D. 19, 2, 15, 2, wo zwischen einer *vis cui resisti non potest* (einer Gewalt, der man nicht widerstehen kann) und *vitia quae ex ipsa re oriuntur* (Mängeln, die aus der Sache selbst entstehen) unterschieden wird. Der Verpächter trägt das

Lockdowns in der Pandemie. Die Pachtzinsreduktion des Römischen Rechts wegen Missernte (remissio mercedis) wurde in § 1104 ABGB übernommen. Die korrigierende Gerechtigkeit verlangt, dass der Pachtzins oder die Ladenmiete reduziert werden, denn es handelt sich um ein Risiko, das beide Vertragsparteien trifft. Die Fälle werden heute unter dem Begriff der **Geschäftsgrundlage** zusammengefasst. Das BGB regelt die Störung der Geschäftsgrundlage allgemein in

---

Risiko für die Ersteren. Die Stelle soll hier auszugsweise wiedergegeben werden, weil sie die Argumentations- und Differenzierungskunst der römischen Juristen beleuchtet … Servius omnem vim, cui resisti non potest, dominum colono praestare debere ait, ut puta fluminum graculorum sturnorum et si quid simile acciderit, aut si incursus hostium fiat: si qua tamen vitia ex ipsa re oriantur, haec damno coloni esse, veluti si vinum coacuerit, si raucis aut herbis segetes corruptae sint. Sed et si labes facta sit omnemque fructum tulerit, damnum coloni non esse, ne supra damnum seminis amissi mercedes agri praestare cogatur. – Servius sagt, der Verpächter müsse dem Pächter für alle Schäden einstehen, denen man keinen Widerstand entgegensetzen könne, wie zum Beispiel die Überschwemmung eines Flusses, der Einfall von Krähen oder Staren, oder wenn etwas Ähnliches geschieht, wie etwa der Einfall von Feinden. Wenn dagegen der Fehler aus der Sache selbst entspringt [d.h.: vermeidbar war], so ist es der Schaden des Pächters; wie z.B., wenn der Wein sauer wird oder die Saat durch Raupen oder Unkraut verdorben wird. Aber auch, wenn ein Erdrutsch die gesamte Ernte vernichtet, sei es nicht der Schaden des Pächters; damit der Mieter nicht neben dem Verlust des Saatguts auch noch gezwungen wäre, den Lohn zahlen. – OGH JBl 1982, 142 verweigerte die Vertragsauflösung zu Unrecht dem Pächter einer Bregenzer Tankstelle, deren Pachtzins am Ende höher war als der Umsatz. Ursache des dramatischen Geschäftsrückgangs war eine Ölkrise mit enormer Verteuerung des Benzins, das nahe Ausland, wo das Benzin billiger war und der Bau einer Autobahn, durch die der Verkehr an der Tankstelle vorbeifloss. Der OGH meinte, solche Umstände seien voraussehbar und deshalb nicht relevant. Das ist entschieden zu streng und eine unbillige Belastung des Pächters.

§ 313. Im Streit um den Ausfall in Lockdowns hat der BGH (v. 12.1.2022, XII 8/21) den Grundsatz der remissio mercedis wieder aufgenommen, freilich ohne Rückgriff auf die historischen Grundlagen. Das Gericht hat sich gegen eine pauschale, hälftige Risikoteilung ausgesprochen und will auf die Umstände des Einzelfalls abstellen.

Schliesslich hat das Europarecht für den Distanzhandel aus Gründen des Konsumentenschutzes ein beliebiges Widerrufsrecht eingeführt, das – rechtzeitig ausgeübt – an keine Voraussetzungen gebunden ist. Das stellt einen bedenklichen Angriff auf die Vertragsfreiheit dar, weil sich im Publikum, wenn die Vertragserosion erst einmal begonnen hat, über kurz oder lang die Meinung festsetzt, dass man Verträge nicht halten muss.

Eine juristische Katastrophe sind Vertragsbrüche im Völkerrecht, die, ebenso wie ungerechtfertigte Sanktionen, das im internationalen Verkehr so wichtige Vertrauen zerstören.

II. Kapitel: Freiheit, Gleichheit, Brüderlichkeit

Gerechtigkeit betrifft zunächst **Freiheit** und **Gleichheit** der Menschen im Staat. Sie werden am ehesten in Demokratien verwirklicht und in autoritären Systemen oft verletzt.

Eine gerechte Ordnung beschränkt die Freiheit der Bürger, die einen wesentlichen Teil ihrer Würde ausmacht, nicht weiter, als dies im Interesse der Freiheit der anderen und des Gemeinwohls notwendig ist. Leider tendiert die Gesetzgebung in modernen Demokratien zu einer Überreglementierung, die über dieses Ziel hinausschiesst und die Bürger mit einem Labyrinth von Regelungen konfrontiert, in dem auch eine gewisse Freiheitsbeschränkung besteht, ohne dass dem eine grössere Wohlfahrt des Gemeinwesens entspricht. Was die Gleichheit anlangt, so ist die Frage nur zunächst einfacher. Soweit es um staatliche Hoheitsverwaltung geht, namentlich in der Gerichtsbarkeit oder im Verwaltungsrecht, gilt formale Gleichbehandlung, ohne Ansehen der Person. Deswegen hält die allegorische Figur der Justitia eine Waage in der Hand und trägt eine Augenbinde. Das symbolisiert Unparteilichkeit und Entscheidung ohne Ansehen der Person.

1. Freiheit

Die Freiheit ist neben Leben und Menschenwürde das höchste Gut des Menschen. Heute ist sie in den meisten Demokratien eine Selbstverständlichkeit, wenn auch gesetzliche Regulierungen zu vielfältigen Einschränkungen führen. Einer der bekanntesten Verfechter der individuellen Freiheit war der Hauptvertreter des englischen Utilitarismus, JOHN STUART MILL mit seinem Werk On Liberty (1859). Selbstbestimmung und Selbstverwirklichung gelten als Ziel eines geglückten Lebens. Das allgemeine Freiheitsrecht, die freie Entfaltung der Person, ist verfassungsrechtlich gewährleistet (Art. 2 GG, 10 Abs. 2 BV). Hierzu bedarf es zuerst der Freiheit im Willen: Der Willensfreiheit.[93] Schon für *Aristoteles* (Pol. 6, 1, 7, 1317b) und *Cicero* (*de off.* 1, 70) war Freiheit, die Möglichkeit zu leben, *wie man will.* Das schliesst auch das Recht auf einen würdigen Tod im Alter und im Extremfall den Suizid ein.[94]

---

93 Die Frage nach Freiheit und Determinierung, d.h. wieweit die Willensfreiheit reicht und ob sie nicht – wie einige Neurowissenschaftler annehmen – eine Illusion ist, wird hier ausgeklammert; zur Willensfreiheit s. unten Fn 329. – Zu einer Kritik der Freiheit s. die gleichnamige Arbeit von O. HÖFFE (2015); zu Freiheit und Gleichheit die Schrift von STRATENWERTH (2007).

94 Die christlichen Kirchen haben den Freitod perhorresziert. Doch gab es seit der Antike, namentlich bei den Epikureern und der Stoa, auch liberale Stimmen, die den Freitod als Recht des Menschen verteidigt haben. Heute wird zwar der Selbstmord nicht mehr bestraft, worüber sich schon *Beccaria* belustigt hat (Die delitti e delle pene, 1764, § 35). Der Staat sperrt aber alle Mittel weg (z.B. Natrium-Pentobarbital), die einen humanen Freitod ermöglichen. BVerwGE 3 C 19.15 hat unter engen Voraussetzungen einen Anspruch auf Erwerb des Mittels bejaht. Der Gesundheitsminister weigerte sich jedoch diesem Urteil zu folgen. Wegen dieser restriktiven Linie sehen wir mehr schreckliche Selbsttötungsarten. Manche werfen sich in ihrer Verzweiflung vor einen Zug. Der entsetzliche Missbrauch der Euthanasie im Dritten Reich sollte nicht länger dafür herhalten, dass Kranken und Alten ein humanes Sterben verweigert wird. – Aktive Sterbehilfe ist unter strengen Kautelen z.B. in Belgien, Holland oder Spanien und in Form der Sterbebegleitung (assistierter Suizid) auch in der Schweiz erlaubt. Nach BGE 133 I 58 gehört zum Selbstbestimmungsrecht i.S.v. Art. 8 Ziff. 1 EMRK auch das Recht, über Art und Zeitpunkt der Beendigung des eigenen Lebens selbst zu entscheiden; dies gelte jedenfalls soweit der Betroffene in der Lage ist, seinen entsprechenden Willen frei zu bilden und danach zu handeln. In anderen Ländern muss nicht

Vor der Frage nach dem Wesen der individuellen Freiheit und ihrer notwendigen Begrenzung im Interesse der Einzelnen und der Gemeinschaft, steht zunächst die Negation von Unterdrückung und Unfreiheit. Beispiele sind etwa Iran, Russland oder China, aber auch Nordkorea oder Saudi-Arabien (sw.), wo Bürger eingesperrt, gefoltert oder gar tötet werden.

---

nur der Entschluss, zu sterben auf freiem Willen beruhen, was bei psychischen Krankheiten zweifelhaft sein kann, sondern der Patient muss auch unheilbar krank sein. Beides muss von zwei Ärzten bezeugt werden (usw.). In Deutschland ist die Tötung auf Verlangen weiterhin strafbar (§ 216 StGB). Daneben verbot ein schwammiger § 217 dStGB die geschäftsmässige Förderung der Selbsttötung. Das bedrohte nicht nur Sterbehilfevereine, sondern auch Ärzte, denn der Begriff «geschäftsmässig» ist unklar und die Abgrenzung zur Hilfe in Einzelfällen unscharf. Es betraf aber auch die Palliativmedizin, weil bei der Abgabe von Morphinen die Grenze zwischen Linderung von Leid und Lebensverkürzung fliessend ist. Das BVerfG (Az.: 2 BvR 2347/15 u.a.) hat inzwischen wie das BGer das Recht auf ein selbstbestimmtes Sterben anerkannt und deshalb § 217 StGB aufgehoben. Es hat darüber hinaus sogar die Beschränkung auf Fälle unheilbarer Krankheit beseitigt. Nach dem Urteil ist allerdings kein Arzt verpflichtet Sterbehilfe zu leisten. Richtig wäre es, nicht nur das Recht anzuerkennen, sondern auch den Zugang zu entsprechenden Mitteln (z.B. Natrium-Pentobarbital) nicht zu verwehren. Eine weitere Restriktion ist, dass ein assistierter Suizid auch Angehörigen nur erlaubt ist, wenn und solange der Patient das Mittel noch selbst einnehmen kann. Einem gelähmten Patienten kann also nicht mehr straffrei geholfen werden. Krit. zurecht H. Dreier, Grenzen des Tötungsverbotes – Teil 2, JZ 2007, 317 ff., 319 ff. In Österreich hat der VerfGH (G 139/2019) das Recht auf einen selbstbestimmten Tod anerkannt und § 78 öStGB insoweit für verfassungswidrig erklärt. Das Parlament hat inzwischen die Sterbehilfe in einem «Sterbeverfügungsgesetz» unter enorm bürokratischen Kautelen geregelt, zu denen u.a. eine notarielle Verfügung und ein öffentliches Register zählen. Das soll offenbar Sterbewillige abschrecken. – Zu Freitod und Freiheit s. noch O. Höffe, Kritik der Freiheit (2015) 68 ff.

Notwendig ist die Überwindung dieser Regime und ganz allgemein des «Rechtes des Stärkeren» (*Hesiod, Thrasymachos*, oben I 2 unten IV 1), das sich nur insofern mit dem «Naturrecht» in Verbindung bringen lässt, als man es in der Natur beobachten kann. An seine Stelle treten der Schutz des Schwächeren und die Menschenrechte, die seit der griechischen Antike ebenfalls naturrechtlich begründet werden (unten IV 1). Zunächst gilt die Forderung einer Absage an die Sklaverei, die Benachteiligung von Fremden usw. Ein anderer Aspekt der Freiheit, der lange nicht verwirklicht war, aber in den westlichen Demokratien eine Selbstverständlichkeit ist, ist die *Meinungs- und Pressefreiheit* («freedom of speech»). Heute ist nicht die Meinungsfreiheit in Gefahr; vielmehr machen im Gegenteil Diffamierungen und Fake News im Internet eine klare Antwort nötig. Verschwörungstheoretiker, Querdenker und andere Querulanten verbreiten Lügen im Netz unter Berufung auf die Meinungsfreiheit. Unwahrheiten liegen ausserhalb des Meinungsspektrums (unten III 1), sind also keine Meinungen und nicht durch die Meinungsfreiheit gedeckt. Erst recht gilt das für beleidigende oder diffamierende Äusserungen oder gar Drohungen (usw.). Die Strafverfolgungsbehörden dürfen nicht resignieren und die grossen Netzanbieter (wie Google, Facebook, Twitter, Instagram oder Telegram) müssen strafbare Einträge und evidente Unwahrheiten löschen. Die Meinungsfreiheit deckt auch keinen Aufruf zu strafbaren Handlungen. So ist unverständlich, wenn das Verwaltungsgericht Chemnitz Wahlplakate mit der Aufforderung «Hängt die Grünen» nicht entfernen lässt. Unbegreiflich ist es auch, wenn BVerfGE 81, 278 eine Collage, in der ein Soldat auf die Flagge uriniert, wegen der Kunstfreiheit (Art. 5 Abs. 3 S. 1 GG) noch für tragbar hält, obwohl § 90a Abs. 1 Ziff. 2 StGB die Verunglimpfung von Staatssymbolen verbietet.

Ist die Zivilisationsstufe eines Rechtsstaates erreicht, kann man fragen, wie weit die Freiheit unter Gleichen reicht. Freiheit und Gleichheit (unten 2) bedingen sich tendenziell wechselseitig umgekehrt: Je mehr Gleichheit verwirklicht wird, umso weniger Freiheit gibt es und je mehr Freiheit, umso weniger Gleichheit.

Zur Freiheit gehören Vernunft und Verantwortung. Sie sind dem Freiheitsbegriff immanent. Grenzenlose Freiheit gibt es nicht. Die Grenzen ergeben sich evident aus dem gleichen Freiheitsrecht der anderen. Nach der berühmten Definition von *Kant* ist «Das Recht der Inbegriff der Bedingungen, unter denen die Willkür des einen mit der Willkür des anderen nach einem allgemeinen Gesetze der Freiheit zusammen vereinigt werden kann».[95] Der Begriff «Willkür»[96] hat bei Kant noch nicht die pejorative Bedeutung wie heute (z.B. «Behördenwillkür»), sondern bedeutet «Wahl» (wie in «Kür»), *«Freiheit»* ist nämlich insbesondere die Handlungsfreiheit des Individuums, die nur durch dasselbe Recht der anderen und durch die Rücksicht auf das Gemeinwohl, *(bonum commune)* oder das öffentliche Interesse *(utilitas publica)*[97] begrenzt wird (vgl. auch die sog. Schrankentrias in Art. 2 Abs. 1

---

95 Die Metaphysik der Sitten. Metaphysische Anfangsgründe der Rechtslehre, AA VI 207 ff., 230.

96 Es bezeichnete auch den Vertrag, z.B. in der gemeinrechtlichen Vorrang-Regel «Willkür bricht Stadtrecht, Stadtrecht bricht Landrecht und Landrecht bricht gemeines Recht». Gemeines Recht ist das Recht des Deutschen Reichs. Heute hat nach Art. 31 GG umgekehrt Bundesrecht Vorrang; ebenso Art. 49 Abs. 1 chBV. – Z.B. hat die hessische Landesverfassung noch die Todesstrafe für schwere Verbrechen. Sie darf aber nicht verhängt werden wegen Art. 102 GG. Das österreichische B-VG enthält keine Vorrangregel. Auch dort dürfen aber Landesgesetze den Bundesgesetzen nicht widersprechen.

97 *Mayer-Maly*, Gemeinwohl und Naturrecht bei Cicero, FS Verdross (1960) 195 ff. = Ges. Schr. (2019) 307 ff.

GG[98]). So ist es selbstverständlich, dass die Freiheitsrechte in der Pandemie eingeschränkt wurden (vgl. auch oben I 3). Im Interesse von Freiheit und Leben aller können Individualrechte eingeschränkt werden. Der Gedanke ist derselbe wie in Ciceros Rede pro Cluentio (53, 146): legum denique idcirco omnes servi sumus, ut liberi esse possimus – wir sind schliesslich alle deshalb Diener des Gesetzes, damit wir frei sein können.[99]

In der Corona-Pandemie hat sich die FDP im deutschen Wahlkampf mit einem Freiheits-Credo an unpassender Stelle besonders hervorgetan. Der Freiheitsbegriff wird im politischen Kampf ebenso missbraucht und pervertiert wie die Gleichheit. Es ist ein Gemeinplatz, der im Kontext der Pandemie nicht genug betont werden konnte, dass es um Freiheit *und* Verantwortung geht und dass die Freiheit nicht absolut ist, sondern durch die Freiheit der anderen begrenzt. Eine politische Vorgabe, bei welcher der Entscheidungsfreiheit des Einzelnen Vorrang vor dem Gemeinwohl eingeräumt wird, ist verantwortungslos. Es ist merkwürdig, dass diese Selbstverständlichkeiten immer wieder aus dem Blick geraten. Auch die Regierung hat eine Impfpflicht lange Zeit abgelehnt (anders als bei Masern und im 19. Jahrhundert schon

---

98 «Jeder hat das Recht auf die freie Entfaltung seiner Persönlichkeit, soweit er nicht die *Rechte anderer* verletzt und nicht gegen die *verfassungsmässige Ordnung* oder das *Sittengesetz* verstösst.» [Hervorhebung hinzugefügt]. Die Schweizer Verfassung enthält keine so weitgehende Freiheitsverbürgung und deshalb auch keine Einschränkung. Art. 10 Abs. 2 BV lautet: «Jeder Mensch hat das Recht auf persönliche Freiheit, insbesondere auf körperliche und geistige Unversehrtheit und auf Bewegungsfreiheit.» Das öst. Staatsgrundgesetz (1867) regelt in Art. 4 nur die Freizügigkeit: «Die Freizügigkeit der Person und des Vermögens innerhalb des Staatsgebietes unterliegt keiner Beschränkung.»

99 Der Gedanke findet sich ähnlich schon bei *Platon*, Gorgias (Kallikles) 482c.

bei den längst ausgerotteten Pocken). Zuletzt berief sie sich auf eine Gewissensentscheidung, die aus der Mitte des Parlaments kommen müsse. Das war eine Ausrede: In Wahrheit hatte man auf Verlangen der FDP diese Vorgangsweise im Koalitionsvertrag vereinbart. Immer wieder wurde von Politik und Gerichten in diesem Zusammenhang auch die *Verhältnismässigkeit* (unten III 2) strapaziert. Zu zögerlich war man auch in der Schweiz. Österreich hat eine allgemeine Impfpflicht zunächst beschlossen, aber wieder aufgegeben. Das Volk war in Meinungsumfragen in allen drei Ländern dafür. Die durch eine Impfung beeinträchtigte körperliche Unversehrtheit kann bei einer *Güterabwägung* im Vergleich mit dem alternativ drohenden Tod oder der Erkrankung vieler Menschen, aber auch allgemein mit der Gefährdung des Gesundheitswesens überhaupt nicht ins Gewicht fallen. Auch gegenüber einem *Lockdown* ist eine Impfpflicht mit sicherem Impfstoff jedenfalls das mildere Mittel. Die deutsche Ethikkommission überzog das Gebot der Verhältnismässigkeit, als sie verlangte, dass vor Verhängung einer Impfpflicht erst alle milderen Mittel, wie Aufforderung der Ungeimpften, niederschwellige Impfangebote usw. erfolglos geblieben sein müssten. Auffällig war auch, wie umständlich Parlament und Regierung angesichts einer vierten Welle erst einmal eine «Orientierungsdiskussion» veranstalteten. Trotz aller Bemühungen war die Quote der Geimpften kaum über 70 Prozent hinausgelangt und obwohl nur noch dreimal Geimpfte zu öffentlichen Veranstaltungen (usw.) zugelassen worden waren. Das wurde als «Impfpflicht durch die Hintertür» oder als mittelbarer Impfzwang bezeichnet, war jedoch eine sachgerechte Differenzierung, wenn die Geimpften nicht zu Geiseln der Ungeimpften werden und die Minderheit nicht über die Mehrheit bestimmen sollte. Im Übrigen ist, wie dargelegt, sowohl die allgemeine Impfpflicht als auch ein Lockdown mit der Freiheit und Gleichheit (dazu unten 2) aller vereinbar, ja notwendig, wenn es gilt, eine Pandemie zu bekämpfen und gesundheitliche Risiken zu minimieren.

Zu weitgehend eingeschränkt wird die Freiheit *in autoritären Staaten* und *illiberalen Demokratien*. Insbesondere China ist ein *Überwachungsstaat*, in dem der grosse Fortschritt der IT-Technologie und der künstlichen Intelligenz, namentlich die Personenerkennung, dazu missbraucht wird, die Bürger im öffentlichen Raum zu überwachen und zu gängeln. Auch wenn man bedenkt, dass in einem so grossen Staat mit so riesiger Population andere Grundsätze gelten mögen, bleibt es ein fragwürdiges Ordnungsbild und die Erosion der individuellen Freiheit ist nicht akzeptabel. Auch im Kampf gegen den internationalen Terrorismus ist die individuelle Freiheit der Bürger möglichst zu schonen.

Das **liberale Rechtsdenken**[100] hat seine Wurzeln in der *Aufklärung des 17. und 18. Jahrhunderts* und im *Utilitarismus*[101] der *englischen Staatsphilosophie*. Mit der US-amerikanischen Declaration of Independence (1776) und der Déclaration des droits de l'homme et du citoyen in der Französischen Revolution (1789) erreichte die politische Aufklärung ihren Höhepunkt. Es war eine Zeit des Aufbruchs und der Vernunft, eine neue Homo mensura-Epoche; die Wissenschaft war beflügelt von einem optimistischen «sapere aude – wage zu wissen

100 Zum aufgeklärten Liberalismus s. etwa O. HÖFFE, Kritik der Freiheit (2015) 110 ff.

101 So schreibt J. BENTHAM, Introduction to the Principles of Morals and Legislation (1789), Chapter 1: By the principle of utility is meant that principle which approves or disapproves of every action whatsoever according to the tendency it appears to have to augment or diminish the happiness of the party whose interest is in question. – Mit dem Prinzip des Nutzens ist dasjenige Prinzip gemeint, das jede Handlung billigt oder missbilligt entsprechend ihrer Tendenz, das Glück derjenigen Beteiligten zu vermehren oder zu vermindern, um deren Interessen es geht; s. auch Fn 106. Zum englischen Utilitarismus s. John Stuart Mill, Utilitarianism (1863); ders. On Liberty /1859); ferner B. RUSSELL, The History of Western Philosophie (1946) Kap. 26, 698 ff.

(denke selbst)» (Horaz, Epist. I, 2, 40 f.); das war im 17./ 18. Jahrhundert der Leitspruch der Aufklärung (vgl. auch III 1).[102] Liberté, egalité, fraternité waren ebenso Programm, wie das Recht auf Glück, pursuit of happiness,[103] zu dem der Leitspruch *gaudere disce* passt (*Seneca* ep. moral. 23), lerne dich zu freuen. Nach Vorläufern im 17. Jahrhundert, wie *Thomas Hobbes*, *Samuel Pufendorf*, und *Gottfried Wilhelm Leibniz*, waren es im 18. Jahrhundert *Jeremy Bentham*, *David Hume*, *Adam Smith*, *Thomas Paine*, *Immanuel Kant*, *Voltaire*, *Montesquieu*, *Emmerich de Vattel*, *Jean-Jacques Rousseau* und andere,[104] welche die Bürger- und Menschenrechte gefordert und die auf griechische Vorbilder[105] zurückgehende Idee der Gleichheit vor dem Gesetz (Isonomia) vertreten haben.

---

102 KANT, Was ist Aufklärung, Berlinische Monatsschrift (1783) 516: «sapere aude! Habe Mut dich deines eigenen Verstandes zu bedienen.» Das ist heute für die Bildung an den Gymnasien und Universitäten das wichtigste Gebot, wo eine zu grosse Stofffülle oft mehr gelernt als verstanden wird. Hierher gehört auch die Maxime non multa sed multum und die Igel-Metapher des Archilochos, s. Fn 26.

103 Das steht in der US-Declaration of Independence, aber nicht in der franz. Menschenrechtserklärung von 1789 und in der UN-Menschenrechtscharta 1948. Dort findet sich umgekehrt das Recht auf Eigentum, das in der US-Declaration fehlte und erst 1791 mit dem 5. Amendment in die Verfassung aufgenommen wurde. Die Vorlage für das greatest happiness-principle war die εὐδαιμονία (Glückseligkeit) des *Aristoteles* (Nik. Ethik 1094b), die nicht nur durch irdische Güter erreicht wird, sondern durch ein tugendhaftes, glückliches Leben (s. auch *Platon*, Politeia 420c, 421b, 576 u. öfter) – Eine popularwissenschaftliche Analyse der Gründe von Unglücklichsein und praktischer Ratschläge für das Glücksstreben enthält B. RUSELL, The Conquest of Happiness (1930).

104 Dazu BERBER, Das Staatsideal im Wandel der Weltgeschichte[2] (1978) 193 ff., 216 ff., 258 ff., 274 ff.

105 Zur Isonomia Fn 124 u. bei Fn 194; HONSELL, FS Koppensteiner (2001) 593, 596.

Das vom modernen Regulierungsstaat und der EU, weit mehr als notwendig und nützlich, eingeschränkte Wirtschaftsmodell der Privatautonomie beruht auf dem Grundgedanken, dass der beste Garant für die Wohlfahrt der Gesellschaft das Streben des Individuums nach Glück und Wohlstand ist. Dieser Gedanke findet sich schon in dem grundlegenden Werk von *Adam Smith*, An Inquiry into the Nature and Causes of the Wealth of Nations (1776). Das Ziel war das grösstmögliche Glück der grössten Zahl, the greatest happiness principle (*Jeremy Bentham*[106]). Wenn allerdings alle das Gleiche haben, ist auch das Programm des pursuit of happiness erledigt. Hat jede Frau einen Diamanten, so werden diese wertlos. In einer Ordnung, in der alle gleich viel haben und haben sollen, entfällt auch der Anreiz zur Vergrösserung des Wohlfahrtsgewinns. Das birgt die Tendenz zur Verarmung. Das umgekehrte Modell, dem wir heute weltweit viel näher sind, führt zur Anhäufung gigantischen Reichtums bei Wenigen und relativ bescheidenen Verhältnissen bei vielen. Wie immer kommt es auf das richtige Mass an, ein ausgewogenes Verhältnis von Freiheit und Gleichheit, in dem die Ergebnisse privaten Glücksstrebens soweit abgeschöpft und umverteilt werden, dass alle ein Auskommen haben und der Unterschied zwischen Arm und Reich nicht zu krass ist (oben I 3 a). Das ist auch ein Kompromiss zwischen den Maximen «Jedem das Seine» oder «Allen das Gleiche».

Zur Freiheit gehört auch das **Eigentum**. Denn ohne eine materielle Basis kann man von seiner Freiheit nicht den richtigen

---

106 JEREMY BENTHAM, A Fragment on Government (1776) Vorwort, 242: «The greatest happiness of the greatest number». Angeblich hat *Popper* dem das bescheidenere Programm «Das geringste Leid der geringsten Zahl» gegenübergestellt. Allerdings erschöpft sich Glück sowenig in Abwesenheit vom Unglück wie Gerechtigkeit in Abwesenheit von Unrecht (vgl. oben I 1).

Gebrauch machen. Deshalb geniesst Eigentum auch verfassungsrechtlichen Schutz. Den Zusammenhang zwischen Freiheit und Eigentum hat *Dostojewski* in dem berühmten Satz ausgedrückt: «Geld ist geprägte Freiheit.» Gleichwohl bleibt richtig, dass die Freiheit nicht nur den Reichen gehört.[107]

Adam Smith' Theorie (vgl. oben II 1) der «unsichtbaren Hand *(invisible hand)* wurde von *David Ricardo* und *John Stuart Mill* ausgebaut und verfeinert. Im 19. Jahrhundert hat dies zur Ablehnung jeglicher staatlichen Intervention oder Regulierung geführt. Das berühmte Schlagwort «laissez faire, laissez passer, le monde va de lui même» oder der von *Wilhelm v. Humboldt*[108] geprägte Begriff des Nachtwächterstaates, in dem der Staat nur für die innere und äussere Sicherheit sorgt, kennzeichnen diese Bestrebungen, welche im 19. Jahrhundert im sog. Manchester-Liberalismus gipfelten. Der freie Markt und der *homo oeconomicus* sind in diesem Modell die Garanten von Fortschritt und Wohlstand. Staatliche Intervention dagegen steht unter einem potenziellen Missbrauchsverdacht. Allerdings erkannte man schon früh, dass das liberale Marktmodell einer sozialen Korrektur bedarf und kritisierte die «soziale Blindheit» des Marktes. Als am Ende des 19. Jahrhunderts das deutsche BGB entstand, monierte man das Fehlen eines Mindestschutzes für die sozial Schwachen (*Anton von Menger*[109]). *Otto von Gierke* forderte den berühmten «Tropfen sozialistischen Öls» und nannte die Vertragsfreiheit «eine furchtbare Waffe in der Hand des Starken und ein stumpfes Werkzeug in der Hand des Schwachen»[110]. Der französische Kommunist

---

107 So L. Herzog, Freiheit gehört nicht nur den Reichen (2013) 7 ff.

108 Ideen zu einem Versuch, die Grenzen der Wirksamkeit des Staates zu bestimmen (1851).

109 Das Bürgerliche Gesetzbuch und die besitzlosen Volksklassen (1890).

110 Otto von Gierke, Die soziale Aufgabe des Privatrechts (1889/1943) 13 und 28 f.

Garaudy[111] sprach von der «Moral des freien Fuchses im freien Hühnerstall» (la morale du renard libre dans le poulailler libre). In der Tat können soziale Probleme mit dem formalen Gleichheitsbegriff des Liberalismus nicht gelöst werden. Deshalb rückten in der Industriegesellschaft des 20. Jahrhunderts die sozial notwendigen Korrekturen in den Vordergrund und man erkannte, dass die formale Gleichheit der Ergänzung durch materiale Gerechtigkeit bedarf.

Im Vertragsrecht gewährleistet der Gesetzgeber den Schutz der sozial Schwächeren hauptsächlich durch die Normierung zwingenden Rechts, wie wir es insbesondere im Arbeits- und Mietrecht sowie im Konsumentenschutz finden; bei Letzterem allerdings in zweifelhafter Weise, da sich der Schutz durch die Anknüpfung an die Verbraucherrolle nicht auf die schwächere Partei beschränkt. Geschützter Konsument ist auch der Industrielle, der einen Kleinhandwerker mit einer Reparatur in seinem Privathaus beauftragt. In allen drei Bereichen handelt es sich im Grunde um öffentlich-rechtliche Einsprengsel im Privatrecht, denn alles zwingende Recht (ius cogens) ist öffentliches Recht (vgl. *Papinian* D 2, 14, 38: Ius publicum privatorum pactis mutari non potest – öffentliches Recht kann durch Vereinbarung von Privaten nicht geändert werden).

Während die Privatrechtsgesetzbücher den die unbeschränkte Herrschaftsmacht betonenden römischen Eigentumsbegriff mehr oder weniger unverändert übernommen haben,[112] steht in den Verfassungen die Sozialpflichtigkeit und die Enteignungsmöglichkeit (gegen Entschädigung) im Vordergrund.[113]

---

111 Le communisme et la morale (1945).

112 Die Vorschriften betonen die beliebige Verfügungsmacht; allerdings in den Grenzen der Rechtsordnung bzw. der Gesetze und der Rechte Dritter Art. 641 ZGB, § 903 BGB; der ausdrückliche Hinweis fehlt in § 354 ABGB, in der Sache gilt nichts anderes.

113 Art. 26 BV; Art. 14 GG; Art. 5 öStaatsgrundgesetz (1867).

Die rechtsstaatliche Fundierung und Limitierung des Staates ist für das liberale Rechtsdenken nicht Selbstzweck, sondern dient dazu, dem Individuum den Entfaltungsraum zu wahren. Nach einer älteren Vorstellung, die uns im römischen Recht und noch in der angelsächsischen Welt begegnet, ist der Bürger von Haus aus frei und diese Freiheit kann nur durch Gesetz beschränkt werden. Daher stand nicht die freiheitsverbürgende, sondern die freiheitsmindernde Funktion des Gesetzes im Vordergrund.[114] Das erklärt auch die (inbes. britische) Abneigung gegen den Regulierungswahn der EU-Bürokratie. Die Briten haben die älteste Demokratie, aber keine geschriebene Verfassung. Ihnen gefällt weder die Ableitung ganzer Ordnungen aus einer ursprünglich mehr oder weniger ins Blaue hinein als Kompromiss gefundenen Bestimmung der EU-Verträge, noch die übermässige Einschnürung der Bürger durch zu viele, zu lange und zu unübersichtliche Gesetze. Die oft zu seinem angeblich notwendigenSchutz erlassen werden.

Zutreffend erfasst man das Konzept des Liberalismus nur dann, wenn man den wesentlichen Zusammenhang zwischen der staatsbegrenzenden Lehre vom Rechtsstaat und dem freiheitlichen Entwurf der Privatrechtsordnung beachtet, deren Leitgedanke sich in dem Begriff der «Privatrechtsgesellschaft»[115] widerspiegelt: Die Gestaltung dieser Gesellschaft

---

114 Die Vielzahl von Gesetzen galt gar als Zeichen staatlicher Korruption, *Tacitus* ann. 3, 27: corruptissima re publica plurimae leges.

115 BÖHM, Privatrechtsgesellschaft und Marktwirtschaft, Ordo 17 (1966) 75 ff.; Kritik an dieser Konzeption bei RUNGE, Antinomien des Freiheitsbegriffs im Rechtsbild des Ordoliberalismus (1971); weitere Beiträge zum Thema bei Riesenhuber (Hrsg.), Privatrechtsgesellschaft (2007): insbes. MESTMÄCKER, Franz Böhm und die Lehre der Privatrechtsgesellschaft, 35 ff.; PICKER, Die Privatrechtsgesellschaft und ihr Privatrecht – Zur wachsenden Bedrohung im Recht und durch Recht, 207 ff.; ZÖLLNER, Privatrecht und

soll sich in erster Linie im Wege der Privatautonomie durch freie und anonyme Akte gleichberechtigter Bürger durch ihre Rechtsgeschäfte vollziehen, nicht durch obrigkeitliche Pläne. Die Vorteile einer Privatwirtschaft gegenüber staatlicher Planwirtschaft sind ja selbst in China unbestritten. Gefährdet wird das liberale Modell indes durch übertriebene, bürokratische Lenkungs- und Steuerungsmassnahmen. Zum Beispiel gibt es in der EU Wirtschaftsbereiche, in denen aus ökologischen oder wirtschaftlichen Gründen für die Zukunft Vorgaben gemacht werden, die heute noch gar nicht erfüllbar sind, etwa bei Luftreinhaltung und Energiewirtschaft, Flottenverbrauch von Autoherstellern usw. Ohne einen Plan B hat diese Politik etwas Unseriöses, ja Willkürliches an sich. So werden bei Verfehlen der von der EU vorgegebenen Klimaziele bis 2030 (38 Prozent Einsparung, inzwischen «verschärft» auf 55 Prozent) Milliarden EUR an «Strafen» fällig. Die «grüne» EU-Politik besteht primär aus der Festlegung von Strafen für die Nichterreichung zukünftiger, «ambitionierter» Ziele, deren Erreichbarkeit ungewiss ist (vgl. unten IX 3). Reguliert werden müssten allerding die in der Ära der Globalisierung entfesselten **Finanzmärkte**, auf denen, wie in einem grossen Casino, Wetten über alle zukünftigen Preise abgeschlossen werden. Neoliberale Übertreibungen deklarieren dies als objektiven Markt, in den nicht regulierend eingegriffen werden dürfe.

Der liberale Entwurf des Privatrechts steht im Zeichen zweifacher Freiheitsverbürgung: Freiheit im Abschluss von Verträgen und Freiheit der Disposition über das Eigentum. Dabei wird der schon von *John Locke*[116] verwendete weite

Gesellschaft, 53 ff.; DERS., die Privatrechtsgesellschaft im Gesetzes- und Richterstaat (1996); F. BYDLINSKI, Privatrechtsgesellschaft und Rechtssystem, FS Raisch (1995) 7 ff.

116 Two Treatises of Government (1690) <https://www.earlymoderntexts.com/assets/pdfs/locke1689a.pdf>.

Eigentumsbegriff zugrunde gelegt.[117] Die Bewahrung dieser property ist für ihn der Grund, warum Menschen in die Gesellschaft eintreten: «So the great and chief purpose of men's uniting into commonwealths and putting themselves under government is *the preservation of their property*» (§ 124, 138).

In den Willen des Einzelnen wird die Erwartung gesetzt, dass er eine sinnvolle und funktionsfähige Ordnung herbeiführt, welche die Funktion der Privatautonomie besser erfüllt als eine obrigkeitlich dekretierte, freiheitsbeschränkende Ordnung. Eine Lenkung und Kontrolle der im Rahmen der Privatautonomie gesetzten Entscheidung unterbleibt, weil das Gewollte als vernünftig gilt. Es entfällt daher eine Überprüfung der Dispositionen auf ihre Rationalität – z.B. der Entscheidung für einen Verkauf, die Höhe des Preises, des Zinses usw. Das Gewollte gilt als vernünftig – nicht so sehr deshalb, weil man objektiv keine anderen Kriterien des Richtigen bestimmen könnte, sondern vor allem, weil man gerade von der freien Willensbetätigung der Menschen erwartet, dass sie einer bereits existierenden Ordnung folgt. Dem Rechtskonzept des Liberalismus liegt ebenso wie den Grundgedanken des Wirtschaftsliberalismus die von *Leibniz*[118] zunächst für das Verhältnis zwischen Körper und Geist entwickelte, dann aber auch zur Deutung menschlichen Verhaltens (als Offenbarung der *lex naturae*) heran-

---

[117] Der Begriff ist weiter als der des deutschen *Eigentum* und erfasst alle vermögenswerten Rechte. Vgl. z.B. die von POSNER (Economic Analysis of Law[2,] (1977) aufgestellte «Theory of Property Rights»; zu ihr N. HORN, AcP 176 (1976) 307 ff.; PRISCHING, FS 200 J. Rw Fak. Univ. Graz (1979) 995 ff.

[118] Systeme nouveau pour expliquer la nature des substances et leur communication entre elles (1695); über Leibniz und das Recht vgl. HANS-PETER SCHNEIDER, Justitia universalis (1967).

gezogene Lehre von der *prästabilierten Harmonie* zugrunde.[119] Nach dieser Lehre kann das spontane Verhalten der Einzelnen eine Ordnung sichtbar machen, die in der Natur der Menschen begründet ist. Derselbe Gedanke steckt hinter der Metapher von der invisible hand, die für das Vertrauen in die Selbstregulierungskräfte des Marktes steht. In diese Richtung geht auch *Schmidt-Rimplers* These von der Richtigkeitsgewähr des Vertrages.[120] Ausgeglichen werden auf einem funktionierenden Markt (über den Preis) allerdings nur Angebot und Nachfrage. Im Übrigen ist die rationale Überzeugungskraft der These von der prästabilierten Harmonie bescheiden.[121] Auch kann man fragen, wie aus der Summe der Egoismen ein sinnvolles Ganzes entstehen soll (vgl. *Jhering* der Zweck im Recht[4] 40, 94 u. passim); nach dem Motto, «wenn jeder an sich selbst denkt, ist an alle gedacht». Dem Prinzip der Privatautonomie, liegt jedenfalls das Streben nach einer vernünftigen Ordnung zugrunde, das auch dem liberalen Denken immanent ist. Die Entfaltungsfreiheit ist nicht Selbstzweck, sondern Mittel zum Zweck. Der klassische Liberalismus hält Gerechtigkeit nicht für unrealisierbar, sondern zieht eine mittelbare Entfaltung der Gerechtigkeit, die er von den Resultaten der individuellen Spontaneität erwartet, den Versuchen einer unmittelbar obrigkeitlichen Durchsetzung von Gerechtigkeit

119 Dazu MAYER-MALY, Der liberale Gedanke und das Recht, FS Merkl (1970) 247 ff., 250 f. = Ges. Schr. (2019) 1247 ff., 1250 f.

120 AcP147 (1941) 130 ff.

121 Eine entgegengesetzte These hat MANDEVILLE vertreten, in The Fable of the Bees or private Vices public Benefits (1714), abgedruckt bei GLOCK, Die Symbolik der Bienen und ihrer Produkte (1891) 337 ff., heisst es z.B. 378 Z. 425, <https://archive.org/details/diesymbolikderb00bsgoog/page/n419>: «So Vice is beneficial found When it's by Justice lopt and bound.» Nach dieser These bringen nicht die Tugenden des Individuums den grössten Gesamtnutzen, sondern seine gezügelten Untugenden.

vor.[122] Die Legitimation der Wirtschaftsfreiheit zu unbegrenztem Gewinnstreben besteht, wie wir (oben II 1) bereits gesehen haben, darin, dass die in diesem System Benachteiligten aus abgeschöpften Gewinnen der Reichen unterstützt werden.[123] Die *soziale Marktwirtschaft* gleicht die Defizite des freien Marktes bis zu einem gewissen Grade aus. Ihr Vorteil ist, dass so die notwendigen Mittel zur Unterstützung der Bedürftigen überhaupt erst generiert werden können. Darin wird neben Freiheit und Gleichheit die dritte Säule der Französischen Revolution sichtbar: die Brüderlichkeit (fraternité, unten II 3; oben I 3 a u. II 1 am Anfang).

2. Gleichheit

Die zweite an den Staat gerichtete Grundforderung ist die schon mehrfach erwähnte Gleichheit – **aequalitas** (Gleichbehandlung). Etymologisch und inhaltlich ist das Wort eng verwandt mit der aequitas (Billigkeit, vgl. oben I 1–3). Die Gleichheit ist in der Staatsform der Demokratie das zentrale Postulat. In ihr sind vor dem Gesetz alle Menschen gleich, haben also gleiche Rechte und Pflichten (griech. Ισονομία Isonomia – **Gleichheit vor dem Gesetz**).[124] Die Gleichheit war in der griechisch-römischen Antike und Jahrtausende später in der Französischen Revolution neben Freiheit und Brüderlichkeit das Leitmotiv *(liberté, egalité, fraternité).* Sie galt aber seit der griechischen Polis nur für die Bürger, nicht für Sklaven, Frauen und Metöken (Zugewanderte). Geradezu

---

122 S. statt aller HAYEK, Die Verfassung der Freiheit (1971).

123 Dies auch deshalb, weil bessere Startbedingungen in intellektueller oder ökonomischer Hinsicht kein Verdienst sind. Diese Überlegungen sind auch eine zentrale These von RAWLS, A Theory of Justice (1971), s. zu ihm auch oben bei Fn 23 u. 145.

124 Vgl. etwa *Platon*, Staat 563b; 3,80: *Thukydides* 3,82; 4,78; *Demosthenes* 15,15.

plump war der Rechtfertigungsversuch der Sklaverei durch Aristoteles, der vom «geborenen Sklaven», («φύσει δούλος – Sklaven von Natur») sprach[125], oder die Beherrschung der Frauen durch die Männer.[126] Die Gleichheit war auch im US-amerikanischen Recht seit der Declaration of Independence vom 4. Juli 1776 eine zentrale Maxime[127] und steht am Fries des US-amerikanischen Supreme Court in Washington: *equal justice under law.* Vor dem Gesetz (Recht) sind alle gleich und das Gericht ist verpflichtet, alle gleich zu behandeln. Die Gleichheit ist eine Grundforderung des Rechts. Sie gilt nicht nur im Fallrecht, sondern auch im Gesetzesrecht. Dennoch hat es bis zur vollen Gleichberechtigung der Rassen Jahrhunderte gedauert und auch die Gleichberechtigung von Mann und Frau wurde nicht in der Aufklärung,[128] sondern erst im 20. Jahrhundert verwirklicht. Das gleiche Wahlrecht für alle

---

125 *Aristoteles*, Politik I 4 u. 5 1254a. Wer einem anderen gehört sei von Natur aus Sklave. Das ist ein simpler Versuch der Rechtfertigung der Sklaverei. Näher etwa O. HÖFFE, Aristoteles³ (2006) 255 ff.

126 *O. Höffe*, Gerechtigkeit 258 ff.

127 «We hold these truths to be self-evident, that all men are created equal, that they are endowed by their Creator with certain unalienable Rights, that among these are Life, Liberty and the pursuit of Happiness.» An der Sklaverei hat das auch damals zunächst nichts geändert. Thomas Jefferson, der Vater der Unabhängigkeitserklärung, hatte selbst zahlreiche Sklaven, bot also ein Beispiel von Wasser predigen und Wein trinken. Auch im Preussen Friedrichs des Großen hielten sich manche der Kuriosität halber einen Mohren. König und Kammergericht anerkannten die Sklaverei. In den USA wurde sie erst nach dem ihretwegen entbrannten Sezessionskrieg (1861–1865) abgeschafft.

128 In der Französischen Revolution starb die Frauenrechtlerin und Verfasserin der berühmten Déclaration des droits de la Femme et de la Citoyenne – Erklärung der Rechte der Frau und Bürgerin (1791), *Olympe de Gouges* unter dem Terrorregime Robespierres auf der Guillotine.

ist in D und A nach dem Ersten Weltkrieg eingeführt worden, die Gleichberechtigung von Mann und Frau[129] erst nach dem Zweiten Weltkrieg mit Art. 2 UN-Menschenrechtscharta 1948. In Deutschland steht die Gleichberechtigung zwar seit 1949 in Art. 3 Abs. 2 GG, es bedurfte jedoch über Jahrzehnte zahlreicher Entscheidungen des Bundesverfassungsgerichts, um diese auch im Detail umzusetzen. In der Schweiz wurde das *Frauenstimmrecht* erst 1971 eingeführt. Im Hinblick auf die Unterrepräsentierung der Frauen in Führungspositionen von Unternehmen und in der Politik hat man Mindestquoten eingeführt. Sog. affirmative actions in den USA bezweckten eine Bevorzugung von Asiaten und Afro-Amerikanern bei der Hochschulzulassung. In Deutschland müssen z.B. nach der Satzung der Bundespartei der Grünen auf den Wahllisten mindestens(?) 50 Prozent Frauen sein und Platz 1 sowie alle ungeraden Zahlen sind ausschliesslich Frauen vorbehalten. Hier konkurrieren sie also nicht mit Männern. Dagegen stehen die Listenplätze mit geraden Zahlen beiden Geschlechtern zur Verfügung. Diese gezielte Ungleichbehandlung, die auch als positive Diskriminierung bezeichnet wird, mag bis zur Erreichung der Parität gerechtfertigt gewesen sein. Der Frauenanteil im Parlament der Bundesrepublik liegt bei den Grünen aber schon seit Jahrzehnten über 50 Prozent. Auch schadet es der Partei und den Regierungen, wenn schwächere

---

129 Insbesondere das römische Recht hat sie nicht gekannt: Papinian Dig. 1, 5, 9: In multis iuris nostri articulis deterior est condicio feminarum quam masculorum. – In vielen Vorschriften unseres Rechtes ist die Stellung der Frauen schlechter als die der Männer. Nach römischem Recht stand die Frau unter der Herrschaft des Mannes, war quasi sein Eigentum, das er auch «ersitzen», d.h. durch einjährigen Besitz erwerben konnte. Damit verlor die Frau ihre rechtliche Selbständigkeit. Um dies zu vermeiden, musste sie jedes Jahr drei Nächte ausserhalb des Hauses verbringen (trinoctium); vgl. auch Fn 280 und *Honsell/Fargnoli*, Römisches Recht[9] § 63 V.

Kandidatinnen bevorzugt werden. In Deutschland bieten dafür Grüne und Sozialdemokraten immer wieder Beispiele. Qualifizierte Frauen lehnen Quotenregelungen ab. Im Übrigen ist es ein problematischer Ansatz, der eine Fragmentierung der Gesellschaft befördert.

Die Gleichheit spielt auch in der Rechtsprechung eine zentrale Rolle. Im römischen wie im angelsächsischen *case law*, verlangt die Methode des Fallvergleichs, dass gleiche und gleich gelagerte Fälle gleich entschieden werden. Man fragt danach, ob es im konkreten Fall und im Vergleichsfall, dem sog. Präzedenzfall *(precedent)* Unterschiede gibt, die eine unterschiedliche Lösung verlangen (näher V 1). Valeat aequitas, quae paribus in causis paria iura desiderat. – Es soll die Gleichheit gelten, die in gleichen Fällen die gleichen Rechtsfolgen verlangt, sagt Cicero (topica 23 i. f.). Das *Gleichbehandlungsgebot* ist die Kehrseite des *Diskriminierungsverbotes.* Verboten ist aber nur die unvernünftige Ungleichbehandlung, die *unreasonable discrimination.* Über Gleichheit oder Verschiedenheit wird im *distinguishing* entschieden. Daran entzündet sich der meiste Streit. Der **Fallvergleich** ist eine hochentwickelte Kunst des angelsächsischen Rechts. Im kontinentaleuropäischen Gesetzesrecht (codified law) steht nicht das Vergleichen von Präjudizien im Vordergrund, sondern die Subsumtion des Falles unter die Gesetzesnorm. Fälle und ihre Gerichtsentscheidungen spielen jedoch auch hier eine grosse Rolle. Das kann man an den Gesetzeskommentaren sehen, die in der Hauptsache Judikatursammlungen sind. Auch im Gesetzesrecht gilt die Maxime *bene iudicat, qui bene distinguit* (gut urteilt, wer gut unterscheidet) und ohne Fälle wäre eine Konkretisierung der abstrakten Normen nicht möglich.

Das auf EU-Richtlinien beruhende Allgemeine Gleichbehandlungsgesetz (AGG) verbietet jede Diskriminierung wegen Alters, Geschlechts, Behinderung, ethnischer Herkunft, Religion/Weltanschauung oder sexueller Orientierung. Das gilt für das Arbeitsrecht, aber auch für Massenverträge und unter gewissen Kautelen im Mietrecht. Es richtet sich nicht an den Staat, sondern gilt unter Bürgern. Zu beachten ist allerdings, dass an das autonome Handeln der Privatrechtssubjekte nicht dieselben Massstäbe angelegt werden können wie an staatliches Handeln im öffentlichen Recht. Wenn ein Privater seine Glaubensgemeinschaft fördert und andere Religionen dabei leer ausgehen, liegt darin weder ein Verstoss gegen die Religionsfreiheit (Art. 4 GG) noch gegen das *Diskriminierungsverbot* von Art. 3 Abs. 3 GG. Das Bundesverfassungsgericht hat jedoch im Hohenzollernbeschluss[130] die Abwägung zwischen *Testierfreiheit* des Erblassers und *Ehe-*

130 BVerfG 1 BvR 2248/01 v 22.3.2004 = FamRZ 2004, 768 – Familienfideikommiss, Ebenbürtigkeitsklausel; s. dazu die einleuchtende Kritik v. *Gutmann* NJW 2004, 234: «Die Aussicht, Erbe zu werden ist eine *nuda spes*. Jenseits des Pflichtteilsrechts hat eine letztwillige Zuwendung den Charakter einer Schenkung, auf die niemand – auch nicht der nächste Familienangehörige – einen rechtlichen Anspruch hat. Jede Bedingung, die der Erblasser mit einer Erbeinsetzung verknüpft, ist deshalb nur die Beschränkung einer überobligaten Zuwendung, aber keine Einschränkung dessen, was der Bedachte vor der Zuwendung schon hatte oder rechtlich erwarten durfte. Der unter einer Bedingung eingesetzte Erbe kann durch ein bestimmtes Verhalten etwas gewinnen, was er sonst nicht fordern könnte; er kann hingegen nicht etwas ‹verlieren›, was ihm in irgendeiner rechtlich fassbaren Weise bereits zustünde. Handlungstheoretisch stellt eine mit einer Potestativbedingung verknüpfte, über den Pflichtteil hinausgehende Erbeinsetzung notwendigerweise und immer ein *Angebot* an den Erbprätendenten dar. Es ist rechtstheoretisch schlechthin ausgeschlossen, mit einem Angebot, das einer Person unterbreitet wird, in deren *Freiheitsrechte* einzugreifen.» S. dazu noch v. SCHRENCK-NOTZING, Unerlaubte Bedingungen in letztwilligen Verfügungen (2009). Zu der verwandten Konstellation, dass nicht von einem mittelbaren Impfzwang gesprochen werden kann, wenn die Teilnahme an einer Veranstaltung von einer Impfung abhängig gemacht wird, s. oben I 3 a.

schliessungsfreiheit des Erben zugunsten des letzteren vorgenommen: Zwar umfasse die Testierfreiheit auch die Freiheit, die Vermögensnachfolge nicht an den allgemeinen gesellschaftlichen Überzeugungen oder den Anschauungen der Mehrheit ausrichten zu müssen. Der durch Art. 14 Abs. 1 Satz 1 GG geschützten Testierfreiheit stehe aber das Grundrecht aus Art. 6 Abs. 1 GG (Ehe und Familie) gegenüber. Deshalb hat das Gericht die *Ebenbürtigkeitsklausel* in der Hausverfassung der Hohenzollern, die Primogenitur, aber Enterbung bei nicht standesgemässer Heirat (Mesalliance) vorsah, wegen mittelbarer Beeinträchtigung der Eheschliessungsfreiheit (Art. 6 Abs. 1 GG) und daraus abgeleiteter Sittenwidrigkeit für nichtig erklärt.

Auch in der Versicherungswirtschaft hat die EU sog. Unisexverträge mit gleichen Tarifen für Männer und Frauen durchgesetzt.[131] Es ist jedoch bei allem Gendereifer nicht einzusehen, warum die Prämien einer Versicherungsrente für Frauen im Hinblick auf ihre höhere Lebenserwartung nicht höher sein dürfen als für Männer und umgekehrt in der Risikolebensversicherung niedriger. Auch die Krankenversicherer müssen sog. Unisextarife anbieten.[132] Man sieht nicht, dass eine vernünftige Differenzierung nicht verboten, sondern im Gegenteil geboten ist. Verschiedenes wird willkürlich gleichbehandelt, was ebenso verfehlt ist wie die Verschiedenbehandlung von Gleichem. Unter dem vernebelnden Label der Antidiskriminierung werden vorhandene Unterschiede ausgeblendet, was keine Kognition mehr ist, sondern Dezisionismus. In Wahrheit kann man nämlich bei einem abstrakten, generell

---

131 Vgl. EuGH C 236/09.

132 Dass Kosten von Schwangerschaft und Geburt nicht zu unterschiedlichen Prämien führen dürfen (§ 20 Abs. 2 S. 1 AGG) ist einleuchtend. Nicht selbstverständlich ist allerdings, dass sie unter die Krankenversicherung fallen. In der Schweiz ist das z.B. nicht der Fall.

für alle Männer und Frauen geltenden Gleichheitsbegriff nicht stehen bleiben, sondern muss rational begründete Unterscheidungen zulassen. Eine andere Frage ist, wieweit die Fragmentierung der Versichertengemeinschaft in einzelne Risikogruppen gehen soll, z.B. wenn Männer eine höhere Kfz-Prämie bezahlen müssen, weil Frauen vorsichtiger Auto fahren, oder Raucher eine höhere Prämie in der Krankenversicherung, Risikosportler in der Unfall- und Krankenversicherung usw. Übertreibt man die Differenzierungen, so gefährdet man die Grundidee der Versicherung, dass hohe Risiken, die wenige treffen, durch Verteilung auf viele Versicherte tragbar werden. Vor allem aber ist nicht nachvollziehbar, weshalb die Versicherer nicht selbst über ihr Angebot und seine Kalkulation sollten entscheiden dürfen.

Die Forderung nach **gleichem Lohn** für gleiche Arbeit **(equal pay)** verfolgten Gleichstellungsgesetze, die es seit den 70er-Jahren des vorigen Jahrhunderts gibt. Gleichwohl werden noch heute Ungleichbehandlungen beklagt.[133] Die Forderung gleicher Lohn für gleiche Arbeit gilt nur für den gleichen Tarif oder dasselbe Unternehmen. Sie darf weder durch Leiharbeit noch durch Scheinselbstständigkeit ausgehöhlt werden. Unterschiede können sich allerdings aus der Arbeitsbiografie ergeben, z.B. Unterbrechungen wegen Geburt und Kindererziehung. Auch diese müssen ausgeglichen werden, wenn auch nicht vom Arbeitgeber, sondern von der Gesellschaft.

Kein sinnvoller Gegenstand von Gleichbehandlung sind *Genderdebatten*, gleichwohl ein Dauerbrenner, ist die unter dem Kampfbegriff der *Gendergerechtigkeit* geforderte Abschaffung des *generischen Maskulinums*, einer simplen Kongruenzregel, die besagt, dass die männliche Form die weibliche miteinschliesst. Das entspricht immer noch dem Sprachgebrauch

---

133 WEHLER, Die neue Umverteilung (2013) 112 spricht von «irritierenden Relikten geschlechtsspezifischer Ungleichbehandlung».

der Mehrheit. 71 Prozent der Befragten lehnten das «Gendern» in einer Umfrage von Allensbach ab. Dagegen wollte die Kundin einer Sparkasse sich nicht damit abfinden, dass in den Formularen der Bank nicht auch das Femininum verwendet wurde und klagte bis zum BVerfG u.a. wegen Diskriminierung und Verletzung des Persönlichkeitsrechtes. Die Gerichte (zuletzt BVerfG, 1 BvR 1074/18 v. 26.5.2020) wiesen die Klage ab, im Ergebnis zurecht, aber mit dem eher positivistischen Argument, dass auch das Grundgesetz das generische Maskulinum verwende. Wer in einem Notfall nach einem Arzt ruft, meint auch die Ärztin und «diskriminiert» nicht etwa. Deshalb ist es seltsam, ja albern, wenn der Duden das generische Maskulinum abschaffen will und neben dem Arzt die Ärztin anführt (eine weibliche Person, die …), neben dem Gast die Gästin, die Vorständin, die Menschin (sic!) usw. Massgeblich ist der herrschende Sprachgebrauch, den der Duden abbilden soll, anstatt die Sprache avantgardistisch mit zweifelhaften Neuerungen aus einem nicht ernstzunehmenden linguistischen «Genderkampf» zu befrachten, der einer fragmentierten Identitätsvorstellung entspringt und ironiefrei eine angebliche Diskriminierung bekämpft. Bei Rollen- oder Berufsbezeichnungen u.Ä., bei denen es auf das Geschlecht nicht ankommt, entspricht die Doppelnennung nicht dem herrschenden Sprachgebrauch und es ist nicht die Aufgabe des Duden, den zu verändern. Auch wenn uns z.B. die Fernsehnachrichten immer öfter mit «Expertinnen und Experten», «Abgeordneten und Abgeordnetinnen» usw. konfrontieren oder man sprachlich hässliche Sätze lesen muss, wie «Händler und Händlerinnen empfehlen Kunden und Kundinnen …», setzt sich das nicht durch, weil es umständlich, unelegant und überflüssig ist. Das gilt auch für den Lesefluss störende Zeichen, wie Sternchen, Doppelpunkt oder Binnen-I und für den gesprochenen Stimmritzenverschluss («Glottisschlag»), um den sich Fernsehansagerinnen und Sprecher mit wechselndem Erfolg bemühen. Das monotone filius/filiave der Zwölftafeln hatte das römische Recht bereits vor mehr als 2000 Jahren überwunden[134]. – Identitäre Übertreibungen und Scheingefechte haben auch bei Forderung nach *Rassengleichheit* Konjunktur. Massnahmen wie das Streichen des Wortes Rasse aus dem Grundgesetz oder einer Sprachpolizei, die Worte wie «Indianer» oder «Neger» – venia sit verbis – verbietet oder eine Mohrenstrasse umbenennt, lenken nur ab von wirklicher Ungleichbehandlung bei *race* oder *gender* und sind als politische Forderungen nicht ernst zu nehmen. Sprachverbote sind kein Zeichen von «wokeness». Es ist eine verlogene Welt, die sich über einzelne Worte erregt und einen verbindlichen Politsprech vorschreiben will, aber tatenlos zusieht, wie Flüchtlinge im Mittelmeer ertrinken, oder mit Hilfe der Frontex in lybische Folterlager zurückgeschickt werden.

Ein eher seltsames Postulat der Gleichbehandlung ist schliesslich die **«Ehe für alle»**, der die Vorstellung zugrunde liegt, der besondere Schutz des Staates für Ehe und Familie (Art. 6 GG) stelle eine Diskriminierung von Lesben und Schwulen dar. In Deutschland und der Schweiz ist die Gleichstellung durch das Parlament bzw. ein Referendum erfolgt, in Österreich durch den Verfassungsgerichtshof.[135] Der EGMR (30.141.04) hat indes eine Diskriminierung von Schwulen und Lesben zurecht verneint, wenn der Staat die Ehe den Hetero-Paaren vorbehält. Seit Jahrtausenden galt und gilt, dass die Ehe eine Verbindung von Mann und Frau ist (Marc. Dig. 23, 2, 1 nuptiae sunt coniunctio maris et feminae). § 44 ABGB, der diese Definition 200 Jahre verwendet hat, wurde

---

134 Paul. D. 50, 16, 84: filii appellatione omnes liberos intellegimus unter dem Begriff «Söhne» verstehen wir alle Kinder (sodass es nicht nötig ist die Töchter eigens zu erwähnen).

135 VfGH G 258-259/2017–9; dazu Deixler-Hübner, FamPra.ch 2018, 1004. Unter dem Diskriminierungsaspekt hätte es nähergelegen, Heteros die mit weniger Rechtsfolgen ausgestaltete und leichter trennbare Lebenspartnerschaft zu eröffnen, die es in allen drei Ländern gibt, die aber nach wie vor, ausser in Österreich, nur für Homo-Paare gilt.

mit Wirkung v. 31.12.2018 für nichtig erklärt. Es ist indes keine Diskriminierung wegen der sexuellen Idendität,[136] wenn man auf den natürlichen Umstand abstellt, dass nur aus einer Verbindung von Mann und Frau Kinder hervorgehen können. Antidiskriminierung und besonderer staatlicher Schutz nach Art. 6 GG sind deshalb zweierlei und es bleibt richtig, dass die Ehe und die auf sie gegründete Familie das Fundament der Gesellschaft und des Staates sind, dessen Fortbestand von Nachwuchs abhängt. Das ist ein vernünftiger Grund für den besonderen Schutz und deshalb liegt darin auch keine Ungleichbehandlung oder Diskriminierung von Lesben oder Schwulen. Die Gleichberechtigung kommt erst wieder ins Spiel, wenn diese Paare Adoptions- oder Pflegekinder haben. Denn in Wahrheit geht es um den besonderen Schutz der Kinder. Man müsste solche Binsenweisheit nicht wiederholen, wenn die Diskriminierung nicht immer wieder behauptet würde. Der Vorwurf ist die zweifelhafte Blüte eines Zeitgeistes,[137] der von einer «cancel culture» geprägt ist, die aus angeblicher «political correctness»[138] anderen einen Maulkorb umhängen will und damit gegen die Meinungsfreiheit verstösst.

Eine Gleichbehandlung kann freilich aus bestimmten Gründen trotzdem vernünftig oder wünschenswert sein. Doch müssen diese angegeben werden. Ein einfacher Rekurs auf (angebliche) Gleichheit oder ein Dogma der Gleichbehand-

---

136 Dazu etwa RÜTHERS, Die heimliche Revolution 115 ff. mwN.

137 Dazu K. SCHMIDT, Intellektuelle Moden und Zeitgeistabhängigkeit in Recht und Rechtswissenschaft, GS Mayer-Maly (2011) 423 ff.

138 S. ADOMEIT, Political Correctness – jetzt Rechtspflicht!, NJW 2006, 2169; dazu BUCHER, Zur Lügenkultur genannt political correctness, FS Adomeit (2008) 95 ff.; s. auch GÜNTER H. ROTH, Recht und rechte Gesinnung im Europäischen Integrationsprozess abrufbar unter <https://papers.ssrn.com/sol3/DisplayAbstractSearch.cfm>.

lung greift zu kurz. Eine vom BVerfGE 147, 1 ff. beanstandete Diskriminierung intersexueller Personen bestand in der obligatorischen Geschlechtsangabe im Personenstandsregister bei einem Kind, das keinem der beiden Geschlechter eindeutig zugeordnet werden kann.[139]

Keine unvernünftige Diskriminierung ist es schliesslich, wenn in der **Pandemie** nur *Geimpfte* Zugang zu Veranstaltungen (usw.) haben oder wenn sie in der Krankenversicherung begünstigt werden. Auch kann z.B. ein Touristikunternehmen oder eine Airline für einen Flug in ein Risikogebiet den Nachweis einer Impfung oder eines Tests verlangen. Das kann auch der Staat. Ein mittelbarer Impfanreiz ist kein unzulässiger Angriff auf die Entschliessungsfreiheit (vgl. oben I 3 a u. II 1) und kein Impfzwang, obwohl auch der angeordnet werden kann, wenn das zum Schutz der Bevölkerung und zur Erreichung der sog. «Herdenimmunität» erforderlich ist. Laien tendieren zu formaler Gleichbehandlung und Ablehnung von Differenzierungen. So wurde die Meinung vertreten, dass es wegen des Gleichheitsprinzips nicht zulässig sei, Geimpfte und Ungeimpfte verschieden zu behandeln. Indessen ist dies keine Diskriminierung, sondern eine rationale Unterscheidung. Es gilt also wieder: Nicht *Allen das Gleiche*, sondern *Jedem das Seine*. Bei der allgemeinen Impflicht ist es umgekehrt: Dort besteht kein Diskriminierungsproblem, alle werden gleich behandelt. Entscheidend ist, das auch die Freiheit dadurch nicht unzulässig verkürzt wird (vgl. oben 1).

---

139 § 22 Abs. 3 PStG lautet seither: «Kann das Kind weder dem weiblichen noch dem männlichen Geschlecht zugeordnet werden, so kann der Personenstandsfall auch ohne eine solche Angabe oder mit der Angabe ‹divers› in das Geburtenregister eingetragen werden.» Der Begriff ist nicht unproblematisch, denn der Plural *diverse* ist für *verschiedene* besetzt. Neben dem fakultativen Weglassen wäre als dritte Kategorie «anders» oder «*m/w*» eine bessere Lösung.

Wie schnell gerade bei der Konkretisierung des Gleichheitssatzes auch bei Juristen die ratio distinguendi (der Unterscheidungsgrund) verloren geht, zeigt eine beliebig herausgegriffene Entscheidung des Bundesverfassungsgerichts (Beschluss vom 19. Juli 2016 Az: 2 BvR 470/08 Rn 40–43), in der es um die Frage ging, ob der «Einheimischen-Rabatt» im Hallenbad einer Gemeinde gegen den Gleichheitssatz verstösst. Das BVerfG hat das mit fehlerhafter Begründung bejaht. Die Überlegung, Leistungen der Daseinsvorsorge an eigene Gemeindebürger, die dort die Steuern zahlen, günstiger abzugeben, reiche für eine differenzierende Preisgestaltung nicht aus. Nur wenn die Gemeinde das Ziel verfolge, knappe Ressourcen auf den eigenen Aufgabenbereich zu beschränken, Gemeindeangehörigen einen Ausgleich für besondere Belastungen zu gewähren oder Auswärtige für einen erhöhten Aufwand in Anspruch zu nehmen (usw.), könne dies mit Art. 3 Abs. 1 GG vereinbar sein. Das Bad der Gemeinde sei jedoch auf Überregionalität angelegt, solle Auswärtige ansprechen und gerade nicht kommunale Aufgaben im engeren Sinne erfüllen. Daher müssten auch Gemeindefremde gleichbehandelt werden und die gleichen Vergünstigungen erhalten. Schon diese Motivenforschung zeigt, dass der Ansatz des Bundesverfassungsgerichts falsch ist. Nur wenn auch auswärtige Gäste kommen (sollen), ist es sinnvoll, den Einheimischen einen Rabatt zu gewähren. Im umgekehrten Fall, wenn gar keine Auswärtigen kommen, braucht man auch keinen Einheimischen-Rabatt. Das Beispiel zeigt aber, welches Fehlerpotenzial im Gleichheitssatz steckt, wenn selbst ein Höchstgericht sich zu so zweifelhaften Entscheidungen verleiten lässt.

Das Gleichbehandlungsgebot hat seine Grenze an rechtswidrigem Staatshandeln. Niemand kann also Rechte daraus ableiten, dass ein anderer rechtswidrig begünstigt oder nicht bestraft worden ist (usw.). Dies ist der Sinn des Satzes, dass es *keine Gleichbehandlung im Unrecht* gibt.[140]

Der *Gleichheitsbegriff ist formal* und ändert nichts daran, dass Menschen in ganz unterschiedlichen ökonomischen und sozialen Verhältnissen leben, die das Recht nicht ausgleichen kann.[141] *Cicero* lässt in de re publica (1, 49) den Scipio ganz im Sinne der stoischen Lehre sagen, dass man die Vermögensgleichheit nicht herstellen wolle und die intellektuellen Fähigkeiten nicht die gleichen seien, aber die Rechte der Staatsbürger die gleichen sein müssten, denn der Staat sei nichts anderes als eine Rechtsgemeinschaft der Bürger: iura certe paria debent esse eorum inter se qui sunt cives in eadem re publica; quid est enim civitas nisi iuris societas? Daran hat sich bis heute nichts geändert. An der **formalen Gleichheit**, die zwar gleiche Rechte, aber keine materiell gleichen Bedingungen gewährleisten kann, wird zu Recht Kritik geübt. *Anatole France* kritisierte den formalen Gleichheitsbegriff mit

---

140 Davon wird nur ausnahmsweise abgewichen (BGE 146 I 105 E. 5.3.1): «Grundsätzlich kann sich der Rechtsuchende der korrekten Rechtsanwendung in seinem Fall nicht mit dem Argument entziehen, das Recht sei in anderen Fällen falsch oder gar nicht angewendet worden. Weicht die Behörde jedoch nicht nur in einem oder in einigen Fällen, sondern in ständiger Praxis vom Gesetz ab, und gibt sie zu erkennen, dass sie auch in Zukunft nicht gesetzeskonform entscheiden werde, so kann der Bürger gestützt auf Art. 8 Abs. 1 BV verlangen, gleich behandelt, d.h. ebenfalls gesetzwidrig begünstigt zu werden. Nur wenn eine Behörde nicht gewillt ist, eine rechtswidrige Praxis aufzugeben, überwiegt das Interesse an der Gleichbehandlung der Betroffenen gegenüber demjenigen an der Gesetzmässigkeit.»

141 Dazu und zum Folgenden JHERING, Geist des Römischen Rechts II (1921) 88 ff. – Aus der neueren Literatur zu der Problematik s. die Beiträge in Grundmann/Thiessen (Hrsg. 2021), Von formaler zu materialer Gerechtigkeit.

dem berühmten Satz: «La majestueuse égalité des lois qui interdit au riche comme au pauvre, de coucher sous les ponts, de mendier dans les rues et de voler du pain» – die majestätische Gleichheit des Gesetzes, die es Reichen und Armen gleichermassen verbietet, unter Brücken zu schlafen, auf den Strassen zu betteln oder Brot zu stehlen.[142] Auch der moderne Gewährleistungsstaat kann indes nicht *mehr* leisten als eine Mindestversorgung und eine gewisse Chancengleichheit durch **Bildung** usw. Auch wären die Verhältnisse über kurz oder lang doch wieder dieselben, würde man heute zugunsten von Privaten enteignen, um gleiche Bedingungen für alle herzustellen.

Von den deutschsprachigen Verfassungen ist die schweizerische die Einzige, die eine allgemeine **Chancengleichheit** als Verfassungsauftrag formuliert: Art. 2 Abs. 3 BV: «Sie [die schweizerische Eidgenossenschaft] sorgt für eine möglichst grosse Chancengleichheit unter den Bürgerinnen und Bürgern.»[143] Als Ziel gilt sie auch in den anderen Ländern, wenngleich sie in der Realität nirgendwo erreicht werden kann. Die Unterschiede in den Startbedingungen, der sozialen Herkunft, dem Erwerb durch Erbgang, der finanziellen und kulturellen Partizipationsmöglichkeiten, sind und bleiben zu gross. Auch triftet die Gesellschaft immer weiter auseinander. Die Reichen werden immer reicher, die Armen ärmer. Nach einer alten, aber im Laufe der Geschichte auch über die unterschiedlichen Gesellschaftssysteme hinweg nur wenig veränderten Formel besitzen 20 Prozent der Bevölkerung 80 Prozent des Vermögens und 80 Prozent die

142 ANATOL FRANCE, Le Lys rouge (1894) c. 7 <https://dicocitations.lemonde.fr/–citations/citation-138553.php>; Die rote Lilie (1919) Kap. 7, übersetzt v. F. v. Reventlow <gutenberg.spiegel.de>.

143 Dazu JÖRG PAUL MÜLLER, Verwirklichung der Grundrechte nach Art. 35 BV (2018) 187 ff.

restlichen 20 Prozent. Der Staat hat die Aufgabe, für Umverteilung zu sorgen, sodass der soziale Friede erhalten bleibt. Dabei geht es nicht nur um ein Mindestmass an sozialer Absicherung, sondern auch um Teilhabe und den Erhalt gesellschaftlicher Solidarität. Ökonomen argumentieren mit einem Trickle down effect, wonach das Geld der Reichen, durch deren Ausgaben zu den ärmeren Schichten durchsickert. Das ist zwar nicht ganz von der Hand zu weisen, kann aber die notwendige Umverteilung nicht ersetzen. Allerdings wird eine radikale Umverteilung, wie sie Kommunisten vorschwebt, als ungerecht empfunden und findet nicht statt. Auch alte, vererbte Vermögen (usw.), können nach langer Zeit nicht mehr wegen einer zweifelhaften Herkunft oder eines vielleicht «ungerechten Anfangs» infrage gestellt werden. Das verhindern Verjährungs- und Ersitzungsvorschriften, die dem Rechtsfrieden dienen.[144]

Ein theoretisches ökonomisches Modell der Verteilung von Wohlfahrtsgewinnen bietet das *Pareto-Optimum*, nach dem eine optimale Ressourcenallokation dann erreicht ist, wenn es nicht mehr möglich ist, einen Einzelnen besser zu stellen, ohne einen anderen schlechter zu stellen. Einen ähnlichen Gedanken enthält das *Maximin-Prinzip* von *Rawls* (Gerechtigkeit 96 u. passim), wonach diejenige Alternative gewählt werden soll, deren schlechtestes Ergebnis besser ist als dasjenige jeder anderen Alternative.

144 Geraubtes oder gestohlenes Gut konnte allerding nach römischem Recht überhaupt nicht ersessen werden, während nach modernem Recht zwar kein (sofortiger) gutgläubiger Erwerb, immerhin aber eine Ersitzung möglich ist (vgl. z.B. Art. 728 ZGB, § 937 BGB, § 1455 S. 1 ABGB).

3. Brüderlichkeit, soziale Gerechtigkeit

Die Brüderlichkeit war eine Idee der Aufklärung, die zum Leitmotiv der französischen Revolution geworden ist. Sie wird auch in Schillers Ode an die Freude besungen («Alle Menschen werden Brüder … »), die – ursprünglich ein Trinklied – in der Fassung aus Beethovens neunter Symphonie zur Europahymne geworden ist. [145]

Im politischen Kontext gehört zur Brüderlichkeit die Forderung nach Umverteilung und *sozialer Gerechtigkeit.*[146] Die ist seit langem ein Kampfbegriff in der Auseinandersetzung der politischen Parteien. Dabei haben namentlich die Linksparteien im Industriezeitalter Gleichheit und Brüderlichkeit auf ihre Fahnen geschrieben, während bürgerliche und liberale Parteien die Freiheit propagiert haben. In den 70er-Jahren des vorigen Jahrhunderts hat die CDU/CSU in Deutschland im Wahlkampf sogar den Slogan «Freiheit statt Sozialismus» plakatiert. Im Kommunismus war die Freiheit der Bürger stark eingeschränkt. Aber auch von rechts ist die Freiheit bedroht durch Faschismus und Populismus. Mit der Gerechtigkeit im engeren Sinne, von der bisher die Rede war,

---

145 Die neunte Symphonie ist den Briten gewidmet, denn Beethoven hat sie für die Londoner Philharmonic Society komponiert. Umso schmerzlicher ist für Europa der Austritt Grossbritanniens, der «Brexit».

146 Alvaredo, Piketty u.a., World Inequality Report 2018; ders., Ökonomie der Ungleichheit (2016); A. Sen, Inequality reexamined (1992); Stiglitz, Reich und Arm – Die wachsende Ungleichheit in unserer Gesellschaft (2015); Wehler, Die neue Umverteilung – Soziale Ungleichheit in Deutschland[4] (2013); L. Herzog, Die Freiheit gehört nicht nur den Reichen – Plädoyer für einen zeitgemäßen Liberalismus (2013). Roman Herzog Institut (Hrsg.) Was ist Gerechtigkeit – und wie lässt sie sich verwirklichen (2009); dass., Die Zukunft der Gerechtigkeit (2011); <www.romanherzoginstitut.de>, dort auch weitere Beiträge zum Thema.

also der Gerechtigkeit im Recht, hat der politische Gerechtigkeitsbegriff nur insofern zu tun, als es um die richtige Balance zwischen Freiheit und Gleichheit geht und um das Mass der Brüderlichkeit, d.h. die Frage, wieweit die Verteilung durch den Staat gehen soll (vgl. oben I 3 a). Einerseits ist eine Einkommensgleichheit leistungsfeindlich und kann, wie der Kommunismus gezeigt hat, zu erheblichen Wohlfahrtsverlusten führen. Andererseits ist es «obszön», wenn der Vorstand einer Aktiengesellschaft das 100fache und mehr eines einfachen Arbeiters verdient. Zu hohe Boni, namentlich in anonymen Kapitalgesellschaften, verletzen das Prinzip der Leistungsäquivalenz, setzen kurzfristige, falsche Anreize, erzeugen Sozialneid und führen zu gesellschaftlichen Spannungen. Ihre Korrektur ist eine Frage der Vernunft und der Gerechtigkeit. An «spätrömische Dekadenz» erinnern auch die Preise, die für Fussballspieler bezahlt werden – mit dem Unterschied, dass es damals Wagenlenker waren.

Problematisch sind auch *Erfolgshonorare* der Rechtsanwälte von 30 oder 40 Prozent.[147] Zu gross ist z.B. die Lohnspreizung, wenn junge Juristen als Berufsanfänger in grossen Lawfirms 140 000 EUR Gehalt bekommen, in kleineren Kanzleien dagegen gerade mal 24 000.[148]

---

[147] Das ist freilich eine Besonderheit des US-amerikanischen Rechts (vgl. Fn 172), die in Europa allerdings zunehmend Nachahmung findet. BVerfGE 117, 163 hält das alte (ausnahmslose) Verbot von Erfolgshonoraren sogar für verfassungswidrig. Das auch in anderen Ländern (z.B. § 879 Ziff. 2 ABGB) geltende Verbot der *quota litis* geht auf das römische Recht zurück (s. Ulp. Dig. 17, 1, 6, 7 und Pap. eod. 7; dazu *Kunkel/Honsell* Röm. R.[4] 337, Fn 23), in dem der Klagenkauf verboten war. Die ratio dieses Verbots liegt auf der Hand: Der Mandant, der das Prozessrisiko und damit den Wert seiner Forderung oft kaum einschätzen kann, soll vor einer Übervorteilung geschützt werden.

[148] Vgl. Härting, Die Ungleichheit wächst, AnwBl 2018, 653.

Ein Instrument der sozialen Sicherung ist der *Mindestlohn*, bei dem darauf zu achten ist, dass nicht ein Prekariat der working-poor entsteht, andererseits aber auch die Rentabilitätsschwelle in den einzelnen Branchen berücksichtigt werden muss, da ansonsten keine Arbeitnehmer mehr eingestellt werden. In der Sozialhilfe (in Deutschland «Hartz IV») ist das Lohn-Abstandsgebot zu beachten, da es sich bei zu hohen Sozialleistungen nicht mehr lohnt zu arbeiten.

III. Kapitel: Gerechtigkeit, Wahrheit und Mass

1. Wahrheit

Die Wahrheit[149] ist ein Nachbarbegriff der Gerechtigkeit. Ebenso wie die Gerechtigkeit für das Recht, ist die Wahrheit oberste Idee der Philosophie (oben I 1). Dort geht es (neben einer praktischen Ethik) um Erkenntnis und Wahrheit über das Sein und die conditio humana, die Bedingung menschlicher Existenz. Das sind Fragen, auf die wir keine Antworten haben, weshalb sie Angst machen, wie «die nackte Wahrheit» (*Blumenberg*[2] 2019). Das erklärt die Jahrtausende währende Erfolgsgeschichte der Religionen mit ihren Heilsversprechen. Noch heute suchen nicht wenige Halt und Hoffnung im Glauben und lassen sich gar von einem orthodoxen Dogmatismus leiten, statt von skeptischer Empirie (vgl. auch unten IV 1 a.E.).

Der griechische Dichter Simonides (6. Jahrhundert v. Chr.) hat die Wahrheit mit der Gerechtigkeit in Verbindung gebracht und diese definiert als «die Wahrheit sagen und jedem das Geschuldete zurückgeben». Diese Definition ist Gegenstand einer ausführlichen Diskussion in Platons Politeia.[150] Sie zeigt, dass man seit der Antike einen engen Zusammenhang zwischen Wahrheit und Gerechtigkeit gesehen hat.

Ein Anfang der Wahrheit ist der Versuch der *Selbsterkenntnis*. Γνῶθι σαυτόν – Gnothi sauton, Nosce te ipsum, Erkenne

149 S. HOMMEL, Gerechtigkeit und Wahrheit. Zur Geschichte eines Begriffspaares, (1969).

150 Sokrates hat diese Definition abgelehnt (Platon, Politeia 331d): οὐκ ἄρα οὗτος ὅρος ἐστὶν δικαιοσύνης, ἀληθῆ τε λέγειν καὶ ἃ ἂν λάβῃ τις ἀποδιδόναι – das ist nicht die Definition der Gerechtigkeit, die Wahrheit zu sagen und jedem das Seine zu geben.

dich selbst – war in der griechischen Antike eine verbreitete Maxime, die im Tempel des Apollo stand und vielleicht auf Heraklit[151] zurückging. Es geht um Erkenntnis und Reflexion über die eigene Person (das «Ich») und ihren Charakter und um moralisch richtiges Handeln. Diese Selbsterkenntnis ist eine nie endende Aufgabe für alle Tage. Sie wird ergänzt durch den Leitspruch der Aufklärung sapere aude – wage zu wissen (oben II 1).

Ganz wie bei der Gerechtigkeit unterscheidet man von der Wahrheit im objektiven Sinn (veritas, ἀλήθεια – aletheia), die Wahrheit im subjektiven Sinn als Tugend (Wahrhaftigkeit). Sie zählt nicht zu den Kardinaltugenden,[152] sondern gilt als Selbstverständlichkeit, denn ihre Negation sind Irrtum und Lüge.

Das Verhältnis von Wahrheit und Autorität betrifft das alte, den Positivismus gegen materielle Gerechtigkeit ins Feld führende Sprichwort *Auctoritas non veritas facit legem* – Autorität, nicht Wahrheit machen das Gesetz aus. Gewissermassen ein Gegenstück dazu ist die Parömie *Veritas temporis filia est non auctoritatis*[153] – Die Wahrheit ist eine Tochter der Zeit, nicht der Autorität. Sie besagt, dass auch eine unterdrückte Wahrheit meist irgendwann ans Licht kommt. Wahrheit und Transparenz finden sich eher in Demokratien als in autoritären Starten, in denen nicht nur die Meinungs- und

---

151 *Diels/Kranz* I 176, Fr. 116. Angeblich hat Solon ihn im Apollotempel in Delphi verewigt. Nach einer anderen Überlieferung geht er auf Thales von Milet zurück, s. DIOGENES LAERTIOS, Leben und Lehren berühmter Philosophen, (Hrsg. Appelt, 1921), Thales I 36; ferner *Snell,* Leben und Meinungen der Sieben Weisen. Griechische und lateinische Quellen[4] (1952/1971) 13; s. auch oben Fn 30 und unten 173, 205.

152 Das sind Klugheit, Gerechtigkeit, Mässigung und Tapferkeit (oben I 1).

153 F. BACON, The Works II (1803) 38.

Pressefreiheit eingeschränkt sind, sondern generell die Freiheitsrechte des Individuums. Wahrheit kann man definieren als Übereinstimmung einer Aussage mit der Wirklichkeit, den Tatsachen. Der Streit um den philosophischen Wahrheitsbegriff und um Wahrnehmung und Aisthesis (Ästhetik im philosophischen Sinne) und Verstehen (Hermeneutik) ist in unserem Kontext nicht relevant. Es ist jedenfalls ein wesentlicher Unterschied der Wahrheit zur Gerechtigkeit, dass sie sich auf Fakten bezieht, während die Aussage, etwas sei gerecht, ein Werturteil ist, eine Meinung. Das ist unsicher, eine Aussage über Fakten dagegen kann nur wahr oder falsch sein. Umgekehrt können Urteile und juristische Meinungen richtig oder falsch sein, aber nicht wahr oder unwahr. In der Jurisprudenz geht es, anders als in der Philosophie, nicht um Wahrheit, sondern um Überzeugung von Richtigkeit, um Meinungen und Regeln, die der Mehrheit einleuchten (zur Meinungsfreiheit oben II 1). Daher spielte in der Geschichte der Jurisprudenz die *Rhetorik* eine besondere Rolle (unten V 2). Rechtliche Argumentation ist eine Begründungskunst[154], die zu überzeugenden Ergebnissen führen soll, aber keine Methode der Erkenntnis richtigen Rechts ist. Jurisprudenz ist nicht Erkenntnis-, sondern Argumentationstheorie, in die neben kognitive auch volitive Elemente einfliessen.[155]

---

[154] Techne oder ars bedeutet (auch) Kunstfertigkeit, Handwerk. Jurisprudenz und Rhetorik waren die artes urbanes unter den artes liberales.

[155] A. MERKL, Das doppelte Rechtsantlitz. Eine Betrachtung aus der Erkenntnistheorie des Rechtes, JBl 1918, 425 ff., 444 ff., 463 ff.; weniger schön ist die Wortprägung «Janusköpfigkeit». Aus neuerer Zeit zu der Problematik etwa U. NEUMANN (Wahrheit statt Autorität, in: Recht verhandeln, hrsg. v. Lerch i.A. der Berlin-Brandenburgischen Ak. der Wiss. 2005) 370, 383 f. mit dem Hinweis, dass es auch dort, wo der Bereich der Kognition überschritten ist, nicht um «pure Dezision», sondern um begründetes Entscheiden geht. S. ferner *Grimm*, Zum Verhältnis von Interpretationslehre,

Im postfaktischen Zeitalter von Internet-Trollen, Fake News (usw.) werden nicht nur in autoritären Staaten, sondern auch von Politikern à la Trump Fakten verfälscht, einfache Wahrheiten verdreht und Verschwörungstheorien haben Konjunktur. So bediente sich etwa der russische Diktator Putin krasser Verdrehungen und Lügen die so lange wiederholt wurden bis die Leute sie glaubten. Harmloser, aber jedenfalls psychopathisch waren die Lügen des amerikanischen Präsidenten Trump, der in seiner Regierungszeit nach einer Zählung der Washington Post mehr als 22 000 mal irreführende oder falsche Tatsachen behauptet und bis zum Schluss an der Lüge festgehalten hat, man habe ihm die Wahl «gestohlen».Wirklich bedenklich wird es, wenn ein grosser Teil des Publikums solchen Unsinn glaubt. Eine Rückbesinnung auf die Menschheitsfortschritte in der Aufklärung des 17./18. Jahrhundert tut not.[156] Auch im Krieg ist das erste Opfer meist die Wahrheit. Ein absurdes Beispiel für diese alte Weisheit boten im Ukraine-Krieg Putin und Lawrow mit der grotesken Lüge, sie führten keinen Angriffskrieg, sondern schützten nur die russische Bevölkerung mit einer «Spezialoperation» vor einem Genozid. Unter diesem Vorwand töteten sie ihr Brudervolk und zerstörten das Land. Gleichzeitig wurde ein Gesetz erlassen, dass allein die Bezeichnung des Überfalls als *Krieg* mit Gefängnis bis zu 15 Jahren sanktionierte.

In **Justizverfahren** hat die Wahrheit ähnlich zentrale Bedeutung wie die Gerechtigkeit, denn vor der Frage, was Rechtens ist, also vor der Rechtsanwendung, kommt die Ermittlung des Sachverhalts; diese ist oft schwieriger und aufwendiger als

---

Verfassungsgerichtsbarkeit und Demokratieprinzip bei Kelsen, in: Ideologiekritik und Demokratietheorie bei Hans Kelsen (Hrsg. Krawietz/Topitsch/Koller) (= Rechtstheorie Beiheft 4, 1982) 149, 151 f.

156 Dazu PINKER, Aufklärung jetzt: Für Vernunft, Wissenschaft, Humanismus und Fortschritt. Eine Verteidigung (2018), die der heutigen Gesellschaft «Gegenaufklärung» bescheinigt.

jene. Die Richter sollen «eine gerechte und wahre Entscheidung fällen» (τὰ δίκαια κ'αλεθῆ κρίνειν) heisst es bei *Platon* und ähnlich sagt *Cicero* (de off. 2,51) *iudicis est, semper in causis verum sequi* – Sache des Richters ist es, in Rechtsfällen stets der Wahrheit zu folgen.[157] Im Strafverfahren geht es zunächst um die Frage, ob der Täter die ihm zur Last gelegte Tat begangen hat, d.h., ob er schuldig ist. Politische Prozesse mit konstruierten Vorwürfen, und böswilligen Verurteilungen findet man häufig in Diktaturen, wie im Russland Putins oder der Türkei Erdogans. Aber auch in Rechtsstaaten kommt es gerade bei vagen und unklaren Tatbeständen immer wieder zu Fehlurteilen.[158]

---

157 *Platon* Nomoi 856; zu Cicero *Hommel* 180, der zurecht griechischen Einfluss vermutet. Das gilt allgemein, speziell aber für de officiis und das zugrunde liegende Werk des Panaitios', vgl. auch oben bei Fn 88.

158 Ein Fall von Justizwillkür war z.B. die Veurteilung des Salzburger Bürgermeisters wegen Untreue. OGH 13 Os 115/18z-21 qualifizierte die unentgeltliche Übertragung von 6 Zins-Swaps von der Stadt an das Land Salzburg, das ein grosses Portfolio besass und die Papiere besser managen konnte, als Untreue und verurteilte den Bürgermeister wegen Anstiftung zu fremder Untreue. Der OGH konstatierte ein «abgesprochenes Zusammenwirken, … das von der Rechtsordnung nicht geduldet wird» und setzte dies mit einer Kollusion gleich. Begründet wird dies auf S. 37 des Urteils nur mit dem Zitat eines eigenen Senatsurteils, das einen echten Kollusionsfall mit Bereicherung betraf, in dem ein überhöhter Preis und ein Kickback an den Vertreter des Käufers vereinbart worden waren. Der OGH verschwieg den krassen Unterschied der Fälle und folgte dem Landesgericht, das in maliziöser Interpretation aus dem jedem Rechtsakt innewohnenden Konsens ein kollusives Zusammenwirken gemacht hatte, obwohl das Verhalten der Beteiligten nicht einmal die Kriterien einer einfachen Rechtswidrigkeit erfüllte; s. HONSELL, Der OGH und der Untreuetatbestand des § 153 StGB, Journal für Strafrecht 2020, 309, 312; vgl. auch unten bei Fn 311.

In komplizierten Wirtschaftsstrafverfahren wird die Wahrheitsfindung oft durch eine sog. «Verständigung zwischen Gericht und Verfahrensbeteiligten» gemäss § 257c dStPO ersetzt.[159] Das ist eine Urteilsabsprache, in der gegen ein Geständnis eine mildere Strafe ausgehandelt wird.[160]

Auch die Gründlichkeit der Aufklärung und eine grosse Zahl von beteiligten Nebenklägern kann eine überlange Verfahrensdauer nicht rechtfertigen (wie z.B. im NSU-Prozess von mehr als fünf (!) Jahren). Aber auch gewöhnliche Strafverfahren dauern im Durchschnitt mehr als 20 Monate, gerechnet vom Beginn staatsanwaltlicher Ermittlungen. Das liegt auch an zu vielen und oft überkomplexen Straftatbeständen (vgl. VI 3). Andererseits dienen Schnellverfahren nicht der Gerechtigkeit, in denen z.B. Ladendiebe als Wiederholungstäter im Viertelstundentakt zu immer höheren Geldstrafen verurteilt werden, die sie nicht bezahlen können. Wird ein Strafverfahren erst Jahre nach der Tat abgeschlossen oder gar begonnen, leidet die Gerechtigkeit ebenso. Der Strafprozess dient der gerechten Bestrafung der Täter und ist nicht in erster Linie ein Forum für Opfer. Schon das justizförmige Verfahren und die aus rechtsstaatlicher Sicht notwendigen Verfahrensvorgaben, insbesondere die Grundsätze *in dubio pro reo* (Unschuldsvermutung: im Zweifel zugunsten des Angeklagten) und *nemo tenetur se ipsum accusare* (niemand ist verpflichtet, sich selbst zu belasten),[161] das Prinzip der Unmittelbarkeit der mündlichen Verhandlung (das besagt, dass nur

---

159 Von BVerfG 2BvR 2628/10 (u.a.) für verfassungemäss erklärt; s. zu der Entscheidung auch unten Fn 339.

160 Kritisch zum sog. Verständigungsgesetz SCHÜNEMANN, Ein deutsches Requiem auf den Strafprozess des liberalen Rechtsstaates, ZRP 2009, 104 ff.; IGNOR, Wahrheit und Gerechtigkeit als Ziel des Strafverfahrens, in: Müßig, Ungerechtes Recht (2013) 1 ff., 17 ff.

161 Das deutsche Bundesinnenministerium plant einen Angriff auf dieses Prozessgrundrecht, in dem es Erzwingungshaft zur Offenbarung von Passwörtern einführen will.

die in der mündlichen Verhandlung erhobenen Beweise für die Feststellung des Sachverhalts massgeblich sind), sowie aus Fairnessgründen bestehende Verwertungsverbote (usw.) und schliesslich die Unzuverlässigkeit von Zeugenaussagen, die oft mehr Fiktionen als Fakten enthalten, alle diese Prinzipien und Umstände machen den Strafprozess ungeeignet für die Ermittlung absoluter Wahrheiten[162] oder gar eine Aufarbeitung von historischem Unrecht. Die Bürgerrechtlerin Bärbel Bohley hat, enttäuscht über die unzulängliche Aufarbeitung des DDR-Unrechts, den Ausspruch getan: «Wir wollten Gerechtigkeit und bekamen den Rechtsstaat» (vgl. Fn 175). Auch hier zeigt sich, dass diese Begriffe nicht notwendig deckungsgleich sind.

Zur Verfahrensbeschleunigung wäre es erwägenswert, beim Vorliegen mehrerer Vergehen eine Beschränkung nach dem Opportunitätsprinzip zu erlauben, jedenfalls in den Fällen, in denen die zu erwartende Gesamtstrafe durch das Weglassen einzelner Vergehen nicht zu stark verkürzt würde. Überprüfen sollte man auch die Sinnhaftigkeit von Nebenklagen.

Zivilverfahren trifft der Vorwurf zu langer Verfahrensdauer weniger. Sie benötigen in Deutschland durchschnittlich 200 Tage für das Verfahren erster Instanz (Roland, Rechtsreport 2018). Das ist vertretbar, wenn man den Zeitaufwand für den Austausch von je zwei Schriftsätzen, die Einholung von Gutachten usw. veranschlagt.

In beiden Verfahrensarten der ordentlichen Gerichtsbarkeit geht es um Sein und Sollen. Das Sein, das die Voraussetzung der Frage nach dem Sollen bildet, nennt man Tatbestand. Verwirklicht ein tatsächliches Geschehen oder ein Zustand (Sachverhalt) einen im Gesetz formulierten Tatbestand, so

---

162 Näher M. THOMMEN, Gerechtigkeit und Wahrheit im Strafprozess, recht 2014, 264 ff.; VOLK, Diverse Wahrheiten, in: Eser/Kullmann/Meyer-Gossner/Odersky/Voss (Hrsg.), FS Salger (1995) 415 ff.

soll die vorgesehene Rechtsfolge eintreten. So geht es in einem Strafverfahren darum, ob der Täter die Tat begangen hat. Erst wenn dies feststeht, schliesst sich hieran die Frage an, ob die Tat auch strafbar ist und welche Strafe der Täter «verdient» hat und womit ihm «Recht geschieht». Das sind Formulierungen, welche Vorurteil und Straferwartung des Publikums zum Ausdruck bringen.

Ist Recht gesprochen und kann das Urteil nicht mehr angefochten werden, so nennt man es «rechtskräftig». Man hat dies in die Form einer Fiktion gekleidet: *iudicatum pro vero accipitur*[163] – das Urteil gilt als wahr. Diese Regelung entsprang dem Bedürfnis, rechtskräftige Entscheidungen nicht mehr in Frage zustellen. Die **Rechtskraft** soll Rechtssicherheit schaffen und ein unanfechtbares Urteil soll im Prinzip selbst dann Bestand haben, wenn es falsch ist. So ist nach römischem und angelsächsischem Vorbild ein Freispruch unanfechtbar und endgültig, auch wenn er falsch ist, d.h., wenn der Täter hätte verurteilt werden müssen. Es gilt der Grundsatz *bis de eadem re ne sit actio* (Art. 103 Abs. 3 GG) (Strafklageverbrauch, Klagenkonsumtion). Ein erneutes Verfahren ist grundsätzlich ausgeschlossen und einer Wiederaufnahme sind enge Grenzen gesetzt. In Deutschland erging allerdings 2021 ein Gesetz «zur Herstellung materieller Gerechtigkeit» das bei Mord eine Wiederaufnahme zuungunsten eines zuvor freigesprochenen Täters schon bei Vorliegen neuer Beweismittel ermöglicht. Das wurde als Verstoss gegen Art. 103 Abs. 3 GG kritisiert. In der Parlamentsdiskussion hiess es, die Wiederaufnahme müsse auf eine «unerträgliche Verletzung der Gerechtigkeit» beschränkt bleiben.[164] Eine Erschwerung der Wiederaufnahme ist jedoch unangebracht, wenn der Täter

---

[163] *Ulpian* Dig. 50, 17, 207 Res iudicata pro veritate accipitur; Basiliken 2, 3, 207.

[164] Zu diesem schwammigen und als Kriterium zu vagen Begriff, vgl. die Kritik an der Radbruch'schen Formel unten IV 1 bei Fn 233).

umgekehrt zu einer Freiheitsstrafe verurteilt worden ist und das Urteil aufgrund unsicherer Indizien gefällt wurde.[165] Wo ernstliche Zweifel bleiben, muss auch in Indizienprozessen der Grundsatz in dubio pro reo beachtet werden. Der Konflikt zwischen Rechtssicherheit und Einzelfallgerechtigkeit bleibt allerdings ein Dauerthema, bei dem man Kompromisse in Kauf nehmen muss.

Das Gegenteil der Wahrheit ist die **Lüge**. Auch sie spielt im Recht eine Rolle. Denn auch eine uneidliche Falschaussage ist strafbar. Unbegreiflich ist es, wenn ein österreichischer Nationalratspräsident allen Ernstes die Abschaffung der *Wahrheitspflicht* in Untersuchungsauschüssen mit dem Argument gefordert hat, die Zeugen hätten grosse Angst etwas Falsches zu sagen. In Prozessen gilt die Wahrheitspflicht nur für Zeugen oder für Parteien eines Zivilprozesses, nicht für den Angeklagten im Strafprozess, der lügen und auch nicht vereidigt werden darf, weil ihm die Staatsanwaltschaft die Tat nachweisen muss.

Als «juristische Lüge» hat man (scherzhaft) die **Fiktion**[166] bezeichnet. Diese ist harmlos und besteht in der bewussten Gleichsetzung zweier verschiedener Tatbestände, welche die gleiche Rechtsfolge haben sollen. Es wird etwas angenommen, was in Wahrheit nicht zutrifft, z.B., dass das ungeborene Kind (der posthumus) bereits im Zeitpunkt des Erbfalls geboren sei. Man sagt, es *gilt* als bereits geboren: *nasciturus pro iam nato habetur*. Dies dient dem Zweck, sein Erbrecht

---

165 Ein jüngstes Beispiel in: *Der Spiegel* Heft 8/2019 v. 15.2.2019 «Neue Zweifel im Mordfall Böhringer – 13 Jahre unschuldig im Knast?»: Zweifelhafte DNA-Spuren. Zweifel blieben auch im Fall Genditzki, dazu HOLZHAIDER, Mord oder Justizskandal? Südd. Zeitg. v. 19.9.2019. Inzwischen lässt hier ein Wiederaufnahmeverfahren hoffen, vgl. *Der Spiegel* Heft 17 v. 21.4.2023.

166 Dazu DEMELIUS, Rechtsfiktion (1858); ferner HONSELL, Der Gesetzesstil in der römischen Antike (1984) St. Guarino 1659 ff.

sicherzustellen. Die Fiktion stammt aus dem römischen Sakralrecht. Da man sich wegen einer magischen Bindung ans Wort nicht in der Lage sah, die sakralrechtlichen Vorschriften zu ändern oder die verba solemnia durch Auslegung auch nur anzutasten, fingierte man einfach den Tatbestand und operierte mit Scheinerfüllungen. So war es den Priestern z.B. um die vielen Opfertiere leid, die sinnlos verbrannt wurden. Man buk sie deshalb aus Teig und behauptete, die Götter würden den Unterschied nicht merken. Später stellte man einfach den Satz auf: *in sacris simulata pro vero accipiuntur*[167] – bei den Opfern gilt das Vorgetäuschte als wahr. Ein alter Brauch verlangte z.B., dass jedes Jahr aus Binsen geflochtene Puppen von der Brücke (pons sublicius) in den Tiber geworfen wurden (Varro De linqua Latina VI 73; Festus s.v. Argei). Ursprünglich waren dies vielleicht Menschenopfer zur Besänftigung des Flussgottes. Noch heute sprechen wir vom Strohmann, wenn ein Stellvertreter nur zum Schein vorgeschoben wird. Die Fiktion war also ursprünglich eine Erfindung der Priester zum «Betrug» der Götter. Später diente sie zur Scheinerfüllung eines Tatbestandes, weil die Änderung gewisser als sakrosankt geltender Vorschriften nicht denkbar war. Der Wortlaut war unantastbar, schon jede Auslegung schien problematisch. Als einfacher galt es, den Sachverhalt zu ändern. Entsprechend musste man im alten Legisaktionenprozess stets den Wortlaut des Gesetzes zitieren, ohne Rücksicht darauf, ob er passte.[168] Die Fiktion kommt noch heute

---

[167] *Servius*, Vergilkommentar zur Aeneis 4, 512.

[168] So musste man in der Prozessformel entsprechend dem XII-Tafeltext *arboribus succisis* sagen, auch wenn es sich um Weinstöcke handelte, sonst verlor man den Prozess. Gaius Inst. IV 11 … unde eum qui de vitibus succisis ita egisset, ut in actione vites nominaret, responsum est rem perdidisse, quia debuisset arbores nominare – … deshalb hat man geantwortet, dass den Prozess verliere, wer wegen

vor und ist jetzt schlicht ein Stilmittel zur Vermeidung von Wiederholungen und Verweisungen.

2. Mass

Einen Bezug zur Gerechtigkeit hat auch das rechte Mass und die Mässigung, die neben der Gerechtigkeit zu den vier Kardinaltugenden zählt. Angeblich stammt von Kleobulos von Lindos (auf Rhodos) der Satz «Mass ist das Beste» (μέτρον ἄριστον). Jedenfalls spielt unter dem Aspekt der Gerechtigkeit neben der Gleichheit und der rechten Mitte oben I 3 u. II 2) die **Verhältnismässigkeit** eine besondere Rolle. Sie ist ein elementares Prinzip jeder Rechtsordnung und verlangt eine Relation, bzw. Proportionalität zwischen Tatbestand und Rechtsfolge, Problem und Massnahme (usw.), die *geeignet, erforderlich* und *angemessen* sein muss. In der Schweiz ist das Prinzip in Art. 5 Abs. 2 BV verankert und gilt in der ganzen Rechtsordnung. Ebenso in Art. 5 Abs. 4 AEUV. Im Grundgesetz fehlt es, gilt jedoch im dt. Verfassungsrecht heute sogar als «wichtigstes Element der verfassungsgerichtlichen Kontrolle von Gesetzgebung, Verwaltung und Rechtsprechung».[169] Neben einem *Übermassverbot* im

---

ausgerissener Weinstöcke geklagt und diese als Weinstöcke bezeichnet hatte, weil er sie [nach der Klagformel] «Bäume» hätte nennen müssen.

169 VOßKUHLE, in: Hillgruber/Waldhoff, 60 Jahre Bonner Grundgesetz – eine geglückte Verfassung? (2010) 97 ff., 110 unter Hinweis auf SCHLINK, Der Grundsatz der Verhältnismäßigkeit, in: Badura/Dreier FS 50 Jahre BVerfG II (2001) 445 ff.; LERCHE, Übermaß und Verfassungsrecht² (1999); ebenso LEPSIUS, Die maßstabsetzende Gewalt, in: Jestaedt/Lepsius/Möller/Schönberger, Das entgrenzte Gericht (2011) 161 ff.: «In der Herausarbeitung dieses relationalen Maßstabes liegt die vielleicht größte Leistung des BVerfG.» Kritisch zur Verhältnismässigkeit als

staatlichen Eingriffsrecht ist ein sog. «Untermassverbot» in der staatlichen Leistungsgewährung anerkannt. Auch im einfachen Recht hat die Verhältnismässigkeit seit jeher einen hohen Stellenwert, wie z.B. bei der Strafe, die schuldangemessen sein muss, oder bei der Notwehr, die nicht in einen Notwehrexzess ausarten, also nicht über das zur Abwehr einer gegenwärtigen Gefahr Erforderliche hinausgehen darf (usw.). Im Europarecht bewirkt die Normierung des Prinzips, dass der Gesetzgeber stereotyp die Selbstverständlichkeit betont, dass alle Massnahmen im Hinblick auf den verfolgten Zweck erforderlich und angemessen seien. Das bleibt – wie z.B. überzogene und mehr oder weniger willkürliche Unternehmensstrafen zeigen – weithin ein substanzloses, stereotypes Lippenbekenntnis. Im Übrigen verstossen inflationäre «Strafen» gegen das fundamentale Prinzip, dass Strafe ein schuldhaft rechtswidriges Verhalten voraussetzt. In der EU sind «Strafen» schlicht Geldzahlungen, die dem Publikum und sogar den Mitgliedstaaten zur Erreichung beliebiger politischer Ziele auferlegt werden. Solche illiberale Repressionen sind inakzeptabel (s.a.V 1).

Umgekehrt war es übertrieben, wenn – wie in der **Corona-Pandemie** – bei staatlichen Massnahmen, wie Lockdowns und Kontaktverboten, die Unverhältnismässigkeit der Freiheitseinschränkung kritisiert wurde oder im Hinblick auf zahlreiche Detailregelungen gleich Big Brother beschwört wurde (vgl. statt Vieler PRANTL, Not und Gebot, 2021, der die

---

grundrechtlichem Verfassungsprinzip *Medicus* AcP 192 (1992) 35 ff., 54; für eine verfassungsrechtliche Herleitung dagegen H. HANAU, Der Grundsatz der Verhältnismäßigkeit als Schranke privater Gestaltungsmacht (2004) m.w.N. Weiteres bei Sedmak (Hrsg.) Gerechtigkeit: Vom Wert der Verhältnismässigkeit (2014); MARKUS MÜLLER, Verhältnismässigkeit – Gedanken zu einem Zauberwürfel (2013).

Bedeutung der Verhältnismässigkeit als konkrete Entscheidungsgrundlage, namentlich in Notlagen überschätzt, dazu sogleich). Dass in einer Pandemie die Freiheit jedes Einzelnen zugunsten der Gesundheit und des Lebens aller eingeschränkt werden kann und muss, ist eine Selbstverständlichkeit, die auch das BVerfG bestätigt hat (1 BvR 781/21u.a. v. 19.11.2021 – Bunndesnotbremse). Namentlich bei Entscheidungen unter Ungewissheit ist der Spielraum von Parlament und Regierung grösser und die Verhältnismässigkeit von Eingriffen eher zu bejahen. Das gilt auch, wenn es sich bei Leben/Gesundheit und Freiheit um inkommensurable Werte handelt und die Abwägung in ein ethisches Dilemma führt, das gleichwohl politisch und demokratisch entschieden werden muss. Die Pandemie ist allerdings zunächst die Stunde der Exekutive, die vom Gesetzgeber ermächtigt, mit Verordnungen regiert. In der Notlage muss nicht mehr jede Massnahme eine gesetzliche Grundlage haben und auch die Gerichte sollten die Exekutive nicht durch arbiträre Abwägung zur Verhältnismässigkeit zu sehr einschränken (vgl. auch oben II 1). In Deutschland hat freilich der Bundesgesetzgeber mit einer legistisch mangelhaften Novelle zum Infektionsschutzgesetz die Materie an sich gezogen und dabei Inzidenzwerte festgelegt, die wegen ihrer Beliebigkeit wie «gewürfelt» wirkten. Das hat zu einer ständigen Änderung von Massnahmen, wie Geschäfts- oder Schulschliessungen geführt, deren Vernünftigkeit und Verhältnismässigkeit nicht immer eingeleuchtet haben. Das hatte eine schwindende Akzeptanz im Volk zur Folge.

Eine gewisse Zurückhaltung ist allerdings auch sonst bei Überprüfung politischer Entscheidungen von Exekutive und Parlament durch die Judikative angebracht. So zeigen insbesondere die **Abwägungen**[170] einander widerstreitender Grundrechte

170 Der Begriff Abwägung ist bei kollidierenden Grundrechten eher unpassend, denn abgewogen werden Interessen, Risiken und Chancen,

oder Verfassungsprinzipien durch das BVerfG ähnliche Schwächen wie das von *Wilburg*[171] entwickelte *bewegliche System*, das – eine Art juristisches *Sandhaufentheorem* – auf das Zusammenspiel verschiedener Elemente unterschiedlichen Gewichts abstellt. Im Zivilrecht und Strafrecht gibt es i.d.R. klare Tatbestände und der Nutzen solcher Theoreme ist begrenzt. Denn an die Stelle klarer, subsumtionsfähiger Tatbestände treten widerstreitende und oft inkommensurable Werte, die komparativ gegeneinander abgewogen werden sollen, wie etwa Meinungsfreiheit gegen Persönlichkeitsschutz oder Eigentumsgarantie, Menschenwürde gegen Handlungsfreiheit (usw.), ohne dass dafür konkrete, nachprüfbare Massstäbe in der Verfassung zur Verfügung stünden. Ohne solche Massstäbe hat aber das blosse Abwägen kollidierender Grundrechte, Güter oder Interessen keinen Begründungswert. Es ist wie Wägen ohne Waage. Übrig bleibt nur der politische Wille, dessen legitimer Ort im Normalfall das Parlament (bzw. die Regierung) ist. Ein Beispiel für Abwägung

---

Gründe und Gegengründe usw. (vgl. oben im Text). Gleichwohl hat er sich im Verfassungsrecht fest etabliert; vgl. etwa OSSENBÜHL, Abwägung im Verfassungsrecht in: Erbguth/Ebbecke u.a. (Hrsg.) Abwägung im Recht, Symp. Hoppe (1996) 25, 33 f.; LEISNER, Der Abwägungsstaat – Verhältnismäßigkeit als Gerechtigkeit? (1997); LERCHE, Übermaß und Verfassungsrecht (1961); DERS., Stil und Methode der verfassungsrechtlichen Entscheidungspraxis, in: Badura/Dreier, Hrsg., 50 Jahre Bundesverfassungsgericht (2001) 334, 349 ff.; SCHLINK, Abwägung im Verfassungsrecht (1976); STERN, Staatsrecht III/2 (1994) 814 ff.; ALEXY, Theorie der Grundrechte (3. Aufl 1996) 143 ff.; DREIER, Dimensionen der Grundrechte. Von der Wertordnungsjudikatur zu den objektivrechtlichen Grundlagen (1993); RÜCKERT, Abwägung, JZ 2011, 913 ff.; krit. *Staudinger/Honsell*, Komm. BGB (2018) Einl 196.

171 Entwicklung eines beweglichen Systems im bürgerlichen Recht, Rektoratsrede, Graz 1951; krit. dazu etwa MICHAEL, Der allgemeine Gleichheitssatz als Methodennorm komparativer Systeme (1997) 30 ff.; ebenso PAAS, Das bewegliche System (2021).

sah BVerfG 7, 230 sogar in einem Spannungsverhältnis zwischen Meinungsfreiheit und Eigentumsgarantie. Ein Mieter hatte ein Wahlplakat seiner politischen Partei an der Aussenwand des Mietshauses angebracht. Indessen lag hier gar kein Spannungsverhältnis vor, denn die Meinungsfreiheit gibt kein Recht zur Inanspruchnahme fremden Eigentums. Dasselbe gilt für die Kunstfreiheit. Man denke an die Graffiti des Sprayers Nägeli, die auch dann eine Sachbeschädigung bleiben, wenn man sie für Kunst halten wollte.

Die durch Abwägung von Grundrechten gewonnenen Entscheidungen sind durchwegs begründungsärmer und weniger überzeugend als auf Subsumtion oder Analogie beruhende Urteile. An die Stelle einer klaren Dogmatik treten vage Prinzipien. Fehlerhaft war etwa die Abwägung von Gesundheit gegen Datenschutz bei der Corona-App, die aus übertriebener Berücksichtigung der letzteren praktisch nutzlos war, weil trotz Anonymisierung und Löschung der Daten nach 14 Tagen Ort und Zeit der Begegnung nicht angegeben wurden, was eine Nachverfolgung weitgehend ausgeschlossen hat. Auch das Fehlen eines Impfregisters wird mit dem Datenschutz begründet.

Weithin unbekannt ist das selbstverständliche Prinzip der *Verhältnismässigkeit* (das sog. «german principle of proportionality») erstaunlicherweise im US-amerikanischen Recht. Paradigmatisch für fehlende Verhältnismässigkeit sind etwa die sog. punitive damages (Strafschadenersatz) die ein Vielfaches des tatsächlich erlittenen Schadens betragen. Zunächst ist aus europäischer Sicht bereits fraglich, weshalb unter dem Titel des Schadenersatzes überhaupt mehr bezahlt werden sollte als der tatsächlich erlittene Schaden. Der Schadenersatz soll gewährleisten, dass der Geschädigte nicht ärmer wird, nicht aber, dass er reicher wird. Der Schadensfall soll nicht zum Glücksfall werden. Der Ersatz eines Schadens, den man gar nicht erlitten hat, verstösst gegen das Bereicherungsverbot. Eine etwaige Strafe ist Sache des staatlichen Strafgerichts. Ist es eine Geldstrafe, geht sie an den Staat oder eine gemeinnützige Einrichtung. Davon abweichend haben sich im US-amerikanischen Schadenersatzrecht punitive damages eingebürgert. Zur Abschreckung, als Vergeltung und als Ersatz für immaterielle Schäden wird der Schadensbetrag vervielfacht. Gegenüber früheren Masslosigkeiten hat der Supreme Court die strafweise Vervielfachung des Schadenersatzes zuletzt auf einen einstelligen Multiplikator («single digit multiplier»), also neun, begrenzt,[172] was immer noch eine groteske Übertreibung ist. Es ist offenbar nicht leicht, auf das richtige Mass

---

172 Vgl. 538 U.S. 408 (2003) – State Farm Mutual Automobile Insurance Co. vs. Campbell. – Es ging nicht um einen materiellen Schaden, sondern um emotional stress eines haftpflichtversicherten Unfallverursachers wegen Zahlungsweigerung des Haftpflichtversicherers, der schliesslich doch bezahlt hatte. Der «Schaden» wurde auf eine Million USD «geschätzt», mit der zusätzlichen neunfachen Strafe war es im Ergebnis zehnfacher «Schadenersatz»; eingehend dazu HONSELL, Der Strafgedanke im Zivilrecht – ein juristischer Atavismus, FS Westermann (2008) 315 ff. Der Strafschadenersatz ist schon per se ein Unding, denn in dem vom Ausgleichsgedanken beherrschten Schadenersatzrecht haben Abschreckung und Vergeltung (deterrence, retribution rationale) keinen Platz. Auch macht es keinen Sinn, dem Geschädigten einen «Schaden» zu ersetzen, den er gar nicht erlitten hat. Der Kläger hatte emotional stress erlitten, aber keinen Vermögensschaden. Man fragt sich deshalb wie die Tatsacheninstanz überhaupt zu der 1 Million compensatory loss gelangt ist. Die irrationale Multiplizierung meist willkürlich angenommener Schadensbeträge in den sog. bad faith trials, wird begünstigt durch das Jury-System, das Erfolgshonorar (contingency fee) des Klägeranwalts, das bis zu 30 oder 40 Prozent der Klagesumme betragen kann, die Popularklagen (class actions), unfaire fact fishing expeditions in aufwändigen pretrial-Verfahren und (zu) hohe Anwaltskosten, die der Beklagte auch bei Obsiegen nicht erstattet erhält. Unter Gerechtigkeitsaspekt sind alle diese Regelungen fehlerhaft. Kritisch zum Strafschadenersatz auch BYDLINSKI, AcP 204 (2004) 309 ff., 343 ff.

zurückzufinden, wenn die Relation einmal aufgegeben ist. Leider finden sich solche Amerikanismen zunehmend auch im europäischen und deutschen Recht, so gewähren z.B. die Gerichte im sog. Dieselskandal oft Ersatz, der den erlittenen Schaden übersteigt (vgl. IX 1, III 1, VI 3).

Die Warnung vor (eifernder) Übertreibung und Hybris ist alt. Die Maxime der Mässigung «Nicht allzu sehr» (μηδὲν ἄγαν[173] – meden agan, ne nimis), stand in einer Inschrift im Apollotempel von Delphi.

173 SNELL, Leben und Meinungen der Sieben Weisen. Griechische und lateinische Quellen[4] (1952/1971) 13 schreibt ihn Chilon zu, andere Solon. Am Wahrscheinlichsten ist Kleobulos, vgl. oben 2 am Anfang.

IV. Kapitel: Naturrecht und Positivismus[174]

1. Naturrecht und Gesetz

Die Gerechtigkeit ist zwar das Ideal des Rechts (oben I 1), das oft verfehlt wird. Recht und Gerechtigkeit (auch: Gesetz und Recht) stehen dann in schroffem Gegensatz. Das wurde bei ungerechten Gesetzen zu allen Zeiten so empfunden.[175] Ihre Geltung ist unter Juristen streitig. Die Positivisten behaupten, dass das formal korrekt zustande gekommene Gesetz unabhängig von seinem Inhalt gilt, also jeden beliebigen Inhalt haben und krass ungerecht sein kann. Die Naturrechtler dagegen lehren, dass sich das Gesetz an einem überpositiven Massstab messen lassen muss und bei grober Ungerechtigkeit nicht angewendet werden darf. Schon die älteste Gerechtigkeitslehre berief sich auf Naturrecht.[176]

---

174 Zum Folgenden s. HONSELL/MAYER-MALY, Rechtswissenschaft 14 ff., 225 ff., 258 ff.

175 S. z.B. Jessaia 32, 16: «Das Recht wohnt in der Wüste, doch die Gerechtigkeit weilt in den Gärten.» Aus moderner Zeit nur W. GADDIS, A Frolic of His Own (1994) Motto: «Justice? – You get justice in the next world. In this one you have the law»; B. BOHLEY (oben III 1): «Wir wollten Gerechtigkeit und bekamen den Rechtsstaat.»

176 *Verdross*, Statisches und dynamisches Naturrecht (1971) 9 f.; WELZEL, Naturrecht und materiale Gerechtigkeit[4] (1962); DERS., Naturrecht und Rechtspositivismus, FS Niedermeyer (1953) 275 ff.; HONSELL, 2. FS Canaris (2017) 1 ff., 3 f.; HAYEK, Recht, Gesetzgebung und Freiheit, Band I: Regeln und Ordnung, 36 ff. mit weiteren Hinweisen, hält den Gegensatz von «natürlich» (φύσει δίκαιον) und «künstlich» (νόμου δίκαιον) für eine falsche und verwirrende Dichotomie von der wir uns bis heute nicht ganz befreit hätten. Zur Einordnung der beiden Begriffe bei den Griechen grundlegend HIRZEL, Themis, Dike und Verwandtes (1907/1966) 320 ff., 359 ff., 386 ff.

Die Berufung auf die Natur ist auf den ersten Blick überraschend, denn das Recht ist kein Natur-, sondern ein Kulturphänomen, und aus dem Sein und der Natur lassen sich keine normativen Vorgaben ableiten. Sie hat jedoch einen historischen und einen strategischen Grund. Die geschichtliche Wurzel der Naturrechtsidee liegt in der naturphilosophischen Tendenz der griechischen Philosophie. In der ersten Phase des griechischen Rechtsverständnisses war das Recht eine kosmische von den Göttern gegebene Ordnung. Die Schwestern der Dike, der Göttin der Gerechtigkeit, waren Eunomia (gute Ordnung, Mass) und Eirene (Friede), alle drei Töchter des Zeus und der Themis, die zusammen das richtige Verhalten der Menschen überwachten.[177] *Pythagoras* hatte dann gelehrt, dass die Gerechtigkeit (die er als Zahl auffasste) nicht auf dem Nomos als staatlicher Satzung, sondern auf der Physis, eben der Natur, beruht. Der strategische Grund für die Berufung auf Naturrecht liegt darin, dass die Analogie zur Natur die Behauptung von Einsichtigkeit und Notwendigkeit des für gerecht Erklärten unangreifbar machen soll.[178]

In der Überlieferung der griechischen Antike steht der Begriff des Naturrechts (φύσει δίκαιον – physει dikaion, ius naturale) im Gegensatz zu dem von Menschen gesetzten, «positiven» Recht (νόμου δίκαιον – nomou dikaion, ius civile).[179]

---

177 HESIOD, Theogonie 901. Zur Dike s. noch HIRZEL, Themis, Dike und Verwandtes (1907/1966) 56 ff.; GRAF/THÜR, Dike in: Der neue Pauly III (1997) Sp. 570 ff.; MAYER-MALY, Nachdenkliches über Jus, Mél. Schmidlin 481 ff. = Ges. Schr. (2019) 249 ff.

178 HONSELL/MAYER-MALY, Rechtswissenschaft[7] (2017) 222.

179 Vgl. dazu HONSELL, FS Koppensteiner (2001) 593 ff.; BARTA, «Graeca non leguntur»? – Zu den Ursprüngen des europäischen Rechts im antiken Griechenland II/2 (2012) 104 ff.; ferner VERDROSS, Grundlinien 50 ff., 133 ff.; DERS., Abendländische Rechtsphilosophie[2] (1963) 7 ff. – Der Gegensatz fndet sich auch noch bei ULPIAN Dig. 1.1.9 … quod vero naturalis ratio inter omnes

Ähnlich unterscheidet Aristoteles[180] das Gerechte schlechthin (ἁπλῶς δίκαιον) vom politischen Recht (πολιτικόν δίκαιον). Letzteres wiederum wird unterteilt in Naturrecht und Gesetzesrecht:[181]

> Τοῦ δέ πολιτικού δικαίου τό μέν φυσικόν έστι τό δέ νομικόν, φυσικόν μέν τό πανταχού τήν αύτήν έχον δύναμιν, και ού τῷ δοκεῖν ή μή, νομικόν δέ δ έξ αρχῆς μέν ούδέν διαφέρει ούτως ή άλλως, όταν δέ θῶνται, διαφέρει, οιον τό μνᾶς λυτροῦσθαι, ή τό αίγα θύειν άλλά μή δύο πρόβατα, έτι όσα επί τῶν καθ' έκαστα νομοθετοῦσιν, οίον τό θύειν Βρασίδᾳ, και τά ψηφισματώδη. δοκεῖ δ'ἐνίοις εἶναι πάντα τοιαῦτα, ὅτι τὸ μὲν φύσει ἀκίνητον καὶ πανταχοῦ τὴν αὐτὴν ἔχει δύναμιν, ὥσπερ τὸ πῦρ καὶ ἐνθάδε καὶ ἐν Πέρσαις καίει, τὰ δὲ δίκαια κινούμενα ὁρῶσιν. τοῦτο δ' οὐκ ἔστιν οὕτως ἔχον, ἀλλ' ἔστιν ὥς. – Das Recht im Staat ist einerseits das natürliche, andererseits das gesetzliche (positive). Das natürliche hat überall die gleiche Geltung, unabhängig davon, ob man es für richtig hält oder nicht; das gesetzliche kann so oder anders sein und wird erst durch positive Festsetzung so bestimmt, z.B. die Anordnung, dass das Lösegeld für einen Gefangenen eine Mine betragen, oder dass man eine Ziege, keine zwei Schafe, opfern soll, ferner gesetzliche Bestimmungen, die für einzelne Fälle getroffen werden, z.B. dass dem Brasidas zuerkannte Opfer, und endlich alle Plebiszite. Einige meinen, alles

homines peraeque custoditur vocaturque ius gentium, … Vernunftrecht und ius gentium sind hier eins; s. aber auch Fn 183.

180 Nik. Eth. 1134a.

181 Nik. Eth. 1134b; den Gegensatz betont auch *Platon*, Gorgias (Kallikles) 482c: ὡς τὰ πολλὰ δὲ ταῦτα ἐναντί ἀλλήλοις ἐστίν, ἥ τε φύσις καὶ ὁ νόμος – wie Vieles sind Natur und Gesetz einander entgegengesetzt.

> sei von dieser Art, weil das Natürliche unveränderlich sei und überall dieselbe Kraft habe, so wie das Feuer hier und in Persien brennt. Das Gerechte dagegen sehen wir als veränderlich. Aber das ist nur zum Teil richtig …

Aristoteles unterteilt das politische Recht in das natürliche und das gesetzliche, das eine ist unveränderlich,[182] gilt immer und überall und ist bei allen Völkern dasselbe, weshalb es in Rom auch *ius gentium* hiess.[183] Das andere kann so oder anders sein, ist inhaltlich mehr oder weniger beliebiges Gesetzesrecht. Die lokalen Unterschiede von Gesetz und Gewohnheitsrecht kritisiert auch *Pascal*: «eine spassige Gerechtigkeit, die ein Fluss oder Berg begrenzt! Diesseits der Pyrenäen Wahrheit, jenseits Irrtum».[184] Die Beliebigkeit kann sich bis zur Ungerechtigkeit steigern. Dann besteht ein Spannungsverhältnis zwischen dem ungerechten und unethischen *Gesetz* und dem *Naturrecht*, das auch von *Platon*, Politeia im Zusammenhang mit der Gerechtigkeit thematisiert wird

---

182 ἀκίνητος heisst *unbewegt, unveränderlich* und hat auch im Kontext des Naturrechts bei Aristoteles die räumliche *und* die zeitliche Dimension. Die Ausführungen von *Kirste* (Die Zeitlichkeit des positiven Rechts und die Geschichtlichkeit des Rechtsbewußtseins, 1998) 75 ff. über die «Beweglichkeit des Naturrechts» treffen daher nicht das Richtige. *Kirste* zielt damit auf die Widerlegung zeitlos gültiger, elementarer Menschenrechte (vgl. insbes. 386 ff., 389) und hält es für notwendig, diese «normativ verbindlich zu machen»; ebenso die in Fn 252 genannten. Eine Wandelbarkeit des Gerechtigkeitsbegriffs behauptet auch TSCHENTSCHER, Prozedurale Theorien der Gerechtigkeit (2000/2009) 47 ff.

183 Mit dem Naturrecht war es nach römischer Auffassung aber nur teilweise identisch; so war Sklaverei nach ius gentium zulässig, nicht aber nach das ius naturale, vgl. *Ulpian* Dig. 1, 1, 4; *Florentin* Dig. 1, 5, 4 u. öfter.; s. auch Fn 179 u. 197.

184 Pascal, Pensées, Fr. 294: Plaisante justice, qu'une rivière ou une montagne borne! Verité en decà des Pyrénées, erreur au delà.

(oben I 3). Dieser Antagonismus wurde schon im vorsokratischen Griechenland diskutiert. Dem Naturrecht stand der Nomos gegenüber, das von der Bürgerschaft des demokratischen Stadtstaates beschlossene Gesetz. Der zentralen Bedeutung des Nomos entsprach zunächst eine bis zur Verehrung gesteigerte Wertschätzung der Gesetze. Man sang Loblieder auf die Gesetze und hielt sie für göttlichen Ursprungs[185]. So nannte Pindar das Gesetz den König über alle Lebenden und Toten[186]. Den göttlichen Ursprung betonte auch Heraklit[187]: «Wenn man mit Verstand reden will, muss man sich stark machen mit dem allen Gemeinsamen wie eine Stadt mit dem Gesetz und noch viel stärker. Nähren sich doch alle menschlichen Gesetze von dem einen göttlichen; denn dieses gebietet soweit es nur will, reicht aus für alle und ist sogar noch darüber.» Chilon von Sparta hat uneingeschränkten Gesetzesgehorsam verlangt: νόμοις πείθου – gehorche den Gesetzen. Die Bürger sollten aber das Gesetz nicht nur befolgen, sie sollten auch darum kämpfen. Heraklit[188] hat gesagt, «das Volk soll kämpfen für das Gesetz wie um seine Stadtmauern».

Doch je länger es Gesetze gab, umso mehr machte man Erfahrung mit **ungerechten Gesetzen**. Jetzt wurde der Konflikt zwischen Naturrecht und Gesetz zum beherrschenden Thema. Um ihn geht es z.B. in Sophokles' Antigone. Entgegen dem Verbot des Kreon, der die Staatsräson repräsentiert,

185 TRIANTAPHYLLOPULOS, Das Rechtsdenken der Griechen (1985) 10; HIRZEL, Themis, Dike und Verwandtes (1907/1966) 359 ff.

186 Pindar Fr. 169; zitiert bei Herodot, Hist. 3, 38; Platon, Gorgias 484b.

187 Heraklit Fr. 114; vgl. DIELS/KRANZ, Fragmente der Vorsokratiker I 176: ξὺν νόῳ λέγοντας ἰσχυρίζεσθαι χρὴ τῷ ξυνῷ πάντων, ὅκωσπερ νόμῳ πόλις, καὶ πολὺ ἰσχυροτέρως. τρέφονται γὰρ πάντες οἱ ἀνθρώπειοι νόμοι ὑπὸ ἑνὸς τοῦ θείου κρατεῖ γὰρ τοσοῦτον, όκόσον ἐθέλει καὶ ἐξαρκεῖ πᾶσι καὶ περιγίνεται.

188 Heraklit Fr. 44; DIELS/KRANZ I 160: μάχεσθαι χρὴ τὸν δῆμον ὑπὲρ τοῦ νόμου ὅκωσπερ τείχεος.

bestattet Antigone ihren toten Bruder, weil das göttliche Gesetz und das Naturrecht dies verlangen. Die Grenzen des Gesetzesgehorsams zeigt auch der Fall des Sokrates. Der zum Tode verurteilte Sokrates lehnte vor seiner Hinrichtung die schon vorbereitete Flucht ab, weil er der Jugend kein (schlechtes?) Beispiel geben wollte für Ungehorsam gegen das Gesetz.[189] Dies darf man aber nicht ohne Weiteres als Fall eines bedingungslosen Gesetzesgehorsams werten. Sokrates war im Prozess gerade vorgeworfen worden, er verführe die Jugend zum Ungehorsam gegenüber dem Gesetz. Da will es die Geschichte, dass er seine Verfolger noch im Tod durch ein Musterbeispiel von Gesetzestreue beschämt.

Kritik an den vielfach ungerechten Gesetzen oder der fehlerhaften Gesetzesanwendung finden wir vor allem bei den Sophisten.[190] Das Gesetz ist hier der Tyrann,[191] den die Spartaner mehr fürchten als den Perserkönig.[192] *Nomos* und *Physis* werden in scharfer Antithese gesehen. Nicht Platon und Aristoteles, sondern die Sophisten wie Hippias, Alkidamas,

---

189 *Platon*, Kriton 50a–51 u. passim.

190 Vgl. allgemein HEINIMANN, Nomos und Physis: Herkunft und Bedeutung einer Antithese im griechischen Denken des 5. Jahrhunderts. (Diss. Basel 1945) 110 ff.; K. F. HOFFMANN, Das Rechtsdenken der Sophistik (1997); M. DREHER, Sophistik und Polisentwicklung (Diss. Frankfurt 1983) 55 ff.; GUTHRIE, History of Greek Philosophy III (1969) 55 ff.; Behrends/Sellert (Hrsg.): Nomos und Gesetz. Ursprünge und Wirkungen des griechischen Gesetzesdenkens. 6. Symposion der Kommission «Die Funktion des Gesetzes in Geschichte und Gegenwart» (1995).

191 Dazu HIRZEL, Agraphos Nomos (1903/1978) 380 f.; *Triantaphyllopulos* 10, der im Zusammenhang mit dem Arginusenprozess schreibt, «dass das Gesetz oft eine Entscheidung wahnsinniger und unvernünftiger Männer» gewesen sei.

192 Herodot, Hist. 7, c. 104.4.

Antiphon (der Sophist[193]) und andere haben Fremdenhass und Sklaverei verurteilt, die Gleichheit von Helenen und Barbaren betont und die Menschenrechte eingefordert: «Gott hat alle Menschen frei geschaffen, die Natur hat niemanden zum Sklaven gemacht, erst das Gesetz macht sie ungleich, Freie und Sklaven, Barbaren und Hellenen.»[194] Dies war die Geburtsstunde einer Humanität, wie man sie erst in der italienischen Renaissance und in der Aufklärung mit der Wiederentdeckung der Menschen- und Bürgerrechte erneut beobachten konnte. Die Sophisten haben auch die Lehre von der ἰσονομία – Isonomia begründet, der Gleichheit vor dem Gesetz. Alle Bürger eines Staates sollen die gleichen Rechte und Pflichten haben. Hippias[195] greift diesen Gedanken auf: «Von Natur aus – nicht nach dem Gesetz – sind wir alle verwandt, zusammengehörig und gleich; denn das Gleiche ist dem Gleichen von Natur aus verwandt; doch das Gesetz, der Tyrann, setzt mit Gewalt vieles gegen die Natur durch.» Ähnlich ist die Haltung Antiphons zur Ungleichheit der Menschen, die auch für ihn durch das Gesetz verursacht wird: «Von Natur sind alle gleich geschaffen, ob Barbaren oder Hellenen. Denn wir atmen alle durch Mund und Nase und essen mit den Händen»[196]. Die Gleichheit vor dem Gesetz wird mit biologischer

---

193 Überwiegend nimmt man an, dass es zwei bekannte Personen dieses Namens gegeben hat, den Sophisten und den Redner; vgl. KYRKOS, Antiphon – Kritias – Anonymus Jamblichi (1988) 33 ff. mit weiteren Nachweisen; LURIA, Antiphon der Sophist, in: Sophistik, hrsg. von Classen, 537–544. Für Identität der beiden spricht jedoch, dass sich die Sophisten besonders mit Rhetorik beschäftigt haben.

194 Alkidamas, Scholion zu Aristoteles' Rhetorik I 13.

195 Platon, Protag. 337 ff., *Diels/Kranz* II 333.

196 *Diels/Kranz* II B Fr. 44 A 7 B 2; dazu UNRUH, Die Gleichheit der Menschen bei Antiphon dem Sophisten, in: Kirste/Waechter/Walther, Die Sophistik (2002) 41 ff. Dass das Fragment 44 – wenn es überhaupt zwei verschiedene Personen des Namens Antiphon

Gleichheit begründet.[197] Das führt über die Staatsbürger hinaus zu universellen, für alle geltenden Menschenrechte, deren Wurzeln hier sichtbar werden. Antiphon hat sich auch mit dem Thema Naturrecht, Gesetz und Gerechtigkeit befasst. Von ihm ist ein Fragment aus der Schrift «Über die Wahrheit»[198] auf einem Papyrus aus Oxyrhynchos überliefert. Darin findet sich die erstaunliche Handlungsmaxime, die Gerechtigkeit bestehe darin, die gesetzlichen Vorschriften des Staates, in dem man Bürger ist, nicht zu übertreten. Der meiste Nutzen aber liege für einen jeden darin, vor Zeugen die Gesetze der Menschen zu befolgen, ohne Zeugen hingegen die Gesetze der Natur, denn die Gesetze seien willkürlich, die Natur dagegen notwendig. Antiphon hält es für sinnvoll und nutzbringend, naturwidrige Gesetze nicht zu befolgen, wenn mangels Zeugen keine Sanktion droht. An die Stelle des Gesetzes tritt das Naturrecht als Richtschnur des Handelns.

gegeben hat (vgl. Fn 193) – dem Sophisten zuzuordnen ist, wird allgemein angenommen.

197 Die Naturrechtswidrigkeit der Sklaverei wird auch von römischen Juristen konstatiert, so schreibt Gaius (Inst. I 2), dass die Sklaverei gegen Naturrecht verstösst – servitus est contraria iuri naturali; s. auch Inst. 1, 3, 2 u. Dig. 50, 17, 32.

198 Fr. 44 A und B bei *Diels/Kranz* II 346 f.; WALTHER, Wider den Legalismus in der Ethik, in Kirste/Waechter/Walther, Die Sophistik (2002) 41 ff., 46 f., mit der abweichenden Interpretation, dass Antiphon kein «Naturrechtler» sei, das Gerechte ausschliesslich dem Nomos zuzuorden sei und dass es bei dem Gegensatz von Nomos und Physis nicht um zwei Arten von Gerechtigkeit gehe. Damit wird aber der entscheidende Punkt verfehlt, dass Antiphon dem Natürlichen den Vorrang vor dem Gewillkürten (Gesetz) einräumt. Das ist der klassische Standpunkt des Naturrechts.

Nach sophistischer Auffassung sind die Gesetze nur zur Vermeidung von Bestrafung zu beachten.[199]

Einen inhaltlich determinierten Rechtsbegriff präsentiert neben dem griechischen Naturrecht die einzige definitorische Aussage über das Recht, die uns aus der römischen Jurisprudenz überliefert ist.[200] Justinian stellte sie an die Spitze seiner Digesten. Es ist das berühmte *Celsus*-Zitat, das Recht sei die Kunst des Guten und Billigen (*ius est ars boni et aequi,* Dig. 1, 1, 1), das auf eine naturrechtliche Herleitung verzichtet. Eine blosse Formaldefinition des *ius* findet sich in der römischen Jurisprudenz nicht.[201]

An einen quasi *biologischen Naturrechtsbegriff* knüpfte der römische Jurist *Ulpian* an, wenn er sagte, Naturrecht sei das, was die Natur alle Lebewesen lehrt[202]. So gelangt er zu einem Naturrecht, das in gewissen Eigenschaften und Verhaltensweisen besteht, welche die Menschen mit den Tieren gemeinsam haben, die auf dem Land oder im Wasser leben, auch mit den Vögeln in der Luft. Genannt werden Zeugung, Geburt und Erziehung der Nachkommen, die auch Art. 6 GG als «natürliches Recht» der Eltern bezeichnet. Als Beispiel dienen kann aber auch ein Gemeinschaftsleben, wie der Fische und Vögel im Schwarm, der Ameisen oder Bienen im Bau oder Korb usw. Dem liegt der stoische Gedanke einer Rechtsgemeinschaft bei allen Lebewesen zugrunde. Dessen rechtliche Relevanz bleibt allerdings bescheiden. Immerhin ist es die erste und einfachste Maxime jeder Gemeinschaft, dass man

---

199 Diese Auffassung übernimmt auch Epikur 34: «Die Ungerechtigkeit ist nicht an sich ein Übel, sondern das Übel liegt in der Angst entdeckt zu werden.»

200 Zum Rechtsbegriff der Römer MAYER-MALY, ZÖR 9 (1958) 151 ff. = Ges. Schr. (2019) 265 ff.

201 Positivistische Tendenzen vermutet zu Unrecht D. NÖRR, Rechtskritik in der römischen Antike (1974) 20, 33 f.

202 Dig. 1, 1, 1, 3: quod natura omnia animalia docuit.

niemandem etwas antut, was man selbst nicht erleiden möchte (vgl. oben I 2). Schon in der griechischen Mythologie wird aber vor allem der Unterschied zwischen Mensch und Tier betont. Die Natur lehrt auch die Macht und das Recht (?) des Stärkeren.[203] Nach einem alten Mythos schickte Zeus den Menschen durch Hermes, den Götterboten, die Gerechtigkeit zusammen mit der Scham (αἰδός – aidos).[204] Neben dem Denken sind dies die wesentlichen Unterschiede zwischen Mensch und Tier. Im Alten Testament[205] lockt die Schlange Eva, vom Baum der Erkenntnis zu essen, mit der Aussicht: *eritis sicut deus scientes bonum et malum* – ihr werdet sein wie Gott und wissen, was gut ist und was böse. Mit dem Verlassen des Naturzustandes kam die Moral und die Scham.

---

203 Thrasymachos («Recht ist, was dem Stärkeren nützt», s. Fn 13 u. 213); s. auch die Fabel vom Habicht und der Nachtigall, HESIOD, Werke 202, 217, oben I 1; nach Hesiod soll sich das Recht am Ende durchsetzen. – Wolf und Lamm in den Fabeln des Aesop/Phaedrus und La Fontaine stehen (entgegen DERRIDA, Das Recht des Stärkeren in DERS., Schurken, 2006, 15 ff. und SIEKMANN, Der Wolf und das Lamm, Diss. Bamberg, 2017) nicht für ein Recht des Stärkeren, sondern persiflieren den menschlichen Charakterzug, das eigene Unrecht zu leugnen. Deshalb frisst der Wolf das Lamm nicht einfach, sondern beschimpft und beschuldigt es erst. Zum Recht des Stärkeren s. noch BARTA, «Graeca non leguntur»? – Zu den Ursprüngen des europäischen Rechts im antiken Griechenland III/1 (2014) 164 ff., 198 ff.; dort auch zum «Melierdialog» des THUKYDIDES (Pelop. Krieg V 104 ff.), in dem sich die Athener auf das Recht des Stärkeren beriefen. – Auch Hitler hat sich ein Recht des Stärkeren berufen, als er den 2. Weltkrieg entfesselte, vgl. <https://www.ns-archiv.de/imt/ps1001-ps1200/1014-ps.php>. Im Ukraine-Krieg hat Russland diese gewalttätige und menschenverachtende Position eingenommen. Aber ein solches Recht gibt es nicht. Jeder Angriffskrieg ist ein Völkerrechtsbruch und ein Verbrechen gegen die Menschlichkeit (unten X 2).

204 *Platon* Protagoras 322; s.a. Aristoteles Politik I 1.

205 Näher HONSELL, FS Koppensteiner (2001) 593.

Seither wird diskutiert, ob der Mensch von Natur aus gut oder böse ist. *Bias von Priene*, einer der Sieben Weisen, die aufgefordert waren, sich mit einem Wahlspruch im Apollo-Tempel in Delphi zu verewigen, schrieb: Οἱ πλεῖστοι κακοί (oi pleistoi kakoi) – die meisten sind schlecht.[206] Einen Hang zum Bösen in der menschlichen Natur nahmen z.B. auch *Kant*[207] und *Schopenhauer*[208] an. Die Frage lässt sich nicht allgemein beantworten. Der dialektische Antagonismus von gut und böse ist im Menschen angelegt. Wir müssen ihn überwinden und nach dem Guten und Gerechten (bonum et aequum) streben, das alle erkennen können.

In den Digesten sind noch *zwei weitere* Begriffsbestimmungen des *Naturrechts* überliefert.[209] Beide setzen Akzente, die in der europäischen Geistesgeschichte grosse Bedeutung erlangten. *Ulpians* Zeitgenosse *Paulus* brachte die Zeitlosigkeit des Naturrechts und seinen Anspruch auf permanente Beachtung ins Spiel. Für ihn war Naturrecht das, was *immer* gut und

---

206 DIOGENES LAERTIOS, Leben und Lehren berühmter Philosophen 1, 87 und 88; s. auch SNELL, Leben und Meinungen der Sieben Weisen. Griechische und lateinische Quellen[4] (1971) 107; nach Ausonius, Spiel der Sieben Weisen (zitiert nach Snell 154 f.) habe Bias allerdings später erklärt «dixisse nollem, veritas parit odium» – «das hätte ich besser nicht gesagt, denn Wahrheit erzeugt Hass». S. noch BARTA, Graeca non leguntur III/1 185; vgl. auch Fn 30, 151, 173.

207 Die Metaphysik der Sitten. Die Religion innerhalb der Grenzen der bloßen Vernunft, AA VI 28 ff.

208 Preisschrift über die Grundlagen der Moral § 14, 238.

209 Zu den römischen Naturrechtslehren s. E. LEVY, Natural Law in Roman Thought, Gesammelte Schriften I (1963) 3 ff.; H. WAGNER, Studien zur allgemeinen Rechtslehre des Gaius (1978) 30 ff.; HAMZA, Pázmány Law Review 2 (2014) 5 ff. mit weiterer Lit.; MAYER-MALY, Gemeinwohl und Naturrecht bei Cicero, FS Verdross (1960) 195 ff. = Ges. Schr. (2019) 307 ff.

billig ist.[210] Damit wird die Zeit- und Geschichtslosigkeit des Naturrechts vorausgesetzt. Die Geltung von Prinzipien, die von positiver Satzung unabhängig sind, führt aus der Zeit heraus.

Die Antithese zwischen Recht und Unrecht wurde viel diskutiert. In der namentlich von den **Sophisten** gepflegten **Rhetorik** wurde das Argumentieren nach beiden Seiten (in utramque partem disputare) geübt, wobei man sich die Erkenntnis zunutze machte, dass es zu jedem Problem zwei einander entgegengesetzte Standpunkte gibt: Καὶ πρῶτος ἔφη δύο λόγους εἶναι περὶ παντὸς πράγματος ἀντικειμένους ἀλλήλοις (Kai protos ephe dyo logous einai peri pantos pragmatos antikeimenous allelois, *Protagoras* bei *Diogenes Laertios* 9, 51). Dabei galt es als höchstes Ziel: τὸν ἥττω λόγον κρείττω ποιεῖν (to hetto logon kreitto poiein) – die schwächere Position zur stärkeren zu machen.[211] So liess sich z.B. für die Position des Unrechts anführen, Unrecht tun sei besser als Unrecht leiden.[212] Hierher gehört das Beispiel des Karneades von den zwei Schiffbrüchigen, die um eine Planke streiten, die nicht beide trägt. Das ergibt auch einen neuen

---

210 Dig. 1, 1, 11: *quod semper aequum ac bonum est.*

211 *Protagoras* bei bei Aristoteles Rhet. B 24, 1402a 23, DIELS/KRANZ, Fragmente der Vorsokratiker II 260; dazu HONSELL, Auslegung und Rhetorik, ZfPW 2016, 106 ff. – Deshalb kritisiert Sokrates/Platon in Gorgias 454e und 455a, 463e, dass die Meisterschaft in der Redekunst nicht auf Belehrung, sondern nur auf das Meinungsmässige (den Glauben) in Bezug auf Recht und Unrecht abziele (δημιουργός ἐστιν πιστευτικῆς ἀλλ᾽ οὐ διδασκαλικῆς περὶ τὸ δίκαιόν τε καὶ ἄδικον) und nicht über Staatskunst belehre, sondern nur ein Trugbild von ihr darstelle (πολιτικῆς μορίου εἴδωλον εἶναι τὴν ῥητορικήν).

212 Auch das war ein Thema in *Platons* Gorgias 483, 489 und Polit. 358e–359a; s. oben Fn 36. Christus (Matthaeus 5, 38) hielt nicht nur umgekehrt Unrecht leiden für besser, sondern lehrte darüber hinaus, auch die andere Backe hinzuhalten.

Sinn für die These des Thrasymachos[213] vom Recht des Stärkeren. Heute würden wir es nicht als ein Recht bezeichnen, sondern lediglich die Grundsätze des entschuldigenden Notstands anwenden.[214] Auch kann man natürlich das Brett dem anderen überlassen. Nach Cicero (de off. 3, 90) handelt so der Weise. Dann hält man Unheil Erleiden für besser als Unrecht Tun. Die dialektische Antithese findet sich auch im 3. Buch von Ciceros de re publica, wo ein fiktives Streitgespräch im Scipionenkreis beschrieben wird. Dort lässt Cicero den Laelius die Argumente der Gerechtigkeit vertreten und Philus die Position der Ungerechtigkeit. Das Modell dieser Auseinandersetzung lieferte Karneades, der angeblich im Jahre 156/155 mit einer griechischen Philosophengesandtschaft in Rom war und an zwei aufeinanderfolgenden Tagen je eine Rede *für* und eine *gegen* die Gerechtigkeit gehalten hatte.[215]

Naturgemäss tritt das Spannungsverhältnis zwischen Naturrecht und Gesetz bei ungerechten oder gar grausamen Gesetzen

---

213 *Platon*, Politeia 338c, 341a u. passim: δίκαιον λέγω, τὸ τοῦ κρείττονος ποιεῖν συμφέρον. Gerecht ist, sage ich, zu tun, was dem Stärkeren nützt; Platon Gorgias (Kallikles) 483c: ὅτι οὕτω τὸ δίκαιον κέκριται, τὸν κρείττω τοῦ ἥττονος ἄρχειν καὶ πλέον ἔχειν – als gerecht gilt, dass der Stärkere den Schwächeren beherrscht und Vorrang vor ihm hat. S. auch WAECHTER, Thrasymachos und Kallikles, in: Kirste/Waechter/Walther, Die Sophistik (2002) 104 ff.; s. auch oben bei Fn 13 u. 203.

214 Nach den Grundsätzen des entschuldigenden Notstands ist das Handeln zwar nicht gerechtfertigt, wird aber entschuldigt, vgl. § 35 Abs. 1 S. 1 dStGB: Wer in einer gegenwärtigen, nicht anders abwendbaren Gefahr für Leben, Leib oder Freiheit eine rechtswidrige Tat begeht, um die Gefahr von sich, einem Angehörigen oder einer anderen ihm nahestehenden Person abzuwenden, handelt ohne Schuld.

215 Vgl. GELLIUS, Noctes Atticae 6, 14; zu dem Schulfall auch Cicero, de off. 3, 90; zum Brett des Karneades s. noch BUNG, in: Brugger/Neumann/Kirste, Rechtsphilosophie im 21. Jahrhundert (2008) 72 ff.

am deutlichsten hervor. Namentlich die römische Geschichte liefert viele Beispiele rücksichtsloser Härte und unmenschlicher Brutalität, die sich auf ein Gesetz berufen konnte und meist mit der Staatsräson, der *utilitas publica,* begründet wurde. Man denke nur an die qualvolle Todesstrafe der Kreuzigung oder an die barbarische Ankettung der Galeerensklaven, die ihren Tod bei einem Schiffsuntergang stets vor Augen hatten. Das Senatus Consultum Silanianum ordnete zur Abschreckung die Tötung aller Haussklaven an, wenn der Eigentümer – egal von wem – in seinem Haus getötet worden war. Die Hinrichtung von vierhundert Sklaven des Stadtpräfekten Pedanius Secundus, auch der Frauen und Kinder, wird von Cassius Longinus, dem Schulhaupt der Rechtsschule der Sabinianer, mit dem sinistren Satz gerechtfertigt: habet aliquid ex iniquo omne magnum exemplum, quod contra singulos utilitate publica rependitur[216] – Jedes grosse Exempel, das im öffentlichen Interesse an Einzelnen statuiert wird, hat etwas Unbilliges. Cicero[217] sagt über die magistratische Gewalt, sie habe etwas Böses an sich, das man aber um des Guten willen in Kauf nehmen müsse: fateor in ipsa ista potestate inesse quiddam mali, sed bonorum quod est quaesitum in ea sine isto malo non haberemus. Es ist ein ebenso paradoxes wie bedrückendes Phänomen der Anthropologiegeschichte, dass das «Volk des Rechts» *(Fritz Schulz)* zugleich eine grausame «Sklavenhaltergesellschaft» *(Karl Marx)* war.

Bei Livius[218] finden wir die Vorstellung vom tauben und unerbittlichen, vom gnaden- und schonungslosen Gesetz: legem rem surdam et inexorabilem esse … nihil laxamenti nec veniae habere.

---

216 *Tacitus* annales 14, 42–45. Zur Brutalität römischer Strafen s. LIEBS, Symp. Wieacker (1985) 89 ff.

217 De legibus 3, 23.

218 Ab urbe condita 2, 3, 3 ff.

Von dem römischen Juristen *Ulpian,* dem ein hervorragender Gerechtigkeitssinn bescheinigt wird[219] und der uns die Naturrechtsdefinition des ewigen und unveränderlichen Rechts überliefert hat (vgl. oben I 1), stammt auch der Satz: quod quidem perquam durum est, sed ita lex scripta est[220]. – Zwar ist das manchmal hart, aber so steht es im Gesetz.

Es ist ein alter Anspruch der Jurisprudenz, nicht nur über das Recht, sondern auch über die Gerechtigkeit Auskunft zu geben. Dies zeigt schon die Definition der Jurisprudenz *Ulpians* als Kenntnis von den göttlichen und menschlichen Dingen, als Wissen darüber, was gerecht ist und was ungerecht.[221]

Auch Cicero verbreitet die griechische Naturrechtsidee.[222] Er konstatiert göttliches Naturrecht, eine höchste Vernunft, die ewig und unveränderlich ist, in mehreren Werken:

> De re publica 3, 22
>
> sed et omnes gentes et omni tempore una lex et sempiterna et immutabilis …
>
> Bei allen Völkern und zu jeder Zeit gilt das eine ewige und unveränderliche Gesetz …
>
> De re publica 3, 33

---

[219] Scriptores Historiae Augustae, Alexander Severus 31, 2.

[220] Dig. 40, 9, 12, 1; dazu WIEACKER, SZ 94, 1977, 9 Fn 32; MAYER-MALY, Nachdenkliches über Jus, Mél. Schmidlin 481 ff. = Ges. Schr. (2019) 249 ff., 254.

[221] Dig. 1, 1, 10, 2; in der Folge wurde namentlich im Mittelalter der Aspekt des göttlichen Rechts hervorgekehrt; so etwa von THOMAS VON AQUIN, Summa Theologica I – II 91, 2 und 93, 6.

[222] S. zur Interpretation des Naturrechts in den Werken des Cicero zuletzt den gleichnamigen Beitrag von HAMZA, Pázmány Law Review 2 (2014) 5 ff. mit weiterer Lit.; MAYER-MALY, Gemeinwohl und Naturrecht bei Cicero, FS Verdross (1960) 195 ff. = Ges. Schr. (2019) 307 ff.

Est quidem vera lex recta ratio naturae congruens, diffusa in omnes, constans, sempiterna, quae vocet ad officium iubendo, vetando a fraude deterreat; quae tamen neque probos frustra iubet aut vetat nec improbos iubendo aut vetando movet. Huic legi nec obrogari fas est neque derogari ex hac aliquid licet neque tota abrogari potest, nec vero aut per senatum aut per populum solvi hac lege possumus, neque est quaerendus explanator aut interpres eius alius, nec erit alia lex Romae, alia Athenis, alia nunc, alia posthac, sed et omnes gentes et omni tempore una lex et sempiterna et immutabilis continebit, unusque erit communis quasi magister et imperator omnium deus, ille legis huius inventor, disceptator, lator; cui qui non parebit, ipse se fugiet ac naturam hominis aspernatus hoc ipso luet maximas poenas, etiamsi cetera supplicia, quae putantur, effugerit.[223]

Das wahre Gesetz ist die richtige Vernunft, die in Einklang steht mit der Natur, die alle durchdringt, beständig, ewig, die durch Befehle zur Pflicht ruft und durch Verbote vor Übertretung abschreckt. Dieses Gesetz nicht zu befolgen ist Unrecht, und es ist nicht erlaubt, es teilweise wegzubedingen oder ganz abzuschaffen; wir können weder durch den Senat noch durch Volksbeschluss von diesem Gesetz entbunden werden, noch braucht man einen Erklärer oder Interpreten, noch ist es in Rom ein anderes als in Athen und nicht jetzt und später; sondern es wird dieses eine ewige und unveränderliche Gesetz bei allen Völkern und zu jeder Zeit gelten; und es wird immer einen

223 Unusque – rell. klingt eher nach einem christlichen Mönch. De re publica wurde erst im 19. Jh. auf einem Palimpsest entdeckt (Bibl. Vaticana, BAV lat. 5757), das einen Psalmenkommentar des Augustinus enthielt.

einzigen gemeinsamen, gleichsam Lehrer und Herrscher aller geben: nämlich Gott, den Erfinder dieses Gesetzes, Schiedsrichter, Gesetzgeber. Wer ihm nicht gehorchen wird, wird vor sich selbst fliehen und gerade durch die Leugnung der menschlichen Natur die grösste Strafe leiden, auch wenn er den übrigen Strafen entgehen wird, die man normalerweise dafür annimmt.

De Legibus 1, 18 Lex est ratio summa insita in natura, quae iubet ea, quae facienda sunt, prohibetque contraria.

Das Gesetz ist die höchste Vernunft eingepflanzt in die Natur, das befiehlt, was zu tun ist und das Gegenteil verbietet.

De Legibus 1, 6, 18, 19 Est enim unum ius, quo devincta est hominum societas et quod lex constituit una, quae lex est recta ratio imperandi atque prohibendi. Quam qui ignorat, is est iniustus, sive est illa scripta uspiam sive nusquam.

Es gibt nämlich nur ein einziges Recht, dem die menschliche Gemeinschaft unterworfen ist und dem ein einziges Gesetz eine Grundlage gibt: Dieses Gesetz ist die richtige Vernunft im Bereich des Befehlens und Verbietens. Wer dieses Gesetz nicht beachtet, ist ungerecht, ob es nun irgendwo aufgeschrieben ist oder nicht.

De Legibus 1, 15, 42 Constituendi vero iuris ab illa summa lege capiamus exordium, quae saeclis communis omnibus, ante nata est quam scripta lex ulla aut quam omnino civitas constituta.

Für die Grundlegung des Rechts wollen wir jedoch jenes höchste Gesetz zum Ausgangspunkt erklären, das vor ewiger Zeit entstand, noch bevor irgendein

Gesetz aufgeschrieben oder überhaupt ein Staat gegründet wurde.

Dass das *Naturrecht* unabänderlich ist und auf göttlicher Vorsehung beruht, die Gesetze der Menschen aber beliebig und abänderbar sind, sagt auch Justinian.[224] Die Befreiung von der Bevormundung durch die Theologie erfolgte erst im Naturrecht der Aufklärung im 18. Jahrhundert,[225] das mit den amerikanischen und französischen Erklärungen der Unabhängigkeit und der Menschenrechte seinen Höhepunkt erreichte. Der alte Topos der unveräusserlichen und ewigen, der immer gültigen und unveränderlichen Rechte findet sich z.B. in der von *Thomas Jefferson* verfassten amerikanischen **Declaration of Independence** (unalienable rights)[226] und bei den beiden grossen deutschen Dichtern der Klassik. So heisst es bei *Schiller*, Wilhelm Tell II 2 (Stauffacher):

Wenn der Gedrückte nirgends Recht kann finden,
Wenn unerträglich wird die Last,
Greift er hinauf getrosten Mutes in den Himmel
Und holt herunter seine ew'gen Rechte,
die droben hangen unveräusserlich
Und unzerbrechlich wie die Sterne selbst.

In *Goethes,* Faust (Teil I Studierzimmer, Mephistopheles) wird die Prävalenz des angeborenen Naturrechts gegenüber den menschlichen Gesetzen betont:

Es erben sich Gesetz' und Rechte
wie eine ew'ge Krankheit fort;
Sie schleppen von Geschlecht sich zum Geschlechte
Und rücken sanft von Ort zu Ort.
Vernunft wird Unsinn, Wohltat Plage;
Weh dir, dass du ein Enkel bist! …

---

224 Vgl. schon oben I 2.

225 WELZEL, Naturrecht und materiale Gerechtigkeit 108 ff.

226 Oben Fn 127.

Vom Rechte, das mit uns geboren ist,
Von dem ist, leider! nie die Frage.

Immanuel Kant[227] hat die Geltung eines allgemeinen Sittengesetzes in dem berühmten Satz formuliert: «Zwei Dinge erfüllen das Gemüt mit immer neuer und zunehmender Bewunderung und Ehrfurcht, je öfter und anhaltender sich das Nachdenken damit beschäftigt: *der bestirnte Himmel über mir und das moralische Gesetz in mir.*» Es ist kein Zufall, dass Ethik und Moral als die Gesetze der Menschheit und Bestandteil der condicio humana (condition humaine, human condition) als ewig und unveränderlich gelten und mit den Sternen in Verbindung gebracht werden. Der Mensch sehnt sich angesichts unserer Vergänglichkeit und der Unendlichkeit des Universums nach Ewigkeit und neigt dazu an die Unsterblichkeit der Seele zu glauben. Nach einer Umfrage des Allensbacher Instititus glauben trotz dramatisch sinkender Mitgliederzahlen der christlichen Kirchen 61 Prozent der Deutschen an eine Seele und 46 Prozent an Gott (FAZ 22.12.2021 S. 8). Andere denken und dachten, dass es ausser dem Menschen nichts gibt und man hielt ihn für «das Mass aller Dinge (homo mensura-Satz des *Protagoras*, zitiert bei *Platon*, Theaitetos 152a): «πάντων χρημάτων μέτρον ἐστὶν ἄνθρωπος, τῶν μὲν ὄντων ὡς ἔστιν, τῶν δὲ οὐκ ὄντων ὡς οὐκ ἔστιν – Der Mensch ist das Mass aller Dinge, derjenigen, die sind, wie sie sind und derjenigen, die nicht sind, wie sie nicht sind.»

Zum Naturrecht gab es aber auch kritische Stimmen. *J. Bentham*, dem vielleicht das revolutionäre Pathos (ewige und unveräusserliche Rechte) suspekt war, hat das Naturrecht und

227 Kritik der praktischen Vernunft, AA V 161. Ähnlich *Aristoteles* Nik. Ethik 1129 oben Fn 6.

die Menschenrechte Unsinn auf Stelzen genannt («nonsense upon stilts»).[228]

Der von der historischen Schule um *Savigny* erweckte Eindruck von der Geschichtlichkeit des Rechts verdrängte naturrechtliche Positionen, die mit den Vernunftrechtsgesetzbüchern ihren Höhepunkt erreicht hatten. Die Rezeption des Positivismus durch die Rechtswissenschaft im 19. Jahrhundert entzog ihr vollends den Boden.

Gerechtigkeit gegen das Gesetz anzurufen und Menschenrecht gegen staatliche Satzung zu verteidigen, wurde erst als Reaktion auf die nationalsozialistische Zerstörung der Rechtsordnung und Negierung der elementarsten Menschenrechte wieder aktuell.[229] Der Widerstand gegen das verbrecherische Regime war für die Mitglieder der «Weissen Rose» sowie für Stauffenberg[230] und die anderen Männer des 20. Juli nicht nur ein naturrechtlich begründetes Recht, sondern vor allem sittliche Pflicht. Die auch durch Gesetze begangenen Verbrechen machten es erforderlich, diese Gesetze

---

228 Anarchical Fallacies (1843): «Natural rights is simple nonsense, natural and imprescriptible rights, rhetorical nonsense, nonsense upon stilts.» – «Naturrecht ist einfach Unsinn, natürliche und unverjährbare Rechte sind rhetorischer Unsinn, Unsinn auf Stelzen.» s. dazu auch B. RUSSELL, The History of Western Philosophie (Routledge Classics 1946) Kap. 26, 700.

229 Vgl. WELZEL, Naturrecht und Rechtspositivismus, FS Niedermeyer (1953) 275 ff.; FRITZ VON HIPPEL, Die Perversion von Rechtsordnungen (1955) und vor allem RÜTHERS, Die unbegrenzte Auslegung[7] (2012); zum Ermächtigungsgesetz 1933 s. H. DREIER, Revolution und Recht, ZÖR 2014, 805 ff., 839 ff. m.w.N.

230 Claus Schenk Graf von Stauffenberg verübte am 20. Juli 1944 ein Attentat auf Hitler; vgl. P. HOFFMANN, Claus Schenk Graf von Stauffenberg und seine Brüder (1992); s. a. MEYER/BECHTOLD, Schenk Graf von Stauffenberg (1905–1944). Völkerrecht im Widerstand (2001) und RIEDEL, Geheimes Deutschland. Stefan George und die Brüder Stauffenberg (2006).

an einem Sittengesetz zu messen. Die rechtspositivistische Theorie konnte nicht sagen, weshalb das sittenwidrige Gesetz nicht dem Recht angehört.[231] Mit der Auskunft, die Beschreibung eines Gebotes als Rechtsnorm besage nichts über die sittliche Pflicht zu seiner Befolgung, verlagerten die Positivisten das Problem des sittenwidrigen Gesetzes[232] auf die Ebene individueller Gewissensentscheidungen, obwohl die Notwendigkeit einer objektiven Aussage über die Grenzen staatlicher Gewalt auf der Hand lag.

Das zeitlose Thema des Naturrechts wurde in Deutschland nach dem Zusammenbruch des nationalsozialistischen Terrorregimes wieder aufgegriffen. Es ging um die schon eingangs aufgeworfene Frage, ob man auch ungerechte Gesetze befolgen muss und ob sich das positive Recht an einer überpositiven Ordnung messen lassen muss. Die (freilich zu kurz greifende) Antwort fand man in der sog. *Radbruch'schen Formel*:[233] «Der Konflikt zwischen der Gerechtigkeit und der

---

231 Paradigmatisch *Kelsen* Fn 249.

232 Zu ihm EVERS, Der Richter und das unsittliche Gesetz (1956).

233 Gesetzliches Unrecht und übergesetzliches Recht, Süddeutsche Juristenzeitung 1946, 105 ff., 107. Kritisch zur Radbruch'schen Formel die den einen zu weit geht, den anderen nicht weit genug, H. L. A. HART, Positivism and the Separation of Law and Morals Harvard Law Review 71, (1958), 593 ff.; R. DREIER, Der Begriff des Rechts, NJW 1986, 890 ff.; H. DREIER FS R. Walter (1991) 117 ff.; KIRSTE, Die Zeitlichkeit des positiven Rechts und die Geschichtlichkeit des Rechtsbewußtseins (1998) 387, spricht von dem «in seiner Unbestimmtheit schwer erträglichen Kriterium der Unerträglichkeit»; zustimmend SIEKMANN, Rechtsphilosophie (2018) 33 ff.; zuletzt noch OSTERKAMP, Juristische Gerechtigkeit (2004) 39 ff.; dort auch zu der weiteren Formel Radbruchs «wo Gerechtigkeit nicht einmal erstrebt wird, wo die Gleichheit, die den Kern der Gerechtigkeit ausmacht, bei der Setzung positiven Rechts bewußt verleugnet wurde, da ist das Gesetz nicht etwa nur ‹unrichtiges› Recht, vielmehr entbehrt es überhaupt der Rechtsnatur. Denn man kann Recht, auch positives Recht, gar nicht anders

Rechtssicherheit dürfte dahin zu lösen sein, dass das positive, durch Satzung und Macht gesicherte Recht auch dann den Vorrang hat, wenn es inhaltlich ungerecht und unzweckmässig ist, es sei denn, dass der Widerspruch des positiven Gesetzes zur Gerechtigkeit ein so unerträgliches Mass erreicht, dass das Gesetz als unrichtiges Recht der Gerechtigkeit zu weichen hat.»

Rommens These von der «ewigen Wiederkehr des Naturrechts»[234] war bestätigt. Als positives Begründungsarsenal überzeugte die damals dominierende, naturrechtliche Haltung jedoch weniger denn als Basis der Rechtskritik, so wie das Rechtsgefühl auf Unrecht stärker reagiert. Den Ausführungen des damaligen BGH-Präsidenten *Weinkauff* über den Naturrechtsgedanken in der Rechtsprechung des BGH[235] hat *Wieacker*[236] «unkritisches Naturrechtsbewusstsein» vorgeworfen. Heute ist vom Naturrecht kaum noch die Rede. Es gibt nicht nur eine ewige Wiederkehr des Naturrechts, sondern eine ebenso verlässliche Rückkehr des Positivismus.[237]

---

definieren als eine Ordnung und Satzung, die ihrem Sinne nach bestimmt ist, der Gerechtigkeit zu dienen». – In seiner Rechtsphilosophie[2] (1932, Nachdruck 2003) 85 hatte *Radbruch* noch geschrieben: «Wir verachten den Pfarrer, der gegen seine Überzeugung predigt, aber wir verehren den Richter, der sich durch sein widerstrebendes Rechtsgefühl in seiner Rechtstreue nicht beirren lässt.» Das war das Credo juristischer Positivisten. Die entgegengesetzte Position materieller Gerechtigkeit findet sich z.B. bei DROSTE-HÜLDHOFF in der Novelle, Die Judenbuche (1842/2017) S. 4 Z 15: … «nichts [wirkt] seelentötender, als gegen das innere Rechtsgefühl das äußere Recht in Anspruch nehmen».

234 Die ewige Wiederkehr des Naturrechts (1936/1947).

235 NJW 1960, 1689 ff.

236 Zum heutigen Stand der Naturrechtsdiskussion (1965).

237 HONSELL/MAYER-MALY, Rechtswissenschaft[7] (2017) 239; tendenziell pro Positivismus *H. Dreier*, Naturrecht und Rechtspositivismus – Pauschalurteile, Vorurteile, Fehlurteile, <https:/www.kas.de/c/

Ähnliche Formulierungen wie Radbruch haben die Gerichte in den Mauerschützen-Fällen verwendet, in denen man den angeklagten Grenzsoldaten der DDR die Berufung auf einen Befehlsnotstand versagt hat.[238] Gegenüber dem wiederaufkeimenden Positivismus, dem selbst die Radbruch'sche Formel noch zu weit geht (Fn 233), muss umgekehrt festgehalten werden, dass sie zu restriktiv und noch zu sehr im Positivismus verfangen ist; denn namentlich unter der Herrschaft des Grundgesetzes sowie der Schweizer Bundesverfassung

---

document–_library/get_file?–uuid=e6ae1892-e095-9e4d-a2e7-56e2e50bfd2a&groupId=252038> 5.4.2019; DERS., Zerrbild Rechtspositivismus, FS Mayer (2011) 61 ff. m.w.Nw. zur jüngeren Diskussion; s. auch HÖRSTER, Ein philosophischer Sieg über den Rechtspositivismus?, in: Kersting (Hrsg.) Gerechtigkeit als Tausch? (1997) 321 ff.; und HÖFFE, ebd. 331 ff. Die Existenz eines Naturrechts leugnet auch STRATENWERTH, Freiheit und Gleichheit (2007) 1 f. unter Berufung auf KANT, Kritik der reinen Vernunft, Vorrede zur 2. Aufl. 1887, 25 f., wo sich dazu jedoch nichts findet. Es wäre auch unvereinbar mit dem «moralischen Gesetz in mir» in Kritik der praktischen Vernunft AA V 16 (unten bei Fn 253) sowie mit dem «Ius naturae» und dessen «unwandelbaren Principien»; vgl. Metaphysik der Sitten. Metaphysische Anfangsgründe der Rechtslehre, AA VI 207 ff., 229.

– Eine nicht naturrechtlich begründete, sondern relativistische Gerechtigkeitslehre findet sich bei KRIELE, Kriterien der Gerechtigkeit – Zum Problem des rechtsphilosophischen und politischen Relativismus (1963) 9 ff.

238 BGHSt 39, 1 ff. (Mauerschützen I): «Ein zur Tatzeit angenommener Rechtfertigungsgrund kann … nur dann wegen Verstosses gegen höherrangiges Recht unbeachtet bleiben, wenn in ihm ein offensichtlich grober Verstoss gegen Grundgedanken der Gerechtigkeit und Menschlichkeit zum Ausdruck kommt; der Verstoss muss so schwer wiegen, dass er die allen Völkern gemeinsamen, auf Wert und Würde des Menschen bezogenen Rechtsüberzeugungen verletzt (BGHSt 2, 234, 239).» Dazu zuletzt SIEKMANN, Rechtsphilosophie (2018) 35 ff.

(1999), der UN-Menschenrechtsdeklaration und der Europäischen Grundrechtscharta ist es nicht einzusehen, dass man angesichts der Grundrechtsbindung in Art. 1 Abs. 3 GG und in Art. 35 BV Ungerechtigkeiten in Gesetzesgestalt bis an die (unbestimmte) Grenze der Unerträglichkeit sollte hinnehmen müssen. Freilich können die Gerichte nicht selbst entscheiden, wenn sie ein (nachkonstitutionelles) Gesetz für verfassungswidrig halten, sondern es besteht eine Vorlagepflicht an das Bundesverfassungsgericht, das insoweit ein Entscheidungsmonopol besitzt. Eine Gesetzesprüfung durch den Verfassungsgerichtshof gibt es seit 2015 auch in Österreich (§ 140 B-VG). In der Schweiz kann das Bundesgericht zwar aussprechen, dass ein Gesetz verfassungswidrig ist, kann es jedoch nicht annullieren. Das ist Sache des Parlaments. Während in der österreichischen Staatsrechtslehre noch heute ein formales Verständnis des Rechtsstaatsbegriffes dominiert, ist es bei der Interpretation von Art. 20 GG, der als Verfassungsentscheidung für die Rechtsstaatlichkeit gilt, zu einer Renaissance des materiellen Rechtsstaatsbegriffs gekommen,[239] die darin zum Ausdruck kommt, dass nach Art. 20 Abs. 3 GG Gerichte und vollziehende Gewalt nicht nur an die Gesetze gebunden sind, sondern an Gesetz und *Recht*, was über- und vorpositive Gerechtigkeitsvorstellungen einschliesst.[240] Eine Grundrechtsbindung und die Verpflichtung zur Verwirklichung der Grundrechte schreibt auch Art. 35 chBV vor.[241]

---

[239] Dazu KLEIN, Zeitschrift für die gesamte Staatswissenschaft 1950, 392 ff.

[240] MAUNZ/DÜRIG/GRZESZICK, Komm. Art. 20 GG VI Rn 88, 148; krit. z.B. JARASS/PIEROTH, Komm. GG Art. 20 Rn 38.

[241] Dazu einlässlich J. P. MÜLLER, Verwirklichung der Grundrechte nach Art. 35 BV (2018). Kritisch zur Anwendung und Konkretisierung abstrakter Grundrechte und namentlich der Menschenwürde auf konkrete Fälle hingegen KLEY, Menschenwürde als Rechtsprinzip – Überlegungen zur Rolle der Menschenwürde als Argument in rechtlichen und politischen Verfahren, in: Schwinges

Die Formulierung des Art. 20 Abs. 3 GG bedeutet nach herrschender Auffassung, dass die rechtsprechende Gewalt nicht

(Hrsg.), Universität im öffentlichen Raum 259 ff. Während man eine klare Verletzung der Menschenwürde etwa in Strafverfahren, Haftsituationen oder in der Sozialhilfe relativ leicht feststellen kann, sind andere Herleitungen schwierig, z.B. die von KLEY erörterte Fragen der Humanmedizin, ob die Menschenwürde eine pränatale Diagnose verbiete, die Verwendung überzähliger Embryonen oder die Herstellung von neuen zu Forschungszwecken usw. Er fasst seine Untersuchung dahin zusammen, «dass in heiklen und noch nicht entschiedenen Fragen eine Lösung nicht durch Rekurs auf die Menschenrechte durch die Grundrechtsdogmatik gefunden werden kann, sondern dass solche Fragen auf politischem Wege gelöst werden müssen». Die von KLEY kritisierten dogmatischen Herleitungen aus der Menschenwürde finden sich auch in Deutschland: Dort hat BVerfGE 88, 203 ff. – Schwangerschaftsabbruch II festgestellt, das Lebensrecht des Ungeborenen sei «das elementare und unveräußerliche Recht, das von der Würde des Menschen ausgeht»; bei ihm würden sich «jegliche Differenzierungen der Schutzverpflichtung mit Blick auf Alter und Entwicklungsstand verbieten». Aus diesen Überlegungen zum Schutz der Menschenwürde werden dann normfremde Details herausgelesen mit dem überraschenden Ergebnis, dass der absolute Schutz des Lebens nur greift, wenn sich die Schwangere nicht beraten lässt (?). Wenn sie dies nämlich getan hat, bleibt sie wegen der Abtreibung straffrei. Die absolut geschützte Würde und das Recht auf Leben des Ungeborenen kann also durch eine bloss formale Schwangerschaftsberatung ausser Kraft gesetzt werden. Seither muss jede Frau zur Beratung, wenn sie vermeiden will wegen eines Schwangerschaftsabbruchs strafrechtlich belangt zu werden. Strafbegründend, also strafbar, ist im Ergebnis nicht die Abtreibung, sondern das Unterlassen der Beratung. Zur Grundrechtsauslegung bzw. Normenkonkretisierung des BVerfG s. STAUDINGER/HONSELL, BGB Einl. 67 ff. m.w.Nw. Das Urteil missachtet das Selbstbestimmungsrecht der Frauen und war schon 1993 hoffnungslos rückständig. Auch das Verbot der Fremdzellenspende und der Leimutterschaft ist nicht mehr zeitgemäss.

nur formell gesetzmässig verfahren muss, dass ihre Entscheidungen nicht nur in Gesetzen im formellen Sinne eine Grundlage haben, sondern dass das Gesetz und seine Anwendung auch der *Idee eines materiell gerechten Rechtes* entsprechen müssen. Sie beruht auf den Erfahrungen im Dritten Reiches, die gezeigt haben, in welchem Ausmass es möglich ist, bei Wahrung formeller Gesetzmässigkeit den Rechtsstaat auszuschalten. Freilich nimmt die herrschende Verfassungslehre eine Vermutung an, «dass die materielle Gerechtigkeit durch das förmliche Gesetz und seine Anwendung auch realisiert wird».[242] Je unerträglicher aber das Unrecht ist, umso evidenter ist die Rolle des Naturrechts und der materiellen Gerechtigkeit in jeder Rechtsordnung.

Geht es – wie heute in Europa – um die Ermittlung des Sinnes einer geltenden Ordnung, die nicht groben Anstoss erregt, so stellt sich die Frage des Naturrechts weniger dringlich. Die Grundrechte sind nicht überall identisch und auch unterschiedlich formuliert. Cum grano salis haben sie aber überall die gleichen Schutzziele. Geht es indessen um Rechtskritik, so wird eine Gerechtigkeitslehre unentbehrlich. Auch bleibt die Naturrechtslehre der von der Erfahrung am besten ausgewiesene Weg zur Sicherung menschlicher Würde.[243]

Die Existenz eines Naturrechts wird freilich immer wieder bestritten, weil es keine Legitimation habe und über seinen Inhalt keine Einigkeit bestehe.[244] Eine frühe Leugnung haben wir bei Epikur gefunden.[245] Auch bei Hobbes ist der Naturzustand das bellum omnium contra omnes, ein Zustand der Rechtlosigkeit, der erst durch den vom Leviathan erzwungenen Vertrag beendet wird (oben Fn 41).

---

242 Vgl. STAUDINGER/HONSELL, BGB Einl. Rz 210.

243 E. BLOCH, Naturrecht und menschliche Würde (1961).

244 Vgl. oben Fn 237 und unten Fn 250; ferner J. SCHRÖDER, Verzichtet unser Rechtssystem auf Gerechtigkeit? (2005) 12.

245 Kyriai doxai 33; vielleicht gehört auch Demosthenes hierher.

Das Ausklammern der Gerechtigkeit aus dem gesetzten Recht war quasi der Markenkern des im 19. Jahrhundert vorherrschenden Gesetzespositivismus. Der manifestierte sich u.a. in dem berühmt gewordenen Ausspruch *Windscheids*[246] «ethische, politische, oder volkswirtschaftliche Erwägungen ... seien nicht Sache des Juristen als solchem». Der prononcierteste Vertreter dieses Positivismus im 20. Jahrhundert war *Hans Kelsen,*[247] der von der «Metaphysik der Naturrechtslehre» eine Verwischung der Grenzen von Politk und Recht befürchtete und (vereinfacht und verkürzt) argumentierte, dass aus einem Sein kein Sollen folgen kann. Das ist das *Hume*'sche[248] Gesetz von Sein und Sollen, dass eine deskriptive Aussage, nicht eine normative impliziert. Ungeachtet dieser einleuchtenden Trennung von Sollen und Sein besteht der Irrtum *Kelsens* darin, dass er aus der richtigen Prämisse den falschen Schluss zieht, es gebe keine vorpositiven, a priori verbindlichen Werte und dass er daraus weiter schliesst, Gesetze könnten, wenn sie nur formal korrekt erlassen seien, jeden beliebigen Inhalt haben.[249] Es kann nicht geleugnet werden, dass das für das 19./20. Jahrhundert typische

---

246 Rektoratsrede (1884), Gesammelte Reden und Abhandlungen (1904) 101.

247 Reine Rechtslehre² (1960) 201 u. öfter. Zum sog. Sein-Sollens-Fehler s.a. *Höffe* 43, der aber der Naturrechtsidee positiv gegenübersteht 40 ff.; krit. zu Kelsen auch MAYER-MALY, der ebenfalls eine naturrechtliche Position vertritt, vgl. *den Artikel*, Gibt es einen richtigen Ort der Jurisprudenz? ZÖR 1961, 412 ff. = Ges. Schr. (2019) 1143 ff.; DERS., Jurisprudenz und Poltitk, FS Kelsen (1971) 108 ff. = Ges. Schr. (2019) 1353 ff.

248 A Treatise of Human Nature (Buch III, Teil I, Kapitel I).

249 So schrieb *Kelsen*, der vor den Nationalsozialisten fliehen musste, noch 1960 (Reine Rechtslehre² 42): «Nach dem Recht totalitärer Staaten ist die Regierung ermächtigt, Personen unerwünschter Gesinnung, Religion oder Rasse in Konzentrationslager zu sperren und zu beliebigen Arbeiten zu zwingen, ja zu töten. Solche Massnahmen mag man moralisch auf das schärfste verurteilen; aber man

Bestreben aus der Jurisprudenz eine exakte Wissenschaft zu machen (bei Kelsen die «reine Rechtslehre»), die in Wahrheit eine Chimäre ist, dem Positivismus in gewisser Weise Vorschub geleistet hat. Auch heute noch treffen wir verbreitet und vielleicht am auffälligsten in Österreich, gerade im öffentlichen Recht auf eine positivistische Grundhaltung.

Recht wird definiert als die Gesamtheit der Normen, die das Zusammenleben der Bürger im Staate regeln und die von staatlichen Institutionen erlassen und gegebenenfalls mit Zwang durchgesetzt werden. Auch diese gängige Definition ist insofern positivistisch, als sie allein auf das geltende Recht abstellt und die naturrechtliche Frage nach dessen inhaltlicher Richtigkeit und Gerechtigkeit ausblendet.[250] Die Be-

---

kann sie nicht als ausserhalb der Rechtsordnung dieser Staaten stehend ansehen.» Bei allem Verständnis für den Versuch der Begründung einer «Reinen Rechtslehre» ist die Verwendung des Begriffs «Recht» im Kontext eines grauenhaften Zivilisationsbruchs nicht akzeptabel. Vorsichtiger ist die Aussage S. 51: «Eine Rechtsordnung mag vom Standpunkt einer bestimmten Gerechtigkeitsnorm aus als ungerecht beurteilt werden. Aber die Tatsache, dass der Inhalt einer wirksamen Zwangsordnung als ungerecht beurteilt werden kann, ist jedenfalls kein Grund, diese Zwangsordnung nicht als Rechtsordnung gelten zu lassen.» Entgegen Kelsen gibt es freilich klare Grenzen. Zur Frage, was die Bezeichnung Recht verdient auch TSCHENTSCHER, Prozedurale Theorie der Gerechtigkeit (2000/2009) 37 ff., der von einem notwendigen und nicht nur kontingenten Anspruch des Rechts auf inhaltliche Richtigkeit spricht. Zu den (vergeblichen) Versuchen von Kelsen und Verdross, die reine Rechtslehre mit dem Naturrecht in Einklang zu bringen s. OLECHOWSKI U.A., Hans Kelsen (2. Aufl. 2021) 868 ff.

250 Vgl. schon oben Fn 237; ferner W. ERNST, Gelehrtes Recht, Die Jurisprudenz aus der Sicht des Zivilrechtslehrers, in: Engel/Schön (Hrsg.), Das Proprium der Rechtswissenschaft (2007) 3 ff., 15 ff. («The strictly legal point of view»); dazu REIMANN, ebenda 87 ff.; zuletzt C. BÄCKER, Gerechtigkeit im Rechtsstaat (2015) – Das

schränkung auf den positivrechtlichen Aspekt unter Ausklammerung des ethisch richtigen Rechts und Verzicht auf normative Kritik ist aber weder notwendig noch richtig. Vielmehr zeigt schon die Rechtswirklichkeit mit ihren andauernden kontroversen juristischen Diskussionen und mit ausgeprägter, teils überbordender richterlicher Rechtsfortbildung[251] gegenüber oft korrekturbedürftigen Gesetzen, dass auch die Praxis auf normative Fragen und Antworten nicht verzichten kann.

Die Aussage, etwas sei gerecht, wird oft in die Form gekleidet, etwas sei unabhängig von der positiven Ordnung eines Gemeinwesens rechtens. Damit wird die Frage nach der Gerechtigkeit zu einer Frage der Definition des Rechtsbegriffs.

Nimmt man – wie hier vorgeschlagen – die naturrechtlichen Anforderungen an den Inhalt des Rechts in die **Definition des Rechtsbegriffs** auf, so gelangt man zu einer materiellen Sinngebung der Rechtsidee. Die Existenz einer Gerechtigkeitsethik jenseits des positiven Rechts kann nicht bezweifelt werden (vgl. schon oben I 2). Eine verbreitete Theorie verkennt nicht die zentrale Bedeutung der Gerechtigkeit, glaubt

---

BVerfG an der Grenze des Grundgesetzes, 240 ff., 312 ff. u. passim. Für einen «moralneutralen Rechtsbegriff» HÖRSTER, Was ist Recht? (2012) 79 ff. Eine strikte Trennung von Recht und Moral vertritt H. L. A. HART, Positivism and the Separation of Law and Morals, Harvard Law Review 71, (1958), 593 ff.; ebenso DERS., The Concept of Law (1969). Zu vermitteln versucht OSTERKAMP, Juristische Gerechtigkeit – Rechtswissenschaft jenseits von Positivismus und Naturrecht (2004); zu HEGEL und insbes. zum Neuhegelianismus, der die Gerechtigkeit ebenfalls ausgeklammert hat, s. den Sammelband von Wischke/Przylebski (Hrsg.), Recht ohne Gerechtigkeit? (2010).

251 Dazu und zum Folgenden s. HONSELL/MAYER-MALY, Rechtswissenschaft 14 ff., 225 ff., 258 ff.; MAYER-MALY, Gibt es einen richtigen Ort der Jurisprudenz? ZÖR 1961, 412 ff. = Ges. Schr. (2019) 1143 ff.; DERS. Jurisprudenz und Poltik, FS Kelsen (1971) 108 ff. = Ges. Schr. (2019) 1335 ff.

aber, auf die Annahme eines überpositiven, vorbestehenden Naturrechtes verzichten zu können, weil die Gerechtigkeit vom positiven Recht selbst adaptiert und verwirklicht werde und Menschenrechte, Freiheit, Gleichheit, Treu und Glauben (usw.) schon in den Verfassungen verankert seien.[252] Dies trifft zwar auf das deutsche Grundgesetz, die Schweizer Bundesverfassung, das österreichische Staatsgrundgesetz sowie auf andere westliche Verfassungen zu. Die Grund- und Menschenrechte werden auch durch die UN-Deklaration der Menschenrechte und die Europäische Menschenrechtskonvention gewährleistet sowie durch die Grundrechtscharta der EU. Auch wenn und soweit Gesetz und Recht mit der materiellen Gerechtigkeit in Einklang stehen, macht dies jedoch die Annahme eines überpositiven Rechts nicht entbehrlich

252 J. SCHRÖDER, Verzichtet unser Rechtssystem auf Gerechtigkeit? (2005) 3 ff., 28 ff.; ähnlich sagt H. HOFMANN, Orientierung durch Rechtsphilosophie, in: Koslowski, (Hrsg. 1991) Rechtsphilosophie 118 ff., 126: «In der Bundesrepublik stellt sich ein möglicher Konflikt zwischen Recht und Gerechtigkeit nicht in der Weise, denn mit den Art. 1, 2 und 3 Grundgesetz über Menschenwürde, Freiheit und Gleichheit nebst dem Anwendungsbefehl in Art. 1 Abs. 3 GG und mit den Grundsätzen des Art. 20 über Volkssouveränität, Gewaltenteilung und Sozialstaat hat der Grundgesetzgeber die zentralen philosophischen Lehren des Naturrechts, genauer: des Vernunftrechts der Aufklärung übernommen, und dazu das Postulat soziale Gerechtigkeit in das geltende Recht inkorporiert». Gleichsinnig heisst es bei J. ISENSEE (Gerechtigkeit, die vorrechtliche Idee des richtigen Rechts FS Merten (2007) 3 ff., 16): «Das Verfassungsgesetz enthält in hohem Masse Normen von rechtsethischer Bedeutung. Es lässt sich deuten als Tafel von Gerechtigkeitsprinzipien, in denen die Nation sich einig ist oder doch einig sein will.» Der einzige unangreifbare Weg sei deshalb nur die Verankerung der Gerechtigkeit im positiven Recht selbst. R. DREIER in: D. Grimm, Einführung in das Recht[2] (1991) 93 ff., 124: «Das Problem der Gerechtigkeit des Rechts ist zum Problem der Verfassungsmässigkeit der Gesetze geworden.»

und die Definition des Rechts kann auf den Begriff der Gerechtigkeit nicht verzichten. Denn sie gilt unabhängig von jeder Positivierung. Wäre es anders, müssten sie Staaten ohne gesetzliche Normierung nicht beachten und es entstünde die Gefahr von Normwidersprüchen zu den ethischen Minima (oben I 2). Die Annahme eines Naturrechts, eines moralischen Sittengesetzes oder wie man es sonst nennen mag, ist also unentbehrlich.

Recht ist nicht Wissenschaft im strengen Sinne (oben III 1 u. unten V 2), sondern lediglich Wertungswissenschaft und Argumentationskunst. Der normative Charakter des Rechts bedeutet aber keineswegs, dass es nicht in vielen Fällen einen Konsens darüber gibt, was richtig ist und was falsch. Namentlich bei krassen Ungerechtigkeiten, um die es ja meist geht, lässt sich dieser Konsens fast immer feststellen. Es ist das *Rechtsgefühl*[253] des unverbildeten Laien und das *Judiz* des noch unverbogenen Juristen, das zu gerechten Entscheidungen führt. Moral und Ethik weisen den Weg.

Sucht man jenseits von allgemeinen Gerechtigkeitsvorstellungen nach Maximen, die von jeder Rechtsordnung anerkannt werden, gerät man in Verlegenheit. Ausser der goldenen Regel, dem Prinzip der Verhältnismässigkeit, der Notwehr oder dem Grundsatz necessitas non habet legem – Not kennt kein Gebot – findet sich wenig. Die Zulässigkeit der Notwehr ist seit der Antike überall anerkannt. Paul. D. 9, 2, 45, 4: vim enim vi defendere omnes leges omniaque iura permittunt – Sich mit Gewalt gegen Gewalt zu verteidigen, gestatten alle Gesetze und alle Rechte. Dies galt ungeachtet des christliche Rates, dass Unrecht erleiden besser sei als Unrecht tun (IV 1). Das verlangt die Ethik nicht und im Strafrecht gilt Notwehr seit jeher als Rechtfertigungsgrund. Im Ukrainekrieg hat eine Gruppe von Journalisten und Schauspielern in einem offenen

253 Dazu RIEZLER, Das Rechtsgefühl[3] (1921/1969); BIHLER, Rechtsgefühl, System und Wertung (1979).

Brief in der Zeitschrift *Emma* die Auffassung vertreten, dass auch das Opfer durch Gegenwehr zum Aggressor werde und eine ethische Mitverantwortung trage. Das ist falsch verstandenre Pazifismus. Die Umkehrung der Täter-Opfer-Rolle ist eine nicht weiter zu kommentierende Verirrung verwirrter Geister (zu Notwehr und Notwehrexzess oben III 2). Wenn man sich schon aus Angst vor einem Atomkrieg nicht zu der gebotenen (IX 2) entschliessen kann, sollte man den Angegriffenen jedenfalls mit Waffen ausstatten, mit denen er den Aggressor vertreiben kann.

Naturrechtlich begründet werden auch die (anders gelagerten) Fälle, in denen man nicht selbst als Opfer betroffen ist, sondern in denen ein kleineres Übel gegen ein grösseres abgewogen und dabei fremdes Gut in Anspruch genommen wird *(übergesetzlicher Notstand)*. Unstreitig darf man etwa bei einer Feuersbrunst das Nachbarhaus abreissen, um ein Übergreifen des Feuers zu verhindern (Brandschneise[254]; zum ähnlichen Fall eines Sonderopfers bei Impfschäden s. I 3 a). Sehr umstritten ist dagegen, ob man auch Menschenleben opfern darf, wenn nur so der Tod einer grösseren Zahl verhindert werden kann (sog. Rettungstötung). Die Frage mündet in ein unausweichliches Dilemma und muss doch entschieden werden. BVerfGE 115, 118 hat sie verneint und anerkennt insoweit den übergesetzlichen Notstand nicht: Der gezielte Abschuss eines entführten Passagierflugzeugs bei einem durch dieses unmittelbar bevorstehenden Terrorangriff sei

---

254 Der Gedanke ist, dass das Haus andernfalls dem Brand ohnehin zum Opfer gefallen wäre. Im römischen Recht wird diskutiert, ob die Ersatzpflicht nur dann entfällt, wenn das Feuer tatsächlich bis zu diesem Haus gelangt ist und dieses, wäre es nicht vorher niedergerissen worden, verbrannt wäre (Ulp. D. 43, 24, 7, 4 u. D. 9, 2, 49, 1). Heute gilt der Notstand nur dann als Rechtfertigungsgrund, wenn das Gut, dem ein Schaden droht, höherwertig ist als das andere, in das zur Abwehr des Schadens eingegriffen wird. Der Notstand macht zwar den Angriff zulässig, schliesst aber die Ersatzpflicht nicht aus.

auch dann unzulässig, wenn dadurch eine grössere Zahl von Menschen gerettet werden könnte. Leben dürfe nicht gegen Leben abgewogen und der Mensch nicht zum Objekt gemacht werden. Das verstosse gegen das Recht auf Leben und die Menschenwürde (Art. 1 und 2 GG). In gewisser Weise ein Gegenargument lässt sich aus einem Urteil herleiten, in dem das BVerfG eine Rettungspflicht verneint, wenn der Staat bei einer Entführung der Erpressung nicht nachgibt und den Tod des Entführungsopfers in Kauf nimmt.[255] Deshalb wurde § 14 dLuftSicherhG (der die Möglichkeit einer Tötung auch von unbeteiligten Passagieren nach Meinung des Gerichts nicht ausschloss) für verfassungswidrig erklärt.[256] Auch wenn es zutrifft, dass ein Menschenleben einzigartig, absolut geschützt und quantitativ nicht aufrechenbar ist, handelt – nach ganz überwiegender, seit jeher bestehender Meinung – jedenfalls entschuldbar und straffrei, wer in auswegloser Situation wenige Opfer gegen die vielen abwägt, die ja auch eine Würde haben. Das Problem ist dem der Freiheit vergleichbar, die, wie wir gesehen haben (oben II 1), auch immer durch die Freiheit der anderen begrenzt ist. Wir leben in einer Gemeinschaft und die eigene Freiheit, Menschenwürde und

---

255 BVerfGE 46, 160, 165 – Schleyer, wo mit einer Pflicht gegenüber der Gesamtheit der Bürger argumentiert wird.

256 Zustimmend z.B. ROXIN, ZIS 6 (2011) 552 ff.; H. DREIER, Die Grenzen des Tötungsverbotes, in Joas (Hrsg.), Die zehn Gebote (2006) 65 ff., 73 ff. = JZ 2007, 261 ff., 317 ff., der aber immerhin 267 unter d) in einer «Karneades-Situation» einen entschuldigenden Notstand für denkbar hält; s. aber auch 267 re. Sp. oben; SCHILY (der damalige Innenminister), Der Spiegel 2016 Nr. 42 140 ff. («Karlsruhe locuta causa finita»); zurecht ablehnend die überwiegende Meinung, etwa ISENSEE, FS Jakobs (2007) 205 ff.; HILLGRUBER JZ 2007, 209 ff.; DEPENHEUER, FS Isensee (2007) 43 ff.; Kindhäuser/Neumann/Paeffgen (Hrsg.), Nomos Kommentar, Strafgesetzbuch[4] Bd. 1 (2013) § 34 Rn 77 ff.

körperliche Integrität ist immer durch die der anderen begrenzt und kann nicht isoliert und ohne Verantwortung für die anderen betrachtet werden. In extremis schliesst dies auch eine Rettungstötung ein. Das verwandte Problem eines Entscheidungszwangs in Notlagen kennen als sog. Triage namentlich Ärzte, die bei einem Katastrophenfall in die Lage kommen, einige zu retten und andere (zumeist die Schwerstverletzten mit den geringsten Überlebenschancen) sterben zu lassen (s. auch oben I 3 a). Dieses ethische Dilemma hat auch beim Knappwerden der Intensivbetten in der Corona-Pandemie gedroht.

Auch kann angeführt werden, dass die Menschen in der Maschine ohnedies verloren waren und man nicht darauf abstellen sollte, dass in letzter Sekunde noch ein Wunder geschehen könnte (entgegen BVerfGE 115, 118, 146 ff.). Das Publikum in D/A/CH hat mit sicherem Rechtsempfinden und überwältigender Mehrheit von fast 87 Prozent (bei über 600 000 Teilnehmern) für den Freispruch des Piloten im Film «Terror» gestimmt.[257] Die Medien haben, offenbar aus

[257] Die Abstimmung fand statt nach dem am 17.10.2016 ausgestrahlten ARD-Film «Terror» (nach dem Theaterstück «Terror» von *F. v. Schirach*, 2016). Im Film, dem die New Yorker Katastrophe vom 11. September 2001 als Vorlage dient, schiesst ein Kampfjetpilot eine von Terroristen entführte Verkehrsmaschine ab, die sich im Anflug auf ein voll besetztes Fussballstadion befindet. Zum Teil berechtigte Detailkritik am Stück bei *Schild*, Verwirrende Rechtsbelehrung: Zu Ferdinand von Schirachs «Terror» (2016). Die Kernfrage, ob man den übergesetzlichen Notstand anerkennt oder das Handeln jedenfalls analog § 35 StGB entschuldigt ist, sollte man aber bejahen. Eine gezielte Tötung (Finaler Rettungsschuss, z.B. bei Geiselnahme) ist auch nach den Polizeigesetzen zulässig, wenn sie das einzige Mittel zur Abwehr einer gegenwärtigen Lebensgefahr ist. Wenn sich nur der Täter im Flugzeug befindet, lässt auch das BVerfG den Abschuss zu. Zum verwandten

«political correctness» die Entscheidung überwiegend kritisiert, mit dem Grundtenor, das Volk habe gegen das Grundgesetz entschieden. In Wahrheit steht in der Verfassung nichts. Es ist die Meinung des Bundesverfassungsgerichts, die hier, wie sonst, als angeblich in der Verfassung bereits enthaltene durch Auslegung bzw. Konkretisierung von Art. 1 GG gewonnene Erkenntnis dargestellt wird.[258]

In der Schweiz wäre es gar nicht möglich in einem *Normenkontrollverfahren* ein Gesetz für nichtig zu erklären und ein Volksentscheid in einer solchen Frage wäre zu beachten. Wo man in der Schweiz das Volk befragt, entscheidet in Deutschland allein das Bundesverfassungsgericht und Referenden gibt es auf Bundesebene praktisch nicht. In concreto nimmt die Entscheidung sogar an der «Ewigkeitsgarantie»[259] des Art. 79 Abs. 3 GG teil, denn zusammen mit Artikel 1 (Menschenwürde) und den Grundrechten gelten (fälschlich) auch alle Entscheidungen des BVerfG als unabänderlich. Nur das Gericht selbst kann seine Meinung ändern. In Österreich können Urteile des VerfGH grundsätzlich mit verfassungsändernder Mehrheit von 2/3 abgeändert werden.

Während der römische Jurist *Paulus* offen liess, woher man weiss, «was immer gut und gerecht ist», berief sich *Gaius* auf

---

Problem der sog. «Rettungsfolter» s. *Staudinger/Honsell* Einleitung BGB Rn 192. – S. noch das Beispiel *Welzels* (ZStW 63 [1951] 47 ff., 57 ff.) von dem Weichensteller, der einen führerlosen Güterzug zur Vermeidung eines Zusammenstosses mit einem Personenzug auf ein Nebengleis leitet, wo – voraussehbar – drei Arbeiter ums Leben kommen.

258 Näher Staudinger/*Honsell,* Einl BGB Rn 187 ff.; *ders.* Wächter oder Herrscher – Das BVerfG zwischen Recht und Politik, ZIP 2009, 1689 ff.

259 Dazu H. DREIER, Gilt das Grundgesetz ewig? (2009); ferner *Kley,* Die Verantwortung gegenüber künftigen Generationen – ein staatsphilosophisches Postulat von Thomas Jefferson, FS T. Fleiner (2003) 505, 513 ff. m.w.Nw.

die *naturalis ratio.*[260] Danach ist Naturrecht, was die *natürliche Vernunft* zwischen allen Menschen als Recht gelten lässt.[261] Den Beweis für das Wirken der Vernunft hat die Rechtsvergleichung zu erbringen: **Naturrechtssätze** gelten überall. Neben den Anspruch auf Zeitlosigkeit tritt der auf Supranationalität. Die rationalistische Haltung des *Gaius* übte in Spätmittelalter und Neuzeit starken Einfluss aus. Sowohl bei *Thomas von Aquin* wie in der spanischen Spätscholastik[262] beruht die Naturrechtslehre nicht auf metaphysischer Wesensschau, sondern auf rationalen Operationen. Daher haben diese Konzeptionen ihren Einfluss auf *Hugo Grotius* (1583–1645) nicht verfehlt. Ihre rationale Struktur machte die neuzeitliche Naturrechtslehre legistisch fruchtbar. Die Aufklärungs- und Naturrechtsgesetzbücher an der Wende vom 18. zum 19. Jahrhundert beruhen auf dem Vernunftoptimismus der rationalistischen Naturrechtslehre. Der Charakter dieser Lehre als einer Gerechtigkeitslehre tritt klar hervor in dem Text des ersten Paragrafen eines Vorentwurfs zum österreichischen ABGB, des westgalizischen Gesetzbuches von 1797: «Recht ist alles, was an sich selbst gut ist, was nach seinen Verhältnissen und Folgen etwas Gutes enthält oder hervorbringt und zur allgemeinen Wohlfahrt beiträgt.» Nach § 16 ABGB, hat jeder Mensch «angeborene, schon durch die Vernunft einleuchtende Rechte» und § 7 S. 2 ABGB verweist, wenn Auslegung und Analogie nichts ergeben, auf die *natürlichen Rechtsgrundsätze*.

---

[260] Dazu H. WAGNER, Studien zur allgemeinen Rechtslehre des Gaius (1978) 104 ff.

[261] Dig. 1, 1, 9.

[262] Zu ihr, besonders zu Vitoria und Suarez, REIBSTEIN, Die Anfänge des neueren Natur- und Völkerrechts (1949); VERDROSS, Abendländische Rechtsphilosophie[2] (1963) 92 ff.

Gegen eine **Naturrechtslehre** pflegt dreierlei vorgebracht zu werden:[263]

1. Sie gebe keine Kriterien zur Ermittlung des Guten und Gerechten an.
2. Sie würde zumeist nur eine gerade geltende Ordnung absolut setzen.
3. Sie diente mehr der Legitimation des Bestehenden als der Erkenntnis des Gerechten.

Die Schwierigkeiten der Naturrechtslehre, einen rationalen Weg zur Erkenntnis des gerechten Rechts aufzuzeigen, sind in der Tat beträchtlich. Sie potenzieren sich, wenn es darum geht, einzelne naturrechtliche Sätze zu formulieren. Der Gefahr, das aus der Gegenwart Vertraute für das an sich Gerechte zu halten, ist vor allem die rationalistische Naturrechtslehre des 18. Jahrhunderts erlegen, die eine Emanzipation vom römisch-gemeinen Recht verfolgt hat und den Versuch darstellte, alles Recht mit Hilfe von Syllogismen aus axiomatischen Sätzen zu deduzieren. Sie stand dem Positivismus des 19. Jahrhunderts Pate und wurde von Savigny und der historischen Rechtsschule bekämpft. Mit dem antiken Naturrecht hat sie nichts mehr zu tun. Liest man *Christian Wolffs* «Institutiones iuris naturae» (1750), so erweisen sich, vor allem in den privatrechtlichen Abschnitten, die Sätze dieses Vernunftrechts als eine Abstraktion des Rechts der Zeit. Allerdings ist es auch noch keiner anderen metapositiven Rechtslehre gelungen, über den Schatten der Geschichte zu springen. Der Vorwurf, das Bestehende zu legitimieren, statt es auf seine Gerechtigkeit zu prüfen, trifft einen Naturrechtler härter, meist aber mit weniger Grund als die anderen Einwände gegen eine Naturrechtslehre. Angesichts der Anfälligkeit der Juristen für Allianzen mit der Macht kann es zwar nicht verwundern, wenn

---

263 Zum Folgenden HONSELL/MAYER-MALY, Rechtswissenschaft[7] (2017) 226 ff.

sich Belege für naturrechtlich formulierte Versuche beibringen lassen, das Seltsamste (z.B. die Geschwisterehe[264]) und auch das Übelste (z.B. das Kastratensängertum) zu legitimieren.[265] Betrachtet man aber die Naturrechtslehre in ihrer Gesamtheit, so zeigt sich deutlich, dass neben einer unbestreitbar grossen Zahl erklärend-rechtfertigender Theorien von Anfang an eine permanente kritische Richtung überwiegt. Die Trennung der Richtungen vollzieht sich schon in der griechischen Philosophie. Sie erstreckt sich über die Averroisten[266] und Monarchomachen[267] bis hin zur naturrechtlichen Vorbereitung der Französischen Revolution.[268] Aus dieser Richtung vor allem ist die Theorie der Grund- und Menschenrechte erwachsen, aber auch die Lehre vom Widerstandsrecht.[269] Nicht zu vernachlässigen ist jedoch auch der Beitrag des scholastischen Naturrechts zur Anerkennung der Menschenrechte.

---

264 Sie hat heute keine Befürworter, war aber etwa im altägyptischen Recht eine Institution; dazu MODRZEJEWSKI, ZSS 81 (1964) 52 ff. Auch in der griechischen Mythologie gibt es einen prominenten Inzestfall: Zeus und Hera, die Kinder des Kronos und der Rhea waren ein Ehepaar. Zum Inzestverbot unten im Text.

265 S. dazu die Naturrechtskritik des katholischen Soziologen *A. M. Knoll*, Katholische Kirche und scholastisches Naturrecht (1968) 15 ff., 76 ff. u. passim.

266 Zu Avicenna (979–1037) und Averroes (1126–1198) s. BLOCH, Avicenna und die aristotelische Linke (1963); LEUPRECHT, Vernunft, Gerechtigkeit, Würde – Eine Reise zu chinesischen, islamischen und westlichen Quellen der Menschenrechte (2015) 43 ff.

267 Über sie MARCIC, Geschichte der Rechtsphilosophie (1971) 239 ff.

268 Dazu HABERMAS, Theorie und Praxis[8] (1978) 89 ff.

269 Zu ihr WOLZENDORFF, Staatsrecht und Naturrecht in der Lehre vom Widerstandsrecht des Volkes gegen rechtswidrige Ausübung der Staatsgewalt (1916/1961); KERN, Gottesgnadentum und Widerstandsrecht im frühen Mittelalter[3] (1962).

Der Weg zu den Grundrechten[270] erweist sich als langer Prozess. Entgegen einer verbreiteten Lehre[271] beginnt er schon in der griechischen Philosophie und hat auch Anfänge bei Konfuzius.[272] Zentrale Bedeutung hat die Anerkennung eines Rechtes zur Gehorsamsverweigerung durch *Platon* (7. Brief 331d). Die Naturrechtswidrigkeit der **Sklaverei** ist ein Thema der antiken Philosophie und der römischen Jurisprudenz.[273] Überliefert ist freilich auch der abstruse Rechtfertigungsversuch des Aristoteles über den «Sklaven von Natur» (φύσει δοῦλος, oben II 2). Die Magna charta libertatum des Jahres 1215 war nicht, wie der Name vielleicht vermuten lassen könnte, eine Verbriefung grundlegender Freiheitsrechte der Bürger, sondern enthielt Konzessionen, die der englische König dem Adel einräumen musste. Die Bedeutung, die der Freiheitsgedanke der mittelalterlichen Stadtrechte für die Ausbildung von Grundrechtskatalogen hatte, wurde von *Konrad Bayerle*[274] beschrieben. Die in der amerikanischen Unabhängigkeitserklärung (Declaration of Independence, 1776) und der französischen (1789) Revolution proklamierten und in der

---

270 Über ihn *Oestreich*, Geschichte der Menschenrechte und Grundfreiheiten im Umriss (1968).

271 S. nur die Beiträge in Gröschner/Kirste/Lembcke (Hrsg. 2008), Des Menschen Würde – entdeckt und erfunden im Humanismus der italienischen Renaissance.

272 Zu ihm *Leuprecht* 15 ff.

273 Dig. 1, 1, 4; 1, 5, 4; 12, 6, 64; 40, 11, 2; 50, 17, 32. – Auch das Alte und Neue Testament liefern Anhaltspunkte gegen die Sklaverei oder zum Schutz der Sklaven; s. Exodus 21, 2 und 21, 20–32 sowie Philemon 1, 1 ff., Galater 2, 1–10; 3, 28 und Matthäus 28, 16–20; s. auch oben Fn 197.

274 Ursprung und Ausbreitung der mittelalterlichen Freiheitsrechte (1933); V. Keller, Freiheitsgarantien für Person und Eigentum im Mittelalter (1933); aus neuerer Zeit Brieskorn, Menschenrechte. Eine historisch-philosophische Grundlegung (1997).

UN-Deklaration von 1948[275] erneuerten Menschen- und Bürgerrechte haben also mehrere Quellen. Der Anteil naturrechtlichen Denkens an der positiven Anerkennung von Menschenrechten zeigt sich schon daran, dass die grundlegenden Proklamationen als *deklarativ,* nicht als konstitutiv formuliert und verstanden wurden. Das war genuin naturrechtlich gedacht. Denn eine Deklaration drückt schon Bestehendes aus, ein konstitutiver Akt dagegen setzt Neues fest.

2. Strenges Recht und Billigkeit

Mit dem Gegensatz von Positivismus und Naturrecht teilweise deckungsgleich ist der von strengem Recht und Billigkeit. Das zweite Element neben dem bonum in der von Celsus (oben 1) überlieferten Definition, ist die auf das griechische Vorbild der ἐπιείκεια[276] – epieikeia zurückgehende **aequitas** (equity, Billigkeit). Es ist eine Absage an das strenge Recht, den rigor iuris, an dessen Stelle humanitas und misericordia (Menschlichkeit und Mitleid/Empathie) treten sollen. Nicht strenges und formales Recht soll herrschen, sondern das Recht soll materiell gerecht, eben billig sein. Das ist auch das grosse Thema der Zweiteilung und des Nebeneinanders von *common law* und *equity* in den angelsächsischen Ländern. Wie in Rom, wo neben das *ius civile*, das starre und förmliche Zivilrecht, das flexible und formfreie *ius gentium* und die aequitas naturalis (oben I 1, 2 u. 3) getreten waren, das bei allen Völkern geltende Recht. Das alte Recht wird nicht aufgehoben, sondern durch ein moderneres Recht ergänzt, was im Ergebnis einer Aufhebung gleichkommt, weil ius gentium und equity Vorrang haben. Die Reichweite der

---

275 Resolution der Generalversammlung v. 10.12.1948, 217 A (III) Allgemeine Erklärung der Menschenrechte.

276 *Aristoteles*, Nik. Eth. V 1137a – 1138a.

prätorischen Rechtsfortbildung, die mit der heutigen *richterlichen Rechtsfortbildung* weitgehend übereinstimmt, umschreibt Papinian

> Dig. 1, 1, 7, 1: ius prætorium est quod prætores introduxerunt *adiuvandi* vel supplendi vel corrigendi *iuris civilis* gratia propter utilitatem publicam. – prätorisches Recht ist das Recht, das die Prätoren zum öffentlichen Nutzen eingeführt haben, zur Unterstützung, Ergänzung und Korrektur des Zivilrechts.[277]

Die Unterstützung erfolgt durch Auslegung, Ergänzung und Korrektur eines zu engen oder zu weiten Wortlauts durch Analogie und teleologische Restriktion (unten V 2). Damit wurde die enge Wortinterpretation zugunsten einer freieren Auslegung nach der ratio, dem Sinn und Zweck, aufgegeben.

Die **Einzelfallgerechtigkeit**, die oft in Konflikt gerät mit dem formellen Recht und dem Argument der **Rechtssicherheit**,[278] soll letztlich die Oberhand behalten, und der Missbrauch formaler Rechtspositionen unzulässig sein. Grundsätzlich sollte man also nicht leichthin eine «Härte im Einzelfall» aus Gründen der Rechtssicherheit in Kauf nehmen. Doch ist diese Erkenntnis leider nicht Gemeingut. Fragen kann man auch, ob *rigorose Form-* und *Fristvorschriften*, wie wir sie heute noch haben, wirklich immer unverzichtbar sind. So sind die Fristen des Prozessrechts sehr streng, wenn z.B. ein Prozess endgültig verloren ist, weil die Berufung gegen ein erstinstanzliches Urteil nicht fristgerecht eingelegt oder begründet worden ist (§ 517 dZPO: ein Monat, Art. 311 chZPO: 30 Tage; § 464 öZPO: vier Wochen, was alles fast,

---

277 Näher HONSELL/FARGNOLI, Röm. Recht^9 (2021) 8 f.

278 Näher HONSELL, Teleologische Reduktion versus Rechtsmissbrauch, FS Mayer-Maly (1996) 369 ff.

aber nicht ganz dasselbe ist[279]). Die Argumente pro und contra können hier nicht diskutiert werden. Jedenfalls sollte man aber bei Fristversäumung mit der *Wiedereinsetzung in den vorigen Stand* grosszügiger sein. Dies schon deshalb, weil es vor Verfall der Frist im Ermessen des Richters liegt, diese zu verlängern.

Besonders raffinierte, um nicht zu sagen perfide Einrichtungen, sind deutsche Gerichtsbriefkästen (die allerdings demnächst abgeschafft werden sollen). Sie haben eine Uhr und einen beweglichen Zwischenboden, der sich nachts um 24h einschiebt, damit man verspätet eingegangene Schriftsätze aussondern und als verfristet zurückweisen kann. Der Datumswechsel um Mitternacht hat keinen astronomischen Grund, sondern entsprang dem Aberglauben und den Skrupeln des römischen Sakralrechts.[280] Im antiken Griechenland etwa gehörte zu jedem Tag die ganze darauffolgende Nacht und der neue Tag begann morgens um sechs Uhr. Auch heute

279 Das sind drei unterschiedliche Fristen. Die Monatsfrist ist unabhängig davon, ob der Monat 30, 31 oder nur 28/29 Tage hat (zur Berechnung s. § 188 Abs. 2 BGB). 30 Tage sind 30 Tage, 4 Wochen sind 28 Tage. Eine ähnliche Variationsbreite bei an sich beliebigen zahlenmässigen Festlegungen finden wir bei anderen Fristen oder bei Altersgrenzen.

280 Paul. D 2, 12, 8 More Romano dies a media nocte incipit et sequentis noctis media parte finitur. – Nach Sitte der Römer beginnt der Tag um Mitternacht und endet in der Mitte der darauffolgenden Nacht; es war ein Trick der Priester, der rituelle Gründe hatte, näher dazu HONSELL/FARGNOLI, Röm. Recht[9] 16 f.; dort auch zu Quintus Mucius Scaevola und dem am Ende des Jahres durchgeführten trinoctium, das unwirksam war, weil die 2. Hälfte der dritten Nacht schon zum neuen Jahr gerechnet wurde. Um nicht unter die Herrschaft des Mannes zu geraten, musste die eigenberechtigte Frau jedes Jahr drei Nächte ausser Hauses verbringen; nur so konnte sie die «Ersitzung» durch den Mann verhindern; s. auch Fn 131. Der Fall zeigt, dass die Menschen schon vor 2000 Jahren mit Fristen schikaniert wurden.

beruht der Datumswechsel um Mitternacht auf einer Konvention und vollzieht sich zweckmässig zu der Zeit, wo am wenigsten Verkehr ist.

Form- oder *Fristvorschriften* sind als sog. «strikte Ordnungsvorschriften» nach immer noch ganz h.L. einer teleologischen Reduktion nicht zugänglich[281]. Sie sind also anzuwenden, einerlei, ob der Formzweck in concreto tangiert ist, z.B. auch wenn keine Beweisunklarheit oder Übereilungsgefahr besteht. *Philipp Heck*[282] hat in diesem Zusammenhang plastisch aber übertreibend von einer «Triebsandgefahr» gesprochen, die jedes Abweichen von Formvorschriften hervorrufe. Heute würde man dies «Dammbruchargument» nennen. Die Strenge des formalen Rechts kommt somit zur Anwendung, auch wenn das der Einzelfallgerechtigkeit zuwiderläuft. Wer eine Frist versäumt, verliert sein Recht, selbst wenn dies hart erscheint. Problematisch ist auch der *Testamentsformalismus*. So ist das privatschriftliche Testament ungültig, wenn es vom Testator nicht eigenhändig geschrieben und unterschrieben

---

281 Anders jetzt der Entwurf eines Allg. Teils des Schweizer OR, Art. 27 OR 2020 EMMENEGGER/KURZBEIN in: Huguenin/Hilty OR 2020 (1913) 90 ff. für die Form. Danach entscheidet der Formzweck über die Ungültigkeit und darüber, wer sich darauf berufen darf; s. zu der Frage auch *Honsell*, Teleologische Reduktion versus Rechtsmissbrauch, 1. FS Mayer-Maly (1996) 369 ff. Neuerdings will HASSFURTER (Form und Treue [2016]) der Formnichtigkeit Treu und Glauben entgegensetzen, «wenn sie nicht geeignet, erforderlich und verhältnismässig i.d.S. ist, den Zweck der jeweiligen Formvorschrift zu erreichen». Praktisch läuft dies darauf hinaus, den Einwand der unzulässigen Rechtsausübung schon dann zuzulassen, wenn die ratio des Formzwecks nicht tangiert ist.

282 Gesetzesauslegung, AcP 112 (1914) 1, 182; s. auch BÖHMER, Grundlagen der bürgerlichen Rechtsordnung (1952) II 2, 72 ff.; näher CANARIS, Die Feststellung von Lücken im Gesetz[2] (1983) 292; J. SCHRÖDER, Recht als Wissenschaft 387.

ist,[283] auch wenn keine Beweisunklarheiten bestehen und es unzweifelhaft vom Erblasser herrührt. Es ist allerdings schwer einzusehen, weshalb ein auf dem Computer geschriebenes Testament ungültig ist, jedenfalls wenn die Authentizität unstrittig ist, weil es z.B. unterschrieben und vom Erblasser persönlich in Verwahrung gegeben worden ist.

Inakzeptabel ist es, wenn wegen vorgeblich höherer Werte rechtswidrige oder gar menschenrechtswidrige Massnahmen gerechtfertigt werden sollen. Dafür drei ganz verschiedene Beispiele: Massenhinrichtungen aus generalpräventiven Erwägungen waren in Rom an der Tagesordnung (vgl. oben IV 1). Die Rechtfertigung von Grausamkeiten mit der Generalpraevention ist noch dem modernen Strafrecht geläufig (unten VI 1). Das zweite Beispiel stammt aus der Gegenwart und ist ein ganz anderes: Der öst. VerfGH hat mit Urteil vom 1.7.2016 (W I 6/2016-125) die Präsidentenwahl wegen Verstössen gegen einige Formvorschriften, die auf das Wahlergebnis keinerlei Einfluss hatten, für ungültig erklärt. Damit missachtet das Gericht die Verfassung, denn Art. 141 Abs. 1 S. 3 B-VG und § 70 Abs. 1 VfGHG verlangen ausdrücklich einen (tatsächlichen) Einfluss, also eine Verfälschung bzw. Manipulation des Ergebnisses. Statt einer Anwendung dieser Normen begnügte sich das Gericht mit der Berufung auf eine von Kelsen begründete Rechtsprechungstradition (VfGH Slg 888/1927), die besagte, dass es genüge, wenn die Rechtswidrigkeit von Einfluss gewesen sein konnte, also aus dem Indikativ des Gesetzes einen Konjunktiv machte, sich mit einer abstrakt-theoretischen Möglichkeit begnügte und nicht einmal eine Wahrscheinlichkeit verlangte. Der Fehler, und es ist ein Denkfehler, liegt darin, auch dann noch auf die rein spekulative Möglichkeit eines Einflusses abzustellen, wenn eine

283 Früher waren sogar das Fehlen von Ort oder Datum ein Nichtigkeitsgrund. Das gilt heute nicht mehr (vgl. § 2247 BGB, § 578 ABGB, Art. 505, 520a ZGB).

Manipulation ganz fernliegt oder überhaupt nicht in Betracht kommt, wie in casu bei der vorgezogenen Öffnung der Briefwahlstimmen, die (warum eigentlich?) erst am Montag ab neun Uhr hätten geöffnet werden dürfen, statt nach dem Abschluss der Zählung am Sonntagabend, oder der Protokollierung ständiger Anwesenheit eines Wahlbeisitzers, der sich vorübergehend entfernt hatte. Unter pathetischer Berufung auf die Heiligkeit der Wahlen als Fundament der Demokratie und des Staates sowie der unbegründeten Behauptung, dass Wahlvorschriften «rigoros» anzuwenden seien (so schon VfGHSlg Nr. 888/1927) wird die sinnlose Wiederholung einer Wahl verlangt, deren Korrektheit niemand bezweifelt hat. Aus einer langen Rechtsgeschichte, die voll ist von Ungereimtheiten und Ungerechtigkeiten, wissen wir, dass ein rigor iuris, eine formale, sinnentleerte Strenge, niemals angebracht ist. Sie klingt verdächtig nach fiat iustitia pereat mundus – es solle «Gerechtigkeit» geschehen und wenn darüber die Welt zugrunde geht. Offensichtlich wollte das Gericht ein Exempel statuieren gegen Schlamperei und lockeren Umgang mit dem (zum Teil ja ganz unsinnigen) Wahlgesetz. In der öffentlichen Diskussion wurde das kaum kritisiert. Im Lande Kelsens gilt noch immer ein erstaunlicher Formalismus, der die Frage nach dem Gesetzeszweck gern ausblendet und manchmal gar nicht zulässt.

Das dritte Beispiel einer absurd formalen und sinnentleerten Justizentscheidung betrifft einen Fussballspieler, der 2017 gegen ein Kontaktverbot verstossen hatte und deshalb von einem Madrider Gericht zu sechs Monaten Gefängnis verurteilt worden war. Dass der sich mit der Frau längst ausgesöhnt hat und seit fünf Jahren mit ihr verheiratet ist, soll keine Rolle spielen.

V. Kapitel: Gesetz und Auslegung

Normen dienen der Verhaltenssteuerung. Sind sie fehlerhaft, namentlich zu abstrakt gefasst, so verfehlen sie ihr Ziel. Diese Erkenntnis ist uralt:

Javolen. D. 50, 17, 202: omnis definitio in iure civili periculosa est: rarum est enim, ut non subverti posset. Jede Definition im Zivilrecht ist gefährlich; denn es ist selten, dass sie nicht verdreht werden kann.

Insbesondere bei abstrakten Formulierungen, die sich zu weit von den konkreten Fällen entfernen, ist die Gefahr falscher Verallgemeinerung besonders gross. Generell fällt auf, dass Normen in der Anwendung öfter erweitert als eingeschränkt werden (vgl. unten 2). Diese Tendenz besteht bei normativen Vorgaben aller Art. Zwei Regeln aus aus dem Fussball sollen dies veranschaulichen. Da gibt es ein Handspielverbot, dessen Zweck auf der Hand liegt. Ein Handspiel wird allerdings oft auch angenommen, wenn der Ball nur den Arm berührt hat. Eine ähnliche Fehlentwicklung zeigen Geschichte und Praxis der Abseitsregel. Deren ursprünglicher Zweck war es, zu verhindern, dass sich ein Stürmer, anstatt Fussball zu spielen, vor dem gegnerischen Tor positioniert, um lange Pässe ins Tor zu schiessen. Die aus dem 19. Jahrhundert stammende Regel wurde oft geändert und lautet heute dahin, dass eine Abseitsposition vorliegt, wenn sich der angespielte Angreifer im Zeitpunkt des Anspiels näher am Tor befindet als der Ball und der vorletzte Spieler der gegnerischen Mannschaft. Die Vorschrift gilt als verfehlt, denn sie zerstört das Spiel und verfälscht das Ergebnis. Auch verleitet sie zur Taktik der sog. «Abseitsfalle», bei der ein Abseits erschlichen wird, indem man auf eine Verteidigung verzichtet und den Angreifer dadurch ins Abseits stellt, dass man hinter dessen Linie läuft. Ein etwaiges Tor wird dann aberkannt.

Ähnliche Treffungenauigkeiten, ja Fehlwirkungen begegnen uns bei Gesetzen und ihrer Anwendung.

1. Gesetz

Das Gesetz ist eine vom verfassungsrechtlich zuständigen Organ, i.d.R. einem Parlament, erlassene, mehr oder weniger abstrakte, für einen unbestimmten Personenkreis geltende, allgemein verbindliche Anordnung.

Die Sanktionsmöglichkeiten des Gesetzes sind nach *Modestin* Dig. 1. 3. 7: Legis virtus haec est: imperare, vetare, permittere, punire – Die Macht des Gesetzes ist die: befehlen, verbieten, erlauben, bestrafen. Dieser (unvollständige) Sanktionskatalog gilt im Wesentlichen noch heute. Zum Beispiel gebietet § 1 Abs. 1 S 1 dEStG: «Natürliche Personen, die im Inland einen Wohnsitz oder ihren gewöhnlichen Aufenthalt haben, sind unbeschränkt einkommensteuerpflichtig» oder Art. 137. chStGB: «Wer sich eine fremde bewegliche Sache aneignet, um sich oder einen andern damit unrechtmässig zu bereichern, wird … bestraft.» Während auf dem Kontinent meist ein Gesetzesvorbehalt besteht, der nicht nur für Eingriffe des Staates, sondern u.U. für jede staatliche Massnahme ein Gesetz vorschreibt, vermeidet das angelsächsische case law einen übertriebenen Legalismus und setzt das Instrument des Gesetzes seltener ein. Denn noch immer ist dort die Vorstellung vorherrschend, dass Gesetze nicht die Grundlage allen staatlichen Handelns seien, sondern die Ausnahme bleiben sollten, weil sie zumeist mit einer Beschränkung der Freiheit der Bürger verbunden sind. Inflationäre Zunahme von Gesetzen gilt als Zeichen eines schlechten Staates.[284] Das betrifft vor

[284] Vgl. oben bei Fn 45 u. 114. Ein Warner vor überflüssigen Gesetzen war *Montesquieu*, der in seinem Werk De l'Esprit des Loix (1748) gesagt hat: Lorsqu'une loi n'est pas nécessaire, il est nécessaire de

allem die ungeheure Gesetzesflut und Regulierungshypertrophie der Europäischen Union. Das Vereinigte Königreich ist die älteste Demokratie und hat nicht einmal eine geschriebene Verfassung.

Justinian (Inst. 3, 2, 3) hat die **Einfachheit** eine Freundin der Gesetze genannt *(simplicitas amica legum)*. Das heisst zunächst, dass sich der Gesetzgeber um eine klare und verständliche Sprache bemühen muss. *Simplex sigillum veri* – das Einfache ist ein Zeichen des Wahren (oben III 1). Schachtelsätze, unnötige Substantivierungen und Wortungetüme zusammengesetzter Begriffe sind Beispiele eines verfehlten Paragraphendeutsch. Einfachheit heisst auch, dass man an sich mögliche und unter sachlichem Aspekt vertretbare Differenzierungen nicht übertreiben soll.[285] Weniger materielle Gleichheit bedeutet dann mehr Freiheit.

Noch schwieriger als schlechte Legistik (dazu auch unten II) und übertriebene Kasuistik sind Kompetenzwirrwar und das ungeordnete und unübersichtliche «Mehrebenensystem» (Europa – Mitgliedstaaten – Bundesländer – Gemeinden),[286] das mit zu vielen Zuständigkeiten und überbordender Bürokratie zu einer zunehmenden Handlungsunfähigkeit des Staates und zu gegenläufigen, ja widersprüchlichen Zielsetzungen führt.

---

ne pas faire la loi – wenn es ein Gesetz nicht notwendig ist, dann ist es notwendig kein Gesetz zu machen. Das ist ein nur auf den ersten Blick tautologer Satz und heute die wichtigste Mahnung in der modernen Demokratie, aber auch an die Europäischen Union, in der 27 Generaldirektionen unablässig teilweise fragwürdige Gesetze produzieren.

285 Zum übermässig komplizierten Steuerrecht unten VIII 3.

286 S. etwa HONSELL/MAYER-MALY, Rechtswissenschaft[7] (2017) 46, «Mehrebenendurcheinander».

Wird man in den Nationalstaaten allenthaben mit schlechten Gesetzen konfrontiert, so bleibt die Europäische Gesetzgebung die eigentliche Krux. Der Vertrag über die Arbeitsweise der EU (AEUV) enthält mehr vage Zielbeschreibungen als klare Zuständigkeiten, schreibt aber gleichzeitig das Prinzip der begrenzten Einzelermächtigung (Art. 5 Abs.1 u 2 EUV, Art. 7 AEUV) vor, an das sich allerdings Kommission und EuGH ebenso wenig halten wie an den Grundsatz der Subsidiarität (Art. 5 Abs. 3 EUV). Diese Prinzipien wurden im Lissabon-Vertrag zum dritten Mal wiederholt und doch nie beachtet. Unklare Kompetenzen bewirken häufige Kompetenzübergriffe und haben zu einer juristischen «Ordnung» geführt, die diesen Namen nicht verdient und selbst aus einfachen Regelungsgegenständen in einer wahren Gesetzesflut[287] ein undurchdringliches Paragrafendickicht machen, in dem man sich kaum zurechtfindet. Viele Juristen halten das für den Preis der europäischen Integration, doch sind es in Wahrheit Kompetenzübergriffe, gravierende legistische und judizielle

287 Sparsame und klare Gesetze waren seit jeher die Forderung an eine verantwortliche Gesetzgebung: vgl. HONSELL, Vom heutigen Stil der Gesetzgebung (1979). Eindringlich für eine sparsame Gesetzgebung THOMAS MORUS, Utopia (eine nirgends vorhandene Gesellschaftsordnung 1516 II): Leges habent perquam paucas … ipsi vero censunt iniquissimum, ullos homines his obligari legibus, que aut numerosiores sunt, quam ut perlegi queant, aut obscuriores, quam ut a quovis possunt intelligi. – Gesetze haben sie (sc. die Bürger von Utopia) ganz wenige, sie halten es für äusserst unbillig, die Menschen durch Gesetze zu binden, die entweder zu zahlreich sind, als dass man sie lesen oder zu unklar, als dass man sie verstehen könnte. Vgl. auch die Sozialutopie bei *Campanella*, Civitas solis (Sonnenstaat 1623): Ipsorum leges paucae sunt, ac breves et clarae, descriptae omnes in tabula aerea … – Sie haben nur wenige Gesetze, alle sind kurz und klar auf ehernen Tafeln geschrieben … Zum Topos der wenigen Gesetze s. schon *Tacitus*, Ann. 3, 23 oben Fn 45 u. 114. Zur Kritik an Gesetzgebung und Judikatur in der EU s. noch Staudinger/*Honsell* BGB Einl 112 ff.

Mängel, tausende schlecht formulierter und schwer verständliche Verordnungen und viel zu detaillierte Richtlinien», die sich nicht an die Beschränkung von Rahmengesetzen halten und als Rechtsgrundlage meist nur Art. 115 angeben (Angleichung von Rechtsvorschriften zum Schutz des Wettbewerbs am Binnenmarkt), auch wenn der Regelungsgegenstand mit Wettbewerb gar nichts zu tun hat. Dieser Wirrwar führt zu erheblichen Gerechtigkeitsdefiziten und ausufernden Rechtsverfolgungskosten. Hypertrophe Regelungen erschweren den Zugang zum Recht und spielen vor allem der Bürokratie und Advokatur in die Hände. In Krisen, die schnelles Handeln erfordern, werden Entscheidungen häufig durch die Brüssler Bürokratie behindert.

Der Europäische Gerichtshof (EuGH) hat sich entgegen den Grundsätzen des Völkerrechts mit den Urteilen *Van Gend en Loos* v. 5.2.1963 (Rs 26/62) und *Costa* v. *ENEL* v.15.7.1964 (Rs 6/64) den absoluten *«Anwendungsvorrang»* des gesamten EU-Rechts vor dem nationalen Recht, sogar vor dem Verfassungsrecht, quasi selbst genehmigt und damit sein Letztentscheidungsrecht extrem ausgeweitet. Jede beliebige Verordnung oder Richtlinie der EU, in der jeweiligen Auslegung, die der EuGH billigt, soll danach sogar den Verfassungen der Mitgliedstaaten vorgehen. Diese Rsp. bewirkte eine Konstitutionalisierung der EU-Verträge, die von völkerrechtlichen Verträgen zu einer Verfassung der EU mutiert sind, deren Auslegung der EuGH monopolisiert. Seither betreibt das Gericht die Politik einer immer engeren Union und fortschreitenden Integration, eine Agenda die nur den Vertragsstaaten zusteht. Der Gerichtshof ist selbst Teil der Institution, um deren usurpierte Kompetenzen es im Spannungsverhältnis zu den Vertragspartnern geht und steht daher insoweit nicht in einer neutralen Position, sondern ist quasi Richter in eigener Sache. Mit der Förderung des Binnenmarktes und der weiteren Vertiefung der Integration verfolgt er eine eigene Agenda. Das bewirkt letztlich eine Art von struktureller oder institutioneller Parteilichkeit (*Honsell/Roth,* ZIP 2020, 1451). Selbst wenn diese vertragswidrig geschaffene Rechtslage nicht mehr hinterfragt wird, sind jedenfalls offensichtliche Kompetenzüberschreitungen nicht tolerierbar.[288] Das gilt auch für die Verletzung fundamentaler Rechtsprinzipien und den nahezu beliebigen Umgang mit den vertraglichen Grundlagen unter dem Deckmantel einer genuin europäischen Methodenlehre, die zu einer weitgehenden Vertragserosion und Bindungsfreiheit von Exekutive und Judikative führen. So nickt der EuGH die (verbotene!) Gesetzesumgehung der Kommission oder der EZB einfach ab, indem er z.B. den contra legem erfolgten Ankauf von Staatsanleihen für Rechtens erkklärt oder die Niederlassungsfreiheit in eine carte blanche für Briefkastenfirmen ohne Geschäftstätigkeit verwandelt (vgl. unten VIII 1, dort auch zur ultra vires-Doktrin des BVerfG).

Schliesslich ist die EU – an sich eine Selbstverständlichkeit – auch dem Prinzip der *Verhältnismässigkeit* verpflichet (Art. 5 Abs. 4 AEUV). Dies würde z.B. bedeuten, die Politik überzogener Strafen zu beenden. Auch hier bleibt es bei Lippenbekenntnissen der Art, dass man überall dort, wo Strafen verhängt werden, in den Erwägungsgründen die monotone Floskel findet, die Sanktionen seien «verhältnismässig, wirksam und abschreckend». Dazu hält man es offenbar für nötig, Unternehmensstrafen in Höhe von bis zu 10 Prozent des Umsatzes festzulegen. Abgesehen davon, dass 10 Prozent zu hoch sind, ist der Umsatz wegen der ganz unterschiedlichen Umsatzrendite in den verschiedenen Branchen eine völlig ungeeignete Grösse (unten VI 3).

---

288 S. auch *Thiel*, FAZ v. 2.8., 9. Unverständlich ist es bei dieser Lage auch, dass die deutsche «Ampelkoalition» in ihrem «Bündnis für Freiheit, Gerechtigkeit und Nachhaltigkeit» (2021) 110 die «Weiterentwicklung der EU zu einem föderalen europäischen Bundesstaat» fordert.

Es ist höchste Zeit, dass die Brüsseler Bürokratie auf dem verkehrten Weg einer überbordenden Regulierung umkehrt, das *Subsidiaritätsprinzip* und ihre Kompetenzgrenzen endlich ernst nimmt und sich um die grossen übergreifenden Fragen kümmert, wie gemeinsame Aussen- und Verteidigungspolitik, Handelspolitik und Migrationspolitik, Steuer- und Sozialpolitik usw. In der Pandemie fehlten einheitliche europäische Regelungen für grenzüberschreitende Reisen und Quarantäne. Jedes Land erliess eigene Vorschriften ohne Abstimmung mit den Nachbarstaaten. Auch die der EU übertragene Impfstoffbeschaffung war ein Fehlschlag. Die EU kümmert sich um unsinnige Details des Konsumentenschutzes, Entschädigungszahlungen wegen Verspätungen (im Bahnverkehr sogar bei höherer Gewalt [?], im Flugverkehr dagegen nur bei Verschulden). Zahllose, teils absurde Erfindungen der Brüssler Bürokratie sowie langsame und umständliche Genehmigungsverfahren beeinträchtigen das schon angesichts der europäischen Demokratiedefizite eher geringe Vertrauen der Bürger in den Rechtsstaat und wirken jedenfalls nicht identitätsstiftend. Ein bürokratisches Monstrum, das mit einer «Sakralisierung» des Verbots digitaler Datenspeicherung für viel Verwirrung, hohe Strafen und Kosten für die Unternehmen sowie für einen inflationären Einsatz von Akzeptbuttons im Internet gesorgt hat, ist die Datenschutzgrundverordnung (DSGVO). Für die Verbraucher, die eine Website kontaktieren wollen, bedeutet das die sinnlose Wiederholung von Abermillionen Klicks ohne jeden Erklärungsgehalt. Warum kann, wer eine Webseite aufrufen will die Cookies nicht automatisch akzeptieren? Es ist arrogant, an einer unsinnigen Regelung festzuhalten, die täglich Millionen zu unsinnigen Handlungen zwingt.

2. Auslegung

Im alten Rom hat der **Wortformalismus** mit einer engen und strikten Wortbindung, namentlich durch die Pontifices, jeden Rückgriff auf den Sinn verboten. Entscheidend war allein der Wortlaut der Formeln, die sklavisch genau nachgesprochen werden mussten. Beim kleinsten Fehler war der ganze Akt unwirksam und musste wiederholt werden Das hat zu dem römischen Sprichwort summum ius, summa iniuria geführt.[289] Das höchste Recht ist das grösste Unrecht. Auch dieser scheinbar paradoxe Satz zieht sich durch die ganze Geschichte. Er zeugt von einem enormen Misstrauen des Volkes gegen die Juristen. Bei den Römern stand in vielen Testamenten und sogar auf Grabsteinen der Satz: «dolus malus abesto et iurisconsultus».[290] Böse Arglist und Juristen sollen von dem Testament fernbleiben. Im Mittelalter hiess es «Gute Juristen, böse Christen» (der Satz wurde später auch Martin Luther zugeschrieben). Und noch heute nennen manche im Volk die Juristen «Paragrafenverdreher». Die lange vorherrschende Buchstabenauslegung war auch gegenüber der schlauen Gesetzesumgehung hilflos und blieb

---

289 Vgl. oben III 1 und HONSELL/FARGNOLI, Römisches Recht^{9} 16 f., s. zu dem Sprichwort etwa Cicero, de off. I 33; dazu *Kant,* Metaphysische Anfangsgründe der Rechtslehre, AA VI 234, 235; ausführlich *Stroux,* Summum ius, summa iniuria (1926/1949); s. ferner *Honsell* 1. FS Kaser (1976) 111, 114 f.; ESSER in: Summum ius, summa iniuria, Ringvorlesung der Tübinger Juristenfakultät (1963) 1 ff.; zur Problematik im modernen Recht ebenda *Esser* 23 ff.; dazu noch *Carcaterra* St. Volterra IV 627; MÜßIG, Summum ius summa iniuria in: Müßig (Hrsg.) Ungerechtes Recht (2013) 23 ff.

290 Etwa CIL VI 12133 und CIL VI 10525; FIRA III 50; dazu D. NÖRR, Rechtskritik in der röm. Antike (1974) 52 ff.; 83 mit Nachweisen.

deshalb sanktionslos, solange der Schleichweg nicht versperrt wurde.[291]

[291] So schreibt *Tacitus* Ann. 6,16 man habe die Verstösse gegen Zinsgesetze mit vielen Plebisziten zu verhindern versucht, doch jedes Verbot sei durch wundersame Kunstgriffe erneut umgangen worden. – multisque plebiscitis obviam itum fraudibus, quae totiens repressae miras per artes rursum oriebantur. Die römischen Priester hatten die zwei wichtigsten Formen der Gesetzesumgehung erfunden: Den Strohmann (interposita persona) und das Scheingeschäft (negotium simulatum); näher HONSELL, In fraudem legis agere, 1. FS Kaser (1976) 111 ff. Die gibt es noch heute. Die Umgehung unterscheidet sich vom direkten Gesetzesverstoss dadurch, dass sie nicht den Gesetzeswortlaut verletzt, sondern (nur) den Gesetzeszweck; vgl. z.B. Paulus Dig. 1, 2, 29: contra legem facit, qui id facit quod lex prohibet, in fraudem vero, qui salvis verbis legis sententiam eius circumvenit – Gegen das Gesetz handelt, wer tut, was das Gesetz verbietet, zum Nachteil des Gesetzes hingegen handelt, wer ohne Verletzung des Wortlauts den Gesetzeszweck umgeht. Cicero de officiis I 41 vergleicht den unmittelbaren Gesetzesverstoss mit der rohen Gewalt des Löwen, die schlaue Umgehung mit der List des Fuchses: Cum autem duobus modis id est aut vi aut fraude fiat iniuria: fraus quasi vulpeculae vis leonis videtur. Beides ist rechtswidrig und unwirksam. – Heute ist das Institut der Gesetzesumgehung entbehrlich. Es geht in der anerkannten teleologischen Interpretation (purposive Interpretation) auf, die auf den Gesetzeszweck abstellt. Die Umgehung wird also behandelt wie der Gesetzesverstoss. Bevor sich diese Erkenntnis allgemein durchgesetzt hatte, war im wichtigsten Anwendungsfall, dem Steuerrecht, die Umgehung ausdrücklich verboten und eine «wirtschaftliche Betrachtungsweise» angeordnet, z.B. in § 21 öAbgO. Ebenso bestimmt § 42 Abs. 1 S. 1 dAbgO noch heute, dass das Steuergesetz durch Missbrauch von Gestaltungsmöglichkeiten des Rechts nicht umgangen werden kann. Aus methodischer Sicht hält man solche Umgehungsverbote heute für entbehrlich und unterscheidet von der verbotenen Steuerumgehung die erlaubte Steuervermeidung.– Der EuGH, dem dieser historische Hintergrund

Das sklavische Haften am Buchstaben der Gesetze hatte die römische Jurisprudenz allerdings im 1. Jahrhundert vor Chr. unter dem Einfluss der griechischen Rhetorik überwunden.[292] Im Kampf zwischen **Wortlaut** und **Sinn** (ῥητὸν καὶ διανοία – verba et sententia) hat die freiere Auslegung im Interesse der Gerechtigkeit den Sieg davongetragen.[293] Hierher gehört auch der berühmte Satz des Celsus[294]: scire leges non hoc est verba earum tenere, sed vim ac potestatem – Die Gesetze kennen heisst nicht, an ihren Worten haften, sondern ihren Sinn und Zweck verstehen. Auch dies war ein alter rhetorischer Topos. *Julian* (Dig. 1, 3, 12) beschreibt Notwendigkeit und Verfahren der **Analogie** in noch heute gültiger Weise:

> Non possunt omnes articuli singillatim aut legibus aut senatus consultis comprehendi: sed cum in aliqua causa sententia eorum manifesta est, is qui iurisdictioni praeest ad similia procedere atque ita ius dicere debet. – Gesetze und Senatsbeschlüsse können nicht für alle Fälle ausdrückliche Bestimmungen enthalten; wenn sie aber für einen bestimmten Fall eine Regelung treffen, dann kann der Inhaber der Jurisdiktion (heute der Richter) die Regel auf ähnliche Fälle erstrecken und so Recht sprechen.

---

fehlt, lässt die Gesetzesumgehung fatalerweise wieder zu, vgl. die Beispiele unten VIII 1.

292 Vgl. dazu und zum Folgenden STROUX, a.a.O.; WESEL, Rhetorische Statuslehre und Gesetzesauslegung der röm. Juristen (1967); *Honsell* FS Coing I (1982) 129 ff.; 138 ff.

293 S. dazu die berühmte causa Curiana, einen Erbschaftsstreit um 92 v. Chr., in dem der Redner Crassus (der spätere Triumvir) erfolgreich für den Willen des Erblassers und die Billigkeit stritt, der Pontifex maximus Q. Mucius Scaevola hingegen für den Wortlaut und das formale Recht.

294 Dig. 1, 3, 17.

Im Vergleich zu diesen Massstäben war das Verständnis der Gesetzesauslegung und Anwendung noch bis in die Zeit der Aufklärung deutlich restriktiver. So galt jahrhundertelang die **sens clair-Doktrin** (Eindeutigkeitsregel: in claris non fit interpretatio), die eine Auslegung nur bei doppeldeutigen oder dunklen Worten zuliess (verba ambigua vel obscura). Wegen ihrer vordergründigen Evidenz verstand man sie nicht mehr als rhetorischen Topos, sondern als gültige methodische Anweisung und feststehende Wahrheit. In Frankreich, Italien und England begegnet sie uns noch heute.[295] Auch liess man in positivistischer Manier lange Zeit nur die Analogie in engen Grenzen zu und warnte vor einer Unterscheidung zwischen Wortlaut und Sinn. (z.B. in § 437 der Allg. Gerichtsordnung Josef II. von 1781). Das sieht man heute zurecht weit grosszügiger, haftet weniger am Buchstaben und achtet auf einen differenzierenden Sinn.

Das Gegenstück der Analogie, quasi die andere Seite der Münze, ist die **teleologische Restriktion**.[296] So wie dort der Wortlaut zu eng ist, ist er hier zu weit. Auch die Vorbehalte

---

[295] Die englische plain meaning rule oder golden rule[295] gestattet eine Interpretation wenigstens zur Vermeidung absurder oder widersprüchlicher Ergebnisse: In construing statutes, and all written instruments, the grammatical and ordinary sense of the words is to be adhered to, unless that would lead to some absurdity or inconsistency with the rest of the instrument, in which case the grammatical and ordinary sense of the words may be modified, so as to avoid that absurdity or inconsistency, but not farther. Heute wird, wenn auch in engeren Grenzen als auf dem Kontinent, eine am Gesetzeszweck orientierte purposive Interpretation zugelassen; näher *Honsell* ZfPW 2016, 106 ff.; VOGENAUER, Die Auslegung von Gesetzen in England und auf dem Kontinent, 2 Bde. (2001).

[296] Es ist daher auffällig, dass sie in der rhetorischen Statuslehre an ganz verschiedener Stelle behandelt werden, die Restriktion im Status verba – voluntas, die Analogie im Status ratiocinationis. Das ist auch bei *Savigny* noch so (Syst. I 212 f., 220, 290).

gegen die teleologische Reduktion beruhen darauf, dass sie einige, die zu sehr am Wortlaut hängen, für eine Auslegung contra legem halten.[297] Das trifft indes jedenfalls bei überschiessendem Gesetzestext nicht zu, wenn also der Wortlaut weiter geht als der Sinn, denn die Entscheidung steht dann zwar in Widerspruch zum Wortlaut, befolgt aber den Sinn des Gesetzes. Sie ist contra verbum legis, aber secundum rationem, steht also im Einklang mit dem Sinn und Zweck des Gesetzes. Der Vorwurf mangelnder Gesetzestreue, der Aufweichung der Gesetzesgeltung und des Verstosses gegen die Gewaltenteilung (usw.) ist also unberechtigt und ein «horror» iudicandi contra legem unangebracht. Es geht nicht um Gesetzestreue, sondern um die Frage, ob man sich (wenn sich beides nicht deckt) am Sinn oder am Wortlaut orientiert. Und diese Frage ist i.S.d. ersten Alternative zu entscheiden. Freilich muss die ratio legis sorgfältig ermittelt werden. Über einen klaren Wortlaut darf sich der Rechtsanwender im Grundsatz nur hinwegsetzen, wenn eine abweichende ratio legis hinreichend sicher feststellbar ist. Denn die teleologische Restriktion darf nicht zu einer nur subjektiv erwünschten Gebotsberichtigung herangezogen werden.[298] Die teleologische Restriktion, war auch *Savigny*[299] 1840 noch suspekt und das Schweizer Bundesgericht hat sie erst in einem Grundsatzurteil[300] aus dem Jahre 1995 anerkannt. Auch die in manchen Ländern immer noch befolgte Sens clair-Doktrin schliesst eine teleologische Auslegung aus. Doch begegnet uns heute

---

297 Berner Komm-*Hausheer/Aebi-Müller,* Art. 2 N 59, 60; ebenso *Riemer*, recht 1999, 176 und *Jaun*, ZBJV 137, 21 m.w.Nw.

298 HONSELL/MAYER-MALY, Rechtswissenschft[7] (2017). 147.

299 System I 220; näher *Honsell* ZfPW 2016, 106 ff. m.w.Nw.

300 BGE 121 III 219 ff., 224 E. 1d/aa – Praxisänderung; BGE 123 III 292 ff., 297 E. 2e/aa; 128 I 34, 41 E. 3b; dazu KRAMER, Beiheft 15 zur ZSR 1993, 72; DERS., Jur. Methodenlehre[5] (2016) 161, 164 ff.; *Honsell*, FS Mayer-Maly, 369, 374 ff.; BK-*Emmenegger/Tschentscher* Berner Komm Art. 1 N 393 ff.

etwa im angelsächsischen Recht eine purposive interpretation, die der kontinentalen Auslegung durchaus vergleichbar ist.

Auch wenn das Gesetz weder gegen naturrechtliche Grundprinzipien noch gegen Grundrechte verstösst, können sich Ungerechtigkeiten durch fehlerhafte Anwendung und Auslegung ergeben. In praxi sind das die häufigsten Fälle. Sucht man nach den Gründen, weshalb Gesetze nicht so klar und einfach sein können, wie der Laie annimmt, so ist zuerst die Ungenauigkeit der Sprache[301] zu nennen. Abhilfe sucht man in einer präzisen, technischen Sprache, die freilich häufig Unverständlichkeit für Nichtjuristen bedeutet. Die oft erhobene Forderung, Gesetze müssten präzise und verständlich sein (so z.B. § 307 dBGB für AGB), gleicht nicht selten der Quadratur des Kreises, weil sich diese Postulate bis zu einem gewissen Grade gegenseitig ausschliessen. Wenn der Text präzise ist, ist er nicht mehr verständlich (ganz zu schweigen von Eleganz), wenn er verständlich ist, nicht mehr präzise. Eine weitere Ursache für Auslegungsbedürftigkeit ist die Ungenauigkeit deskriptiver Begriffe, z.B. ist unklar, ab wie vielen Mitgliedern man von einer Bande sprechen kann, bei welcher Lautstärke von Lärm, bei wie vielen Bäumen ein Wald beginnt, was genau ein Teich ist und wo die Grenze zu einem See liegt, wann «Einbruch der Dunkelheit»[302] ist usw. Weiter gibt es offene, normative Begriffe und Generalklauseln, wie «Treu und Glauben», «gute Sitten», «wichtiger Grund», «angemessen» (usw.), die einer wertenden Ausfüllung bedürfen. Es gibt auch unklare und schwammige Begriffe, wie etwa «heimtückisch»

---

301 Dazu etwa WESEL, Fast alles, was Recht ist – Jura für Nicht-Juristen[10] (2021) 3 ff.

302 Nach jüdischem Recht beginnt der Sabbat am Freitagabend, wenn man in der Dämmerung einen blauen Faden nicht mehr von einem grauen unterscheiden kann.

oder «niedrige Beweggründe» in dem aus der Nazizeit stammenden Mordparagrafen § 211 StGB, der immer noch nicht korrigiert worden ist.

Manchmal ist das Gesetz fehlerhaft (zu eng oder zu weit) formuliert[303], wie z.B. bei dem Verbot «Betreten des Rasens verboten». Nach gewöhnlichem Sprachgebrauch fällt «Befahren» mit einem Fahrrad, nicht unter «Betreten». Kann man darüber hinwegsehen, weil ohnehin klar ist, was gemeint ist? Wer dies bejaht wird a fortiori folgern, dass das Befahren erst recht verboten ist, weil es den Rasen noch mehr schädigt als das Betreten. Damit sind wir jedoch vom Wortlaut abgewichen und zum Zweck des Verbotes übergegangen. Man sieht, selbst eine so simple Regelung kann misslingen, wenn man nicht die richtige Abstraktionshöhe der Begriffe findet; was übrigens im Beispiel gar nicht einfach ist. Soll man alle Arten der Fortbewegung aufzählen, Betreten, Befahren usw., wenn man keinen geeigneten Oberbegriff findet? Im Englischen ist es einfacher, dort hat man das abstraktere Gebot, das nicht auf die Art der Fortbewegung abstellt, sondern einfach sagt: «keep off the grass».

Die Schwierigkeiten des Verfassens klarer Gesetzestexte werden noch vermehrt, wenn man an die Mühen der Gesetzgebung unter den Bedingungen der parlamentarischen Demokratie denkt, an die schwierige Willensbildung im vielstimmigen Meinungschor, die Lobbyisteneinflüsse usw.[304] Ganz zu schweigen von den bereits erwähnten Komplikationen, die mit der europäischen Gesetzgebung verbunden sind. Gesetze sind selten aus einem Guss, selbst wenn der Entwurf von

303 Auch *Savigny* Syst. I 222 ff. unterschied «unbestimmten und unrichtigen Ausdruck des Gesetzes».

304 Zu den praktischen Problemen s. etwa *Theisen*, Die Entstehung von Gesetzen – Einsichten aus der Sicht der Ministerialverwaltung eines Bundeslandes, in: Baldus/Theisen/Vogel (Hrsg.), «Gesetzgeber» und Rechtsanwendung (2013) 43 ff.

(nur) einem Referenten stammt, wird er oft durch vielfältige Formulierungsvorschläge, Korrekturen und sog. «Formelkompromisse» verwässert, die manchmal mangels Einigung die Regelung sogar bewusst im Unklaren lassen. Der wichtigste Grund für die Auslegungsbedürftigkeit von Gesetzen, für ihre Konkretisierung in der Rechtsanwendung, liegt aber darin, dass sie stets auf einen realen Fall angewandt werden müssen und dass kein Gesetz ex ante und abstrakt so präzise formuliert werden kann, dass es alle (adressierten) künftigen Fälle klar erfasst.

Das unvermeidliche Defizit, selbst eines guten Gesetzes, beschreibt schon Platon im Politikos (294 b):

> Ὅτι νόμος οὐκ ἀν ποτε δύναιτο τό τε ἄριστον καὶ τὸ δικαιότατον ἀκριδῶς ἅμα πᾶσιν περιλαβων τὸ βέλτιστον ἐπιτάττειν; αἱ γὰρ ἀναμοιότητες τῶν τε ἀνθρώπων καὶ τῶν πράξεων καὶ τὸ μηδέτ ὅτε μηδὲν ὡς ἔπος εἰπεῖν ἡσυχίαν ἄγειν τῶν ἀνθρωπίνων οὐδέν ἐῶσιν ἁπλοῦν ἐν οὐδενὶ περὶ ἁπάντων καὶ ἐπὶ πάντα τὸν χρόνον ἀποφαίνεσθαι τέχνην οὐδ᾽ ἡντινοῦν.
>
> Weil ein Gesetz niemals alle denkbaren Fälle auf das Beste und Gerechteste erfassen und allen das Nützlichste vorschreiben kann. Denn die Ungleichheiten der Menschen und ihrer Handlungen und die geradezu ausnahmslose, ewige Unbeständigkeit der menschlichen Dinge lassen es nicht zu, dass irgendeine Kunst auf irgendeinem Gebiet eine einfache (sich gleichbleibende) auf alle Fälle und für alle Zeit anwendbare Regel aufstellt.

Platon plädiert deshalb dafür, dass nicht das Gesetz herrschen solle, sondern ein Mann mit königlicher Gesinnung (Pol. 294a):

> Τρόπον μέντοι τινα δῆλον ὅτι τῆς βασιλικῆς ἔστιν ἡ νομοθητκή; τὸ δ' ἄριστον οὐ τοὖς νόμους ἐστιν ισχύειν, ἀλλ|'ἄνδρα τὸν μετὰ φρονήσεως βασιλικόν.
>
> In der Tat ist es klar, dass die Gesetzgebung in gewisser Weise zur Herrscherkunst gehört. Aber das Beste ist es doch, wenn die Macht nicht in den Gesetzen liegt, sondern in der Hand eines Mannes mit königlicher Gesinnung.

Das allerdings kommt für die Staatsform der Demokratie nicht in Betracht und der Primat des Gesetzes ist seit Jahrhunderten anerkannt.

Einerseits bringt das Leben Fälle hervor, die auch ein noch so kluger und weitsichtiger Gesetzgeber nicht vorhersehen kann, was eine teleologische Auslegung und die Zulassung der Analogie erforderlich macht. Diese Schwierigkeiten kennen alle, die einmal an einem Gesetzgebungsprojekt mitgearbeitet haben. Schon die Kautelarjurisprudenz im Vertragsrecht kann nie alle Entwicklungen berücksichtigen und muss bald auf einen hypothetischen Parteiwillen zurückgreifen. Das Gesetzgebungsgeschäft ist noch weit schwieriger. Andererseits besteht, wie wir bereits gesehen haben, bei abstrakten Formulierungen die Gefahr falscher Verallgemeinerung. Der Jurist muss sich also häufig zwischen einer strikten und einer weiten oder engen Auslegung entscheiden, die den Gesetzeszweck berücksichtigt. Das angelsächsische Recht kennt – wie gesagt – viel weniger Gesetze und tendiert zu einer strikten Interpretation. Der Gegensatz zwischen literal und purposive interpretation oder construction ist allerdings auch dem angelsächsischen Recht bekannt.

3. Bestimmtheitsgebot und Analogieverbot im Strafrecht

Im Strafrecht gilt aus rechtsstaatlichen Gründen das Bestimmtheitsgebot, der alte Grundsatz nulla poena sine lege certa, stricta et praevia, keine Strafe ohne klares und bestimmtes, vorausgehendes Gesetz. Die Maxime ist so wichtig, dass man sie überall an den Anfang des Strafgesetzbuchs gestellt hat: Art. 1 chStGB, sowie § 1 ö u. dStGB (und Art. 103 Abs. 2 GG) verlangen für jede strafrechtliche Verurteilung eine ausdrückliche gesetzliche Strafbestimmung;[305] ähnlich Art. 49 Abs. 1 Grundrechtscharta EU und vor allem

[305] «Eine Strafe oder eine vorbeugende Maßnahme darf nur wegen einer Tat verhängt werden, die unter eine ausdrückliche gesetzliche Strafdrohung fällt und schon zur Zeit ihrer Begehung mit Strafe bedroht war.» Der Grundsatz ist uralt und findet sich schon bei Ulpian Dig. 50, 16, 131, 1: poena non irrogatur, nisi quae quaque lege vel quo alio iure specialiter huic delicto imposita est. «Die Zufügung einer Strafe setzt ein Strafgesetz voraus (nulla poena sine lege).» Er wurde wieder aufgegriffen von *Feuerbach*, Lehre des gemeinen in Deutschland gültigen peinlichen Rechts (11. A. 1832) 19. Er wurde Kraft gesetzt für den Nürnberger Kriegsverbrecherprozess im Londoner Viermächteabkommen v. 8.8.1945 mit den neuen Tatbeständen der Verbrechen gegen die Menschlichkeit und des Angriffskrieges. Angesichts der Nazigräuel war dies verständlich; man hätte vielleicht die Aufhebung des Grundsatzes in aussergewöhnlichen Fällen thematisieren sollen, MERKEL, Das Recht der Nürnberger Prozesse (1947) 82. KELSEN, ILQ 1947, 153 ff. hat eine völkerrechtliche Geltung von nulla poena bestritten. Notwendig gewesen wären rückwirkende Tatbestände allerdings nicht, denn die tausendfach begangenen Morde und andere Verbrechen hätten für eine Verurteilung der Täter völlig ausgereicht. – Heute gilt das Römische Statut des Internationalen Strafgerichtshofs v. 17. Juli 1998 und die entsprechenden Delikte sind in den einzelnen Ländern unter Strafe gestellt, z.B. in Deutschland durch das Völkerstrafgesetzbuch vom 26. Juni 2002 dazu unten IX 2.

Art. 7 Abs. 1 S. 1 EMRK.[306] Erforderlich ist danach eine hinreichend determinierende Bestimmtheit, sodass der Richter die Kriterien der Strafbarkeit dem Strafgesetz entnehmen kann. Der Verfassungsgrundsatz soll sicherstellen, dass wenigstens im Grundsatz die Parlamente über die Straftatbestände entscheiden und nicht die Richter, denn dies wäre Kadijustiz, wie unter dem Nationalsozialismus, wo der Grundsatz durch Bestrafung nach «gesundem Volksempfinden» ersetzt worden war (§ 2 RStGB). Aus dem Bestimmtheitsgrundsatz wird auch abgeleitet, dass die Analogie zum Nachteil des Täters (in malam partem) im Besonderen Strafrecht verboten ist.[307] Daher wird die Abgrenzung zwischen extensiver Auslegung und Analogie wichtig. Ein altes Beispiel ist der Stromdiebstahl; weil Strom keine körperliche Sache ist, hielt man einen neuen Tatbestand der «Entziehung von Energie» für nötig.[308] Das ist aus heutiger Sicht zu eng. Das gilt auch für die herrschende Meinung, der Ankauf von Schweizer Bankdaten durch dt. Finanzämter sei keine Hehlerei (solange sich die Daten nicht auf einer CD oder einem Stick befänden bzw. diese zurückgegeben würden), weil Daten keine Sachen sind. Das ist eine billige Ausrede. Es ist ein bedenklicher Werteverfall, wenn der Staat Bankdaten ankauft, die durch die strafbare Handlung des Geheimnisverrates erlangt worden sind.

---

306 «No one shall be held guilty of any criminal offence on account of any act or omission which did not constitute a criminal offence under national or international law at the time when it was committed. – Niemand darf wegen einer Handlung oder Unterlassung verurteilt werden, die zur Zeit ihrer Begehung nach innerstaatlichem oder internationalem Recht nicht strafbar war.»

307 Zur Geschichte des Analogieverbot s. *Scognamiglio*, Nullum crimen sine lege (2009) 9 ff.

308 So in Österreich, Deutschland und der Schweiz (§ 132 StGB § 248c dStGB, Art. 142 chStGB).

Zur Vermeidung von Strafbarkeitslücken nimmt man gelegentlich auch Zuflucht zu einer weiten Auslegung, die in Wahrheit schon Analogie ist. So sah man etwa in Deutschland in Salzsäure eine Waffe[309] oder in einem Damenschuh mit Bleistiftabsatz ein gefährliches Werkzeug i.S.v. § 224 I Nr. 2 StGB (gefährliche Körperverletzung), obwohl diese Subsumtion, dem gewöhnlichen Sprachgebrauch zuwiderläuft. Doch scheint sie vertretbar, weil der Unrechtsgehalt der Gleiche und die Grenze zwischen Analogie und extensiver Auslegung fliessend und nicht klar zu ziehen ist. Das deutsche Betäubungsmittelgesetz spricht von Pflanzen. Erfasst es damit auch halluzinogene Pilze? Der Bundesgerichtshof hat das bejaht,[310] obwohl Pilze nicht zu den Pflanzen zählen. Zu unbestimmt ist auch der Untreuetatbestand des «unvertretbaren» Befugnismissbrauchs (§ 153 Abs. 2 öStGB) oder der Verletzung von «Vermögensbetreuungspflichten» (Art. 158 chStGB und § 266 dStGB). Die Vorschriften enthalten durch den Verweis auf das Privatrecht ein ausserstrafrechtliches Blankett und genügen den Mindeststandards hinreichender Bestimmtheit nicht.[311] Dasselbe gilt für die zentralen Vorschriften des EG-Wettbewerbsrecht, Art. 101 AEUV (= ex-

---

309 BGHSt 1, 3.

310 In § 2 BTMG und der zugehörigen Anlage 1 war zunächst nur von Pflanzen und Pflanzenteilen die Rede. Da Pilze eine eigene botanische Spezies sind (die Wissenschaft unterscheidet flora, fauna, fungi), hat der Gesetzgeber die alte Aufzählung in Anlage 1 durch den Begriff «Organismen« ersetzt. Freilich wich nun die Definition in der Anlage vom Wortlaut des § 2 BTMG ab. Nach BGH 1 StR 384/06, Beschluss v. 25.10.2006 ändert der biologisch richtige Einwand «Pilze sind keine Pflanzen« nichts daran, dass Pilze im allgemeinen Sprachgebrauch sehr wohl zu den Pflanzen gerechnet würden. Man kaufe Pilze auch beim Obst- und Gemüsehändler (zweifelhaft).

311 Honsell FS Roth (2011) 277 ff.; ders., Der Befugnismissbrauch im Untreuetatbestand des § 153 StGB, WBl 2018, 651 ff.; JSt 2020, 309 ff.; (näher oben Fn 159); a.M. dBVerfGE 126, 170 zu

Art. 81 EGV) und Art. 102 AEUV (= ex-Art. 82 EGV), mit den äusserst vagen und unbestimmten Generaltatbeständen des Verbots wettbewerbsbeschränkender Vereinbarungen und Verhaltensweisen und des Missbrauchs von Marktmacht.[312]

Das Problem ist uralt. Schon der römische Rhetor Quintilian schrieb: si finitio infirma est, in syllogismum delabitur[313] – Eine schlechte Definition (des gesetzlichen Tatbestands) führt zur Analogie.

Selbst wenn die Bedeutung eines Begriffes klar ist, kann Streit über die Anwendung entstehen, z.B. ob Glasbausteine in einer Hausfassade «Fenster»[314] sind, Kies und Sand «Bodenschätze»[315], was «zugleich» bedeutet[316] usf. Allein schon im Abgleich mit den Fällen aus dem Leben wird also auch ein zunächst klarer Text schnell unklar. Die Auslegung ist nötig «bei jedem Gesetz, wenn es in das Leben eingreifen soll», schrieb *Savigny*.[317] Deshalb ist eine objektiv-teleologische, geltungszeitliche Auslegung unerlässlich. Denn auch

---

§ 266 dSTGB und öVfGH G 48/2018 v. 4.10.2018 zu § 153 öStGB.

312 Den Verstoss gegen das Bestimmtheitsgebot kritisieren auch RITTNER, Das Kartellverbot des Art. 81 EGV in teleologischer Reduktion, FS Huber (2006) 1095, 1114; McAllister, Die Kartell-Geldbuße (2017) 28 f. m.w.N., JETZER, recht 2013, 159 ff., TUCHSCHMID, AJP 2018, 848 ff., 857 f.

313 Institutiones oratoriae 7, 8, 2.

314 Zu Unrecht bejaht von BGH JZ 1961, 494.

315 Zu Recht verneint von BVerwGE 85, 223, 227 f.

316 Irrig nimmt BVerfGE 93, 121, 138 an, das Wort *zugleich* in Art. 14 II 2 GG bedeute *zu gleichen Teilen* und begründet u.a. damit seinen sog. Halbteilungsgrundsatz, wonach die Einkommensteuer nicht wesentlich höher als 50 Prozent sein dürfe. Die Bestimmung lautet: Eigentum verpflichtet. Sein Gebrauch soll zugleich dem Wohle der Allgemeinheit dienen. «Zugleich» heisst *gleichzeitig, auch,* und hat mit *gleichen Teilen* nichts zu tun.

317 System des heutigen römischen Rechts I (1840) 209.

wenn der Gesetzgeber alles richtig macht, lässt sich die Vielfalt des Lebens nicht immer vollständig und richtig antizipieren. Dies liegt vor allem an Gesetzen mit abstrakten Begriffen, die zum Teil einem Schuss ins Dunkle gleichen, weil man weder voraussehen kann, was für Fälle sich zukünftig ereignen, noch wie die Gerichte in Zukunft die Auslegung handhaben werden. Auf zu hohem Abstraktionsniveau misslingt nicht selten auch das distinguishing und die relevanten Unterschiede werden nicht mehr gesehen. Dafür zwei Beispiele: Das «Stealthing» (heimliches Entfernen des Kondoms während des Verkehrs) wird von einigen als Vergewaltigung qualifiziert. Seit der Verschärfung und Neufassung des Tatbestandes der Vergewaltigung nach der Nein = Nein-Debatte (§ 177 Abs. 1 u. 6 dStGB: «Eindringen in den Körper» … «gegen den erkennbaren Willen») bejahen einige Vergewaltigung trotz einvernehmlichen Verkehrs.[318] Aus dem Entfernen eines Kondoms wird also eine Vergewaltigung. In Wahrheit ist

---

318 Schon die Annahme einer Vergewaltigung bei gewaltfreiem Verkehr nach vorgängigem Nein ist nicht immer überzeugend; denn es gibt in der Tat auch heute noch Fälle einer vis haud ingrata («nicht unangenehme Gewalt»). Eine höchst bedenkliche Übertreibung des schwedischen Rechts ist jedenfalls der neue Straftatbestand der «fahrlässigen Vergewaltigung» (oaktsam våldtäkt), die angenommen wird, wenn keine ausdrückliche Zustimmung vorliegt. Der alte Satz qui tacet consentire videtur (ubi loqui potuit ac debuit) gilt also nicht mehr. Auch wenn sich die Frau auszieht und zum Mann ins Bett legt, gilt das noch nicht als Zustimmung zum Beischlaf. Bestraft wird, wer mit einer sich passiv verhaltenden Frau ins Bett geht, auch wenn die sich weder wehrt, noch nein sagt. Das bedarf keines weiteren Kommentars. Demnächst geht man am besten vorher zum Notar. Krit. gegenüber der Annahme von Vergewaltigung schon bei fehlendem Konsens und der Tendenz zur Verschärfung des Sexualstrafrechts für Deutschland z.B. TH. FISCHER, Im Recht (2016) 225, s. auch Fn 334; für die Schweiz WIEPRÄCHTIGER, AJP 2020, 924 ff. Auch das Stealthing beseitigt nach richtiger Auffassung die Einvernehmlichkeit des Verkehrs nicht (*Göhlich*, AJP 2019, 522).

das verletzte Schutzgut hier nicht der einvernehmliche und freiwillige Verkehr, sondern Selbstbestimmung, persönliche Integrität und ggf. Gesundheit. Versuchte Körperverletzung kommt nur in Betracht, wenn HIV oder eine Geschlechtskrankheit im Raum steht. Das zweite Beispiel ist noch weit gravierender: In Deutschland, Österreich und der Schweiz vertritt die Rechtsprechung die verfehlte Hypothese, dass auch der fehlerfreie medizinische Heileingriff tatbestandsmässig eine Körperverletzung sei, die lediglich durch die Einwilligung des Patienten gerechtfertigt werde und die nur bei restloser Aufklärung wirksam sei.[319] Fehlt die Einwilligung, so ist der Arzt zivilrechtlich nach Art. 41 ff. OR und strafrechtlich nach Art. 123 f. StGB verantwortlich, gleichgültig, ob der Eingriff indiziert war und unabhängig davon, ob er erfolgreich war, ja selbst wenn er lebensrettend war. Da der Chirurg ein Skalpell benutzt, das fraglos ein gefährliches Werkzeug i.S.d. Art. 123 ist, handelt es sich i.d.R. auch um den strafverschärfenden Tatbestand der gefährlichen Körperverletzung. Ist ein wichtiges Organ oder ein Glied betroffen, so liegt sogar schwere Körperverletzung vor, die mit Gefängnis bis zu 10 Jahren bedroht ist. Der deutsche BGH will – freilich inkonsequent – die strafverschärfenden Aspekte denn doch nicht berücksichtigen. Trotz Verwendung einer Zange bei der Zahnextraktion wurde ein Zahnarzt nur wegen einfacher Körperverletzung verurteilt. Begründen lässt sich dies, von dem einmal gewählten falschen Ansatz aus, freilich nicht. Die Judikatur beruht auf einer phänomenologischen

---

319 Krit. KATZENBERGER, Arzthaftung (2002) 111 ff. HONSELL, Die Haftung des Arztes für Verletzung der Aufklärungspflicht in Deutschland, Österreich und der Schweiz, Schw. ZVersR 1993, 327 ff. Allerdings kann der Straftatbestand der eigenmächtigen Heilbehandlung (§ 110 öStGB) vorliegen. – Zum sog. «informed consent» LINZBACH, Informed consent, Die Aufklärungspflicht des Arztes im amerikanischen und deutschen Recht (1980); *Laufs* MedR 1986, 163 ff.; FÜLLMILCH, Der Tod im Krankenhaus (1990) 33 ff.

Verkennung des Wesens der ärztlichen Tätigkeit und nicht, wie behauptet worden ist, auf einer sinnvollen juristischen Abstraktion.[320] Die Konstruktion von an sich gegebener Rechtswidrigkeit und ausnahmsweise eingreifender Rechtfertigung ist dieselbe wie bei einem Foul auf dem Fussballplatz. Dort sagt man, dass der Spieler durch seine Teilnahme in Verletzungen durch gewöhnliche Fouls einwilligt, wodurch die Rechtswidrigkeit entfällt. Ebenso soll die Rechtswidrigkeit der ärztlichen Tätigkeit nur dann entfallen, wenn der Patient seine Einwilligung erteilt. Es ist der alte Rechtfertigungsgrund *volenti non fit iniuria*, den schon das römische Recht kannte. Es ist aber ein Unterschied zwischen einem Foul auf dem Fussballplatz, das zu einer Bänderzerrung führt und einer lege artis vorgenommenen Operation oder der Verschreibung eines Medikamentes. In der Arzthaftung dient die Einwilligung nicht dazu, die Haftung für ein an sich vorliegendes Verschulden auszuschliessen, wie bei einem Foul, wo erst durch die Einwilligung der Vorwurf der Rechtswidrigkeit entfällt, sondern einem korrekten Eingriff das odium der Körperverletzung wieder zu nehmen, das ihm zuvor von den Juristen angeheftet worden ist. Liegt keine Einwilligung vor, so nimmt die h.L. eine Körperverletzung an; ebenso, wenn die Einwilligung unwirksam ist, weil sie auf einer unzulänglichen Aufklärung beruht. Nur der Patient, der alle Risiken und alle Alternativen kennt, könne verbindlich einwilligen. Die schlichte Betrachtung eines komplexen Phänomens durch die Juristen, welche offenbar zwischen einer Messerstecherei und dem Einsatz eines Chirurgenskalpells zunächst jedenfalls nicht unterscheiden wollen, hat also die Malaise der Aufklärungsrechtsprechung hervorgerufen. Man kann sich vorstellen,

---

[320] Vgl. dazu HONSELL, Symposium Stark (1991) 15, 19 ff. und die Diskussionsbeiträge von *Kramer* (41) und *Bucher* (42 f.), die beide die h.L. verteidigen. Ärztliches Handeln ist nicht auf eine Verletzung der Gesundheit gerichtet, sondern im Gegenteil auf ihre Wiederherstellung.

dass solche Prämissen der Juristen, die zu einer Vielzahl von Haftungsfällen führen, in denen kein Behandlungsfehler vorliegt, bei den Medizinern auf Unverständnis stossen. Ein Heileingriff stellt niemals eine Körperverletzung dar, auch dann nicht, wenn er fehlschlägt. Nicht nur im Zivilrecht, sondern – schlimmer noch – auch im Strafrecht hat sich diese unsinnige Meinung bis zum heutigen Tage gehalten. Die Juristen kommen zu solch absurden Ergebnissen, weil ihnen der Tatbestandsaufbau straf- und zivilrechtlicher Haftungsnormen, wo die «Tat» von der Rechtswidrigkeit zu trennen ist, den richtigen Blick auf das Leben verstellt. Nach h.M. ist der Heileingriff (die «Tat») an sich rechtswidrig. Ein solches Juristeneinmaleins erinnert an das vorige Jahrhundert, wo man den Betrieb einer Eisenbahn als an sich rechtswidrig und schuldhaft qualifizierte, weil es noch keine verschuldensunabhängige Eisenbahnhaftpflicht gab.

Ähnlich wie bei der Arzthaftung werden auch in anderen Berufszweigen, die Sorgfaltspflichten immer weiter verschärft. Ein Beispiel ist die Bankenhaftung. In der Anlageberatung hat die EU eine Richtlinie erlassen, die sog. *MiFID* (Markets in Financial Instruments Directive 2004/39/EG), die nun schon wieder neu gefasst und verschärft worden ist (MiFID II) und überzogene «Wohlverhaltenspflichten» enthält.

Ein Sonderfall ungerechter Haftungsausweitung war die Causa Kirch gegen Deutsche Bank.[321] Nach dem Deliktsrecht des BGB, der Schweiz und Österreichs haftet man nur für eine (auch bedingt) vorsätzliche Behauptung unwahrer Tatsachen, insbesondere bei Kreditgefährdung (§§ 824, 826 BGB); ebenso die Rsp. zu Art. 41 Abs. 2 und §§ 1293 ff. ABGB). Die grundsätzliche Nichthaftung für fahrlässig verursachte (reine) Vermögensschäden stellt keine Lücke im Deliktsrecht

321 Ausführlich dazu HONSELL, Haftung für wahre Äußerungen, ZIP 2013, 444 ff. m.w.N.

dar, sondern ist ein, freilich zunehmend erodierender Grundpfeiler der Privatautonomie, deren wesentlicher Kern die Freiheitsrechte des Einzelnen sind, die nicht durch eine zu weitgehende Haftung eingeschränkt werden dürfen. Nach der (verfehlten) Ansicht von BGHZ 166, 84 ff. macht jedoch auch eine Äusserung über wahre und allgemein bekannte Tatsachen haftpflichtig, wenn zwischen den Parteien ein Vertrag besteht. Das trifft aber nur für geheimhaltungspflichtige Tatsachen zu, nicht für allgemein bekannte Umstände. Auch verstösst es gegen den alten römischen Satz, dass man für einen fahrlässig falschen Rat oder eine Auskunft nicht haftet. *Jhering* (JhJb 1861, 12 f.) hat den Grund dieser Regelung plastisch umschrieben: «Alle Unbefangenheit der Conversation wäre dahin, das harmloseste Wort würde zum Strick.» Der BGH hatte aber über die Frage der Kausalität der Äusserung im Feststellungsverfahren (zu Unrecht) nicht entschieden, weil diese dem Betragsverfahren vorbehalten bleiben könne. Schon die alte Unterscheidung zwischen haftungsbegründender und haftungsausfüllender Kausalität hätte den BGH von dieser Vorgangsweise abhalten müssen und die Fehlentscheidung in der Causa vermieden. Denn das OLG München hat die Kausalität dann rechtsfehlerhaft bejaht. Breuer, der damalige Vorstandssprecher der Deutschen Bank, hatte sich am 3. Februar 2002 in einem Interview mit dem Wirtschaftsnachrichtendienst Blomberg TV über die in finanzielle Schwierigkeiten geratene Kirch-Gruppe folgendermassen geäussert:

> Bloomberg TV: «Die Frage ist ja, ob man mehr ihm [sc. Kirch] hilft, weiterzumachen.»
>
> Breuer: «Das halte ich für relativ fraglich. Was alles man darüber lesen und hören kann, ist ja, dass der Finanzsektor nicht bereit ist, auf unveränderter Basis noch weitere Fremd- oder gar Eigenmittel zur Verfügung zu stellen. Es können also nur Dritte sein, die

> sich gegebenenfalls für eine – wie Sie gesagt haben – Stützung interessieren.»

Wenn der Finanzsektor, wie auch das Berufungsgericht – vom BGH bestätigt – rechtsfehlerfrei festgestellt hatte, nicht mehr bereit war ... weitere Fremd- oder gar Eigenmittel zur Verfügung zu stellen, was schon vor dem Breuer-Interview in den Zeitungen gestanden hatte, so kann nur diese Tatsache für den Zusammenbruch der Kirch-Gruppe kausal gewesen sein und nicht das Interview, das diese, bereits feststehende und allgemein bekannte Tatsache nur wiederholt hatte. Die Ursachen schliessen sich gegenseitig aus. Beide zugleich können nicht kausal gewesen sein. Obwohl also die übermässige Verschuldung der Kirchgruppe für deren Untergang kausal war und nicht das Breuer-Interview, hat die beklagte Bank auf Druck des Gerichts schliesslich einen Vergleich über mehr als 800 Millionen abgeschlossen. Das Geld erhielt die Kirchgruppe und der Konkursverwalter, der die Forderung gegen Beteiligung am Prozessergebnis abgetreten hatte. So kam das Geld neben den Kirch'schen Erben schliesslich anderen Gläubigerbanken zugute, die von der Deutschen Bank nur unterschied, dass sie kein Interview gegeben hatten.

Die Fälle zeigen, wie schwer sich auch die Justiz mit der Gerechtigkeit tut.

VI. Kapitel: Gerechtigkeit und Strafe

1. Strafe und Strafzweck

Justitia hält in der einen Hand die Waage, in der anderen das Schwert, das die strafende Gerechtigkeit symbolisiert.[322] Das ist die dunkle Seite der Gerechtigkeit. **Strafrecht** und **Gerechtigkeit** stehen insofern in einem apriorischen unauflöslichen Gegensatz als die strafende Gerechtigkeit den rigor iuris verkörpert (das starre und strenge Recht) und nicht die misericordia (Barmherzigkeit). Strafrecht ist strenges Recht, das Billigkeit und Erbarmen gerade ausschliesst. Umso auffälliger ist es, dass im Publikum die Gerechtigkeit oft mit einer strengen Strafe assoziiert wird.

---

[322] Das Schwert steht für das Strafrecht und mit Vergeltung und Abschreckung für eine gänzlich andere, Schrecken verbreitende Gerechtigkeit. Fiat iustitia et pereat mundus – Es soll Gerechtigkeit geschehen, auch wenn darüber die Welt zugrunde geht (oder auch ruat coelum – und wenn der Himmel einstürzt), war angeblich der Wahlspruch Kaiser Ferdinand I. (1503–1564). – Ein besserer Sinn ergibt sich, wenn man *aut* statt *et* liest, es heisst dann nicht *und wenn* darüber die Welt zugrunde geht, sondern, *weil sonst* … Diese Version findet sich bei König Friedrich Wilhelm I. von Preussen, als er das auf lebenslange Festungshaft lautende Urteil gegen Katte in einer so skandalösen wie unmenschlichen Order in ein Todesurteil umwandelte, (vgl. KLOOSTERHUIS, Katte. Ordre und Kriegsartikel. Aktenanalytische und militärhistorische Aspekte einer «facheusen» Geschichte. [2006] 88). – S. zu dem Wahlspruch noch *Liebs* RIDA 61 (2014) 83 ff., der freilich eine andere, wenig überzeugende Deutung bevorzugt: «Die Justiz muss ihren Lauf nehmen und weltliche Protzerei und Übermut sollen untergehen.»

Die Geschichte ist voller barbarischer Strafen[323]: Das Kreuzigen von Sklaven und Ausländern im antiken Rom, das Verbrennen von Hexen oder Häretikern vom Mittelalter bis in die Neuzeit, Das Hängen von Ladendieben (noch im neunzehnten Jahrhundert in England usw.).

Die Notwendigkeit des Strafens führt zu den Strafzwecken, über die man sich seit der Antike Gedanken gemacht hat. Den uralten Strafzweck der Vergeltung, Sühne oder Rache lehnte schon Aristoteles ab (Nik. Eth.1132b):

> δοκεῖ δέ τισι καὶ τὸ ἀντιπεπονθὸς εἶναι ἁπλῶς δίκαιον, ὥσπερ οἱ Πυθαγόρειοι ἔφασαν: ὡρίζοντο γὰρ ἁπλῶς τὸ δίκαιον τὸ ἀντιπεπονθὸς ἄλλῳ. τὸ δ' ἀντιπεπονθὸς οὐκ ἐφαρμόττει οὔτ' ἐπὶ τὸ νεμητικὸν δίκαιον οὔτ' ἐπὶ τὸ διορθωτικόν: καίτοι βούλονταί γε τοῦτο λέγειν καὶ τὸ Ῥαδαμάνθυος δίκαιον: εἴ κε πάθοι τά τ' ἔρεξε, δίκη κ' ἰθεῖα γένοιτο – πολλαχοῦ γὰρ διαφωνεῖ. – Einige glauben nun, die Vergeltung sei einfach nur gerecht, wie die Pythagoreer gesagt haben. Sie bestimmten das einfach nur Gerechte als das, was man von einem andern als Vergeltung erfährt. Doch die Vergeltung stimmt weder mit der verteilenden, noch mit der korrigierenden Gerechtigkeit überein, obschon man meint, der Satz des Radamanthys über die Gerechtigkeit wollte dies sagen: Wenn er leidet, was er getan hat, ist richtiges Recht geschehen. – Doch der Widerspruch ist vielfach.

Die Rachegöttin Nemesis leitet ihren Namen von νέμειν (nemein) ab, was nicht nur zuteilen bedeutet, sondern auch

---

[323] Zum Beispiel kannte die Constitutio Criminalis Carolina Karls des V. noch im Jahre 1532 n.Chr. in Art. 192 folgende mittelalterliche Todesstrafen: Verbrennen, Ertränken, Vierteilen, Rädern, Hängen, Pfählen, Lebendig begraben.

vergelten, rächen heissen kann.[324] Abgelehnt wird insbesondere die uralte Talion, die Vergeltung mit dem gleichen Übel: Auge um Auge, Zahn um Zahn (§ 192 Codex Hammurabi, um 1800 v. Chr.). Die Todesstrafe für vorsätzliche Tötungsdelikte (Genesis 9:6: Wer Blut vergiesst, dessen Blut soll durch Menschen vergossen werden). Der Talionsgedanke brachte auch Spiegelstrafen hervor, wie Handabhacken für Diebstahl oder Zungeabschneiden für Meineid.

Schon früh finden sich allerdings Differenzierungen und Einschränkungen: So sollte nach einem alten auf den König Numa zurückgehenden Gesetz die Todesstrafe bei fahrlässigen Taten nicht Platz greifen. Si telum manu magis fugit quam iecit aries subicito – Wenn der Speer der Hand mehr entflohen ist als dass er ihn geworfen hat, so soll ein Schafbock (sc. Sündenbock) gegeben werden (XII Tafeln VIII 24a).

Auch in der klassischen lat. Antike hatte man den archaischen Rache- und Vergeltungsgedanken sowie Talion oder Spiegelstrafen bereits überwunden und allein auf die Generalprävention abgestellt:

Seneca de ira I 16 «nam, ut Plato ait, *nemo prudens punit*, quia peccatum est, sed ne peccetur; revocari enim praeterita non possunt, futura prohibentur», sowie II 31. «ergo nec homini nocebimus, quia pecavit, sed ne peccet» – Kein Vernünftiger straft, weil gefehlt worden ist, sondern damit nicht gefehlt wird. Auch *Ulpian* (Dig. 48, 19, 1) kennt nur die Generalprävention: «poena ad paucos ut metus ad omnia perveneat» – Strafe für wenige, damit die Furcht alle erfasst.

In der Aufklärung hat Cesare *Beccaria*[325] (1738–1794) den (ausschliesslichen) Präventionsgedanken wieder aufgegriffen und sich auch gegen die Todesstrafe ausgesprochen:

---

324 Zu νέμειν und νόμος s. oben Fn 62.

325 *Beccaria*, Dei delitti e delle pene (1764/1905) § 15 u. 16.

> «Der Zweck [sc. der Strafe] ist also kein anderer, als den Verbrecher daran zu hindern, seinen Mitbürgern neuen Schaden zuzufügen, und die anderen von gleichen Handlungen abzuhalten. Es verdienen also die Strafen und die Art ihrer Auferlegung den Vorzug, die unter Wahrung der Angemessenheit den lebhaftesten und nachhaltigsten Eindruck auf die Gemüter der Menschen machen und dabei dem Schuldigen möglichst geringes körperliches Leid zufügen.»

So war es ein echter Schritt in Richtung Aufklärung und Überwindung des Irrationalen, als im 19. Jahrhundert rationale Strafzwecke wieder die Oberhand gewannen. Jetzt hiess es erneut: *punitur ne peccetur*. Ein Protagonist der Generalprävention war *Anselm von Feuerbach*, für die Spezialprävention hat sich *Franz von Liszt* (der Vetter des gleichnamigen Komponisten) ausgesprochen, was *Kant* als «teilnehmende Empfindelei einer affektierten Humanität» (457) diffamiert hat. Bei *Kant* war die Strafe zweckfrei, absolut. Er schrieb in der Metaphysik der Sitten:[326] «Richterliche Strafe [...] muss jederzeit nur darum wider den Verbrecher verhängt werden, weil er verbrochen hat.» Die Idee der Strafe als Selbstzweck ging bei *Kant* so weit, dass er sich (a.a.O. 333) zu der irrationalen Behauptung hinreissen liess:

> «Selbst wenn sich die bürgerliche Gesellschaft mit aller Glieder Einstimmung auflösete (z.B. dass ein eine Insel bewohnendes Volk beschlösse, auseinanderzugehen und sich in alle Welt zu zerstreuen), müsste der letzte im Gefängnis befindliche Mörder vorher hingerichtet werden, damit jedermann das widerfahre, was seine Taten wert sind, und die Blutschuld nicht auf dem Volke hafte, das auf diese Strafe

326 Metaphysische Anfangsgründe der Rechtslehre, 1797 – AA VI 331 ff.

> nicht gedrungen, weil es als Teilnehmer an dieser öffentlichen Verletzung der Gerechtigkeit betrachtet werden kann.»

Auch in der Philosophie *Hegels* verlangt die Weltordnung eine Reaktion auf die Straftat. Strafe ist dort die Negation der Negation. Der Rechtsbruch wird durch die Strafe geheilt. Immerhin ist insofern eine gewisse Aufklärung zu konstatieren, als die Strafe nicht der Befriedigung persönlicher Rache- oder Genugtuungsbedürfnisse dient und auch nicht zur Abwehr von Nachteilen für das Volk nötig ist, sondern allein Verwirklichung einer abstrakten, strafenden Gerechtigkeit.

Kant und *Hegel* hielten die Prävention für einen Verstoss gegen die Menschenwürde (sic!) und vertraten die Position der Vergeltung. So heisst es bei Hegel (§ 99 Zusatz): Die Präventionstheorie verstehe die Strafe so, wie wenn man gegen einen Hund den Stock erhebt. Man behandle den Täter nicht nach seiner Ehre und Freiheit, sondern wie einen Hund. Die Vorstellung, dass Strafe die Ehre des Verbrechers sei, ist uns aber heute fremd und ungeachtet der Meinungsverschiedenheiten über die Strafzwecke muss in einer modernen Straftheorie die Generalprävention an die Stelle der Rache (oder Sühne) treten.

Gegen *Kant* hat sich insbesondere *Schopenhauer*[327] gewandt:

> «Alle Vergeltung des Unrechts durch Zufügung eines Schmerzes, ohne Zweck für die Zukunft, ist Rache und kann keinen anderen Zweck haben, als durch den Anblick des fremden Leidens, welches man

---

[327] Die Welt als Wille und Vorstellung I/2 § 62, 433; dazu *J. Petersen* 47 ff. – Noch heute wird die atavistische Sicht von *Kant* und *Hegel* vertreten, z.B. von HASSEMER, Warum Strafe sein muss. Ein Plädoyer[2] (2009); dagegen HÖRSTER, Muss Strafe sein? (2012), der für (die allein vertretbare) Generalprävention plädiert. Ein nicht einleuchtendes Plädoyer für die Talion bei E. BUCHER, Zur Lügenkultur genannt political correctness, FS Adomeit (2008) 95 ff., 112 ff.

> selbst verursacht hat, zu trösten. Solches ist Bosheit und Grausamkeit und ethisch nicht zu rechtfertigendes Unrecht.»
>
> «Wir strafen, um uns von neuen Verbrechen zu sichern nie wegen des Vergangenen, sondern wegen des Künftigen zum gemeinsamen Nutzen nach gemeinsamer Übereinkunft nicht aber wie Kant sagt ‹weil er verbrochen hat› – das wäre Rache.»

Neben der Strafe gibt es Massregeln, die 1933 durch das NS-Terror-Regime stark vermehrt wurden (z.B. Arbeitshäuser, Kastration). Nach dem Krieg hat man die schlimmsten Auswüchse zurückgeschnitten, aber Massregeln der Sicherung und Besserung (die es zum Teil auch vorher schon gegeben hatte) beibehalten. Die Überschrift in § 42a (heute § 61 StGB) hat man umgedreht: «In § 42a werden die Worte Sicherung und Besserung durch die Worte Besserung und Sicherung ersetzt.» Damit sollte der Vorrang der Spezialprävention zum Ausdruck gebracht werden. Diese kosmetische Änderung zeigt die Unsicherheit in Bezug auf die Spezialprävention. Denn jedermann weiss, wie prekär die Besserung in Strafanstalten ist. Die Anordnung der Sicherungsverwahrung nach § 66 StGB ist auch *neben* lebenslanger Freiheitsstrafe zulässig.[328]

In der Lehre von den **Strafzwecken** gilt heute eine Mischform, die sog. Vereinigungstheorie, die immer noch die Rache kennt, wenn auch in der abgeschwächten Form der Sühne und die Spezial- und Generalprävention danebenstellt. Weniger selbstgerecht und prätentiös, neutraler und bescheidener wäre es, jedenfalls die Sühne schon wegen des Determinismusproblems und der neurowissenschaftlich bezweifelten

---

328 BGHSt NJW 2013, 3735 ff. – mehrfach verurteilter Vergewaltiger, Verdeckungsmord; einschränkend zur nachträglich angeordneten Sicherungsverwahrung BVerfGE 133, 40 ff.

Willensfreiheit und damit der Schuld und Verantwortung beiseitezulassen und den Zweck der Strafe neben einer gewissen Abschreckung einfach in der Notwendigkeit der Aufrechterhaltung der öffentlichen Ordnung zu sehen, die Strafen erforderlich machen.[329] Insbesondere muss der Staat als Inhaber des Gewaltmonopols auch für die Verfolgung der Straftäter und für die Vollziehung der verhängten Strafen sorgen. Die namentlich in Deutschland häufig zu hörende Klage, dass die Justiz überlastet und die Gefängnisse überfüllt seien, ist ernst zu nehmen. Dazu gehört neben einer entsprechenden finanziellen Ausstattung allerdings auch die Vereinfachung des Rechts und die Reduzierung der vielen Straftatbestände. Dabei sollte man mit Freiheit und Würde der Bürger sorgsamer umgehen als es die heutigen Parlamente tun, die am laufenden Band neue und schärfere Strafen beschliessen. Kritikwürdig sind auch viel zu weite Strafrahmen, die den Gerichten einen (zu) grossen Spielraum lassen und zu einer verfassungsrechtlich nicht akzeptablen Ungleichbehandlung führen. So fällt z.B. in Deutschland auf, dass die Strafen im Süden härter sind als im Norden. Die Definition einer «geringen Menge» (eines Betäubungsmittels, § 31a BtMG) variiert von Land zu Land.

Ein anderes Thema, auf das hier nicht eingegangen werden kann, sind Verbesserungen des inhumanen **Strafvollzugs**. Die mit der Freiheitsstrafe notwendig verbundene Freiheitsbeschränkung muss so gering wie möglich gehalten und die Würde des Menschen so weit wie möglich geachtet werden. Wo es vertretbar erscheint, sind Freiheitsstrafen durch andere

---

329 Diese Einsicht hatte bereits *F. v. Liszt* der 1893 schrieb: «Für den Deterministen kann es nur eine Rechtfertigung der Strafe geben: Ihre Notwendigkeit zur Aufrechterhaltung der Rechtsordnung» (*Liszt*, Die deterministischen Gegner der Zweckstrafe, Ges. Aufs. u. Vortr. II 25, 51). Zur Willensfreiheit s. auch oben Fn 93.

Massnahmen zu ersetzen, z.B. durch Hausarrest, elektronische Fussfessel und regelmässige Meldung bei der Polizei (vgl. aber auch unten 3).

2. Ungerechte und harte Strafen

Ungerechte Strafen stellen staatliches Unrecht gegenüber einzelnen Bürgern dar und sind primär aus diesem Grund nicht hinnehmbar. Langfristig negativ sind aber auch die Auswirkungen auf die Öffentlichkeit. Im Kommunikationszeitalter werden ungerechte Urteile auch im Publikum diskutiert und führen dort zu erodierendem Rechtsbewusstsein einerseits und mangelnder Rechtsakzeptanz andererseits. Neben dem Verfehlen der Gerechtigkeit sind Rechtsunsicherheit und Staatsverdrossenheit gravierende Folgen.

Eine Fehlentwicklung ist leider auch der Europäische Haftbefehl, der, an sich ein Fortschritt, heute dazu führt, dass Verfolgte auch wegen rechtsstaatlich unhaltbarer Vorwürfe ausgeliefert werden. Denn zunehmend werden rechtsstaatlich fragwürdige Verfolgungsaktionen ungeprüft auch in anderen Ländern vollzogen. Der Rechtsstaat wird in Europa nicht nur in Russland und Belarus, in Polen und Ungarn missachtet. Eine gewisse, wenn auch weit gerinfügigere Beeinträchtigung ist auch anderswo feststellbar. Ein krasses Beispiel ist die Strafverfolgung des katalanischen Regierungpräsidenten Puigdemont, der von Spanien wegen Rebellion und angeblicher Untreue gesucht, von Deutschland[330] bei der Durchreise

330 Das erweckt ungute Erinnerung: Schon einmal ist ein katalanischer Regierungspräsident von Deutschland ausgeliefert worden. Der Sozialist und Freiheitskämpfer Lluís Companys, der vor dem Franco-Regime nach Frankreich geflohen war, wurde dort von der Gestapo aufgegriffen und an Spanien überstellt. Er wurde 1940 in Barcelona hingerichtet.

verhaftet wurde und wegen der Untreue auch ausgeliefert worden wäre. Daraufhin verzichtete das spanische Gericht, das ihn wegen Rebellion verurteilt hatte, auf die Auslieferung. Später wurde er in Sardinien erneut verhaftet. Ein weiteres Beispiel ist der Privatdetektiv Julian Hesselthaler, der Urheber des Ibiza-Videos, der von der österreichischen Justiz mittels Europäischen Haftbefehls wegen Erpressung und heimlicher Video-Aufnahme gesucht und von Deutschland mit modernen Polizeimethoden (Funkzellenabfrage usw.) aufgegriffen und ohne weiteres ausgeliefert worden ist. Inzwischen hat Österreich diese Vorwürfe fallen lassen, verzichtet aber nicht darauf, den «Boten der schlechten Nachrichten» weiterhin zu verfolgen und macht jetzt angebliche Drogenverkäufe geltend, für die sich dubiose Zeugen gefunden haben. Zweifelhafte Rechtsstaaten können also den Haftbefehl missbrauchen, um ihrer Opfer habhaft zu werden. Sie müssen nur noch ein konstruiertes, nichtpolitisches Delikt behaupten. So verbreitet sich das Unrecht über ganz Europa. Ein weltweit abschreckendes Beispiel ist die Verhaftung von Julian Assange in London, der von Grossbritannien rechtswidrig an die USA ausgeliefert werden soll und dem 150 Jahre Gefängnis wegen Geheimnisverrats drohen, weil er Kriegsverbrechen der USA öffentlich gemacht hat.

Unverständlich ist die Härte der meisten Strafen in modernen Gesetzbüchern. Weder dienen sie ausschliesslich der Prävention noch sind sie angemessen. Betrachtet man den Eifer mancher Parlamente im Beschliessen neuer oder höherer Strafen, so wird deutlich, dass in Wahrheit atavistische Rache- und Sühnegedanken wieder die Oberhand gewonnen haben. Sie folgen damit dem vermeintlichen Rechtsempfinden des Publikums, das die Strafen in spektakulären Prozessen häufig für zu milde hält, was meist auf Unkenntnis des wirklichen Sachverhalts infolge verkürzter und vereinfachter Medienberichterstattung beruht (*Janisch*, SZ v. 29.12.2018). Zu beobachten ist auch eine um sich greifende Illiberalität (im

Sexualstrafrecht: Prüderie), die vorschnell neue Straftatbestände schafft, wie man sie aus den USA kennt, wo sich die absurdesten Beispiele fragwürdiger Tatbestände und überzogener Strafen finden. Dort wird selbst das grösste Legalunrecht und aufaddierte Einzelstrafen von 99 Jahren und mehr mit einem Achselzucken quittiert: It's the law.[331]

---

[331] Vgl. HONSELL, Amerikanische Rechtskultur in FS Zäch (1999) 39 ff. Nach dem kalifornischen Three Strikes Law, das nach einer Regel des Baseballspiels («three strikes and you are out») gebildet und benannt ist, wird man z.B. schon wegen drei geringfügiger Delikte, wie Diebstahl, Besitz von Kokain oder Fahren ohne Führerschein (usw.) 25 Jahre oder gar lebenslänglich eingesperrt. Dies, obwohl das Gesetz eine serious felony (ernstes Verbrechen) verlangt. Der US-Supreme Court hat diese menschenverachtende Praxis gebilligt und erklärt, es sei kein Verstoss gegen das 8. Verfassungsamendment, das cruel and unusual punishment verbietet. 7000 Menschen sitzen wegen dieses barbarischen Gesetzes in Kalifornien im Gefängnis und bundesweit sind ca 1 Prozent der Bevölkerung der USA inhaftiert. Die USA sind im Einsperren weltweit mit grossem Abstand führend (auch vor China), verhängen und vollstrecken absurde Freiheitsstrafen und inhaftieren sogar Kinder. Unsinnig harte Strafen für Wiederholungstäter, keine Gesamtstrafenbildung, sondern Addierung aller Einzelstrafen; für den Anbau von Cannabis sollen Strafen bis zu 150 Jahren verhängt worden sein; lebenslang für das Backen und Verkaufen von Cannabiskeksen, 99 Jahren wegen Kindesmisshandlung usw. Solche und andere Absurditäten werden über das Strafrecht in den US-amerikanischen Bundesstaaten berichtet. Es ist haarsträubendes Unrecht, das offenbar von der Bevölkerung gutgeheissen, oder jedenfalls toleriert wird. Strafen, welche die Lebenserwartung des Täters um ein Mehrfaches übersteigen, sollen ihm offenbar jede Hoffnung auf eine vorzeitige Haftentlassung nehmen. Eine unter Bewährungsauflage entlassene Strafgefangene, die nicht wusste, dass sie unter diesen Bedingungen nicht wählen durfte, hat ein texanisches Gericht zu fünf Jahren Gefängnis wegen Wahlfälschung verurteilt. Die Liste drakonischer und ungerechter Strafen liesse sich beliebig fortsetzen. Beurteilt man ein Staatswesen nach

Die Generalprävention musste in der Geschichte schon für vieles herhalten, zuletzt für barbarische Strafen zur Eindämmung des Flüchtlingsstroms (vgl. dazu auch unten IX 3). Die absurdesten Urteile finden wir dazu neben Italien in Griechenland, wo sich das Parlament im Kampf gegen das Schleppertum zu einer kollektiven Untat hat hinreissen lassen. Die Schlepper werden mit 15 Jahren bestraft, pro Flüchtling! Dazu kommt noch eine Geldstrafe von 200 000 EUR, ebenfalls pro Flüchtling. Die Richter auf Lesbos verurteilen Täter mit 20 Flüchtlingen im Boot im Schnellverfahren zu Gefängnisstrafen von 300 Jahren und Geldstrafen von 4 Millionen. Es sind selten die Drahtzieher, sondern meist arme Leute, die nur das Boot gesteuert haben und oft selber Flüchtlinge sind. Einmal wurde ein Kurde verhaftet, der selbst Flüchtling war und nur das Pech hatte Englisch zu können. Als der Motor ausgefallen war, hatte er auf Bitten der Schlepper hin die Küstenwache verständigt. Wegen dieses Anrufs war er 13 Monate in Haft, ehe er freikam. (*Spiegel* Heft 7 v. 8.2.2020 Ausland/Griechenland). Die griechische Praxis ist Staatsterror und Justizbarbarei, ein Verbrechen gegen die Menschlichkeit, das am Internationalen Strafgerichtshof in Den Haag angeklagt werden müsste. Die Opfer müssten vom Menschenrechtsgerichtshof in Strassburg aus den Klauen der griechischen Justiz befreit werden. Stattdessen eilen europäische Politiker an die griechisch/türkische Grenze und bekunden dort ihre Bereitschaft zur Verteidigung der Europäischen Aussengrenze. Auch wenn Europa seine Aussengrenzen schützen muss, kann es diese in extremen Notsituationen nicht quasi sakralisieren und jedes Mass und jegliche Huma-

---

seiner Strafrechtspraxis und seinen Gefängnissen, fällt das Urteil über die USA verheerend aus. Man wird sehen, ob die geplante Reform Verbesserungen bringt.

nität über Bord werfen, nur um einen angeblichen Kontrollverlust zu vermeiden und rechte Wähler zu gewinnen. (Zum Flüchtlingsproblem s. unten IX 2).

Babarisch ist die *Todesstrafe*, die noch in 24 Ländern praktiziert wird, darunter den USA und China. Vor 250 Jahren schrieb *Cesare Beccaria* über sie: «Wenn ich den Beweis erbracht habe, dass die Todesstrafe weder nützlich noch notwendig ist, dann habe ich die Sache der Menschheit gewonnen.» Da sie gegen das Recht auf Leben, gegen die Menschenwürde und gegen das Folterverbot verstösst, ist sie in 142 zivilisierten Ländern abgeschafft oder wird nicht mehr angewandt. Noch heute werden allerdings weltweit jährlich mehrere Tausend Menschen hingerichtet. Amnesty International erfasste im Jahr 2017 mindestens 993 Hinrichtungen in 23 Ländern (ohne China). Neben dem Tod durch Erschiessen, Gift oder dem elektrischen Stuhl, findet sich Hängen, Enthaupten und Steinigen, in Saudi-Arabien und im Iran sogar bei öffentlichen Hinrichtungen. Religiöser Wahn führt zu barbarischen Hinrichtungsarten. Die meisten Todesurteile wurden in China, im Iran, in Saudi-Arabien, im Irak und in Pakistan vollstreckt. Weltweit befinden sich mehr als 20 000 Menschen im Todestrakt, wo sie oft jahrelang auf die Exekution warten.

Unbegreiflich ist es, dass in einigen Ländern des Islam auf *Apostasie* (Abfall vom Glauben) noch heute die Todesstrafe steht. In Deutschland gab es die Todesstrafe auf ein religiöses Vergehen zuletzt vor 250 Jahren: Der Codex Iuris Bavarici criminalis v. 1751 sah sie für wiederholte Gotteslästerung (Blasphemie) vor. Dies hatte *Feuerbach* treffend mit den Worten kritisiert: «Dass die Gottheit injuriiert werde, ist unmöglich, dass sie wegen Injurien sich an Menschen räche, ist undenkbar, dass man sie durch Strafe ihrer Beleidiger versöhnen muss, ist eine Torheit.»[332] Doch haben auch in Europa Inquisition und Hexenverfolgung viele Jahrhunderte angedauert und zahllose Opfer gefordert. Die letzte Hexe wurde nach einem Jahrhundert der Aufklärung 1782 im Kanton Glarus hingerichtet.[333]

Jenseits dieser furchtbaren Exzesse gibt es auch im **heutigen Strafrecht** leider immer noch (freilich weniger krasse) Beispiele staatlich veranstalteter Ungerechtigkeiten. So geht man z.B. mit der in Art. 2 GG garantierten Freiheit des Individuums mitunter recht bedenkenlos um. Man denke etwa an die hohen Gefängnisstrafen für Geldwäsche, Insiderhandel, Doping, Steuerhinterziehung (unten VI 2) u.v.a., ja selbst an das Sexualstrafrecht. Es sind Tatbestände, die aus beliebigem Anlass, meist nach US-amerikanischem Vorbild über das Europarecht eingeführt werden, z.B. sexuelle Handlungen mit Minderjährigen zwischen 16 und 18 Jahren, wenn dabei Geld im Spiel ist (§ 182 Abs. 2 dStGB i.d.F. seit 2008). Wer eine so junge Freundin hat, kann sie vielleicht gerade noch ins Kino einladen; Geschenke sollte er ihr nicht machen. Für Kinderpornographie waren nach der vorletzten Verschärfung des § 184b dStGB explizite sexuelle Handlungen *von*, *an* oder *vor* Kindern erforderlich. Seit 2015 sind Herstellung oder Erwerb jedweder Nacktbilder von Kindern strafbar. Die Vergewaltigung wurde zur «Vornahme sexueller Handlungen» erweitert (§ 177 Abs. 1 dStGB).[334] Das ständige Erhöhen der

---

332 Zitiert nach Paul Johann Anselm Feuerbach – ein Juristenleben, erzählt von *G. Radbruch* (1934) 86 (= Radbruch Gesamtausgabe VI 1997,124). Die Barbarei der Todesstrafe für Hexen lässt sich bis in die Bibel zurückverfolgen (2. Moses 22, 17: Hexen sollst du nicht leben lassen).

333 Über die Geschichte der Anna Göldi s. *Hasler*, Anna Göldin, letzte Hexe 1982; *Hauser*, Der Justizmord an Anna Göldi 2007.

334 Wer gegen den erkennbaren Willen einer anderen Person sexuelle Handlungen an dieser Person vornimmt oder von ihr vornehmen

Strafen gehört ebenfalls hierher. Zum Beispiel beträgt die Strafe der Vergewaltigung heute nicht unter zwei bzw. fünf Jahren und in minder schweren Fällen immer noch ein bis zehn Jahre. Fragwürdig ist auch die Strafbarkeit des Inzests (§ 173 dStGB, § 211 öStGB, Art. 213 chStGB), namentlich unter Geschwistern. Ein familiär und gesellschaftlich gut funktionierendes Tabu wie die Inzestschranke bedarf, abgesehen von den gesondert strafbaren Fällen des Kindesmissbrauchs, kaum eines zusätzlichen Strafrechtsschutzes. Auch dem Risiko der Geburt behinderter Kinder sollte mit anderen Mitteln begegnet werden als denen des Strafrechts.

So sehr man über Einzelheiten streiten mag, so fatal ist es, dass die Parlamente ständig an der Strafrechtsschraube drehen. Schwarzfahren (Erschleichen einer Leistung) kann in Österreich mit einem Monat (§ 265a öStGB), in Deutschland mit bis zu einem Jahr (§ 149 dStGB) geahndet werden, in der Schweiz absurderweise mit Freiheitsstrafe bis zu drei Jahren (Art. 150 chStGB) bestraft werden. Selbst wenn Strafen in dieser Höhe auch in Wiederholungsfällen nicht verhängt werden, bleibt der Verlust des Augenmasses in den Parlamenten bedenklich und bedauerlich. Ersatzfreiheitsstrafen bei Uneinbringlichkeit von Geldstrafen sollte man abschaffen. Schwarzfahren und ähnliche Tatbestände sollten lediglich mit Geldbussen geahndet werden. Unverhältnismässig sind auch die Strafen für Raserei nach Art. 90 Abs. 2 und 3 chSVG 2020 (SR 741.01): Gefängnis bis zu drei Jahren für grobe Verletzung von Verkehrsregeln (Abs. 2) und von einem bis zu vier

---

lässt oder diese Person zur Vornahme oder Duldung sexueller Handlungen an oder von einem Dritten bestimmt, wird mit Freiheitsstrafe von sechs Monaten bis zu fünf Jahren bestraft. Fassung aufgrund des Fünfzigsten Gesetzes zur Änderung des Strafgesetzbuches – Verbesserung des Schutzes der sexuellen Selbstbestimmung vom 4.11.2016 (dBGBl. I S. 2460); s. auch Fn 318. S. noch N. Oberholzer, Renaissance des Strafrechts? – Oder die neue Lust am Strafen, ZStrR Sonderheft 2018, 85 ff.

Jahren für vorsätzliche Verletzung elementarer Verkehrsregeln (Abs. 3). Letzteres wird automatisch angenommen, wenn jemand um 80 km/h zu schnell fährt. Das ist auch unter Berücksichtigung der Gefährlichkeit des Zuschnellfahrens eine indiskutable und bedauerliche Übertreibung des Gesetzgebers. Exzessiv ist es auch, wenn Gerichte bei Strassenrennen mit tödlichem Ausgang bedingt vorsätzliche Tötung annehmen.[335] Mit bedingtem Vorsatz handelt nur, wer den schädigenden Erfolg als möglich erkennt und in Kauf nimmt. Bewusste (grobe) Fahrlässigkeit soll dagegen vorliegen, wenn der Handelnde darauf vertraut, der Schaden werde nicht eintreten.[336] Das ähnelt dem Unterschied zwischen einem Pessimisten und einem Optimisten (das Glas ist noch halb voll – es ist schon halb leer) und ist keine brauchbare Anknüpfung für so unterschiedliche Rechtsfolgen. Die in Wahrheit fehlende Abgrenzung ist problematisch, weil Vorsatz und Fahrlässigkeit rechtsethisch und psychologisch nicht vergleichbar sind. Sie wird gleichwohl verwendet, weil sie der Judikatur einen zu grossen Urteilsspielraum eröffnet, was insbesondere eine Rolle spielt, wenn Vorsatz nahe liegt, aber als internes Faktum nicht nachgewiesen werden kann. Das verstösst aber gegen den Grundsatz in dubio pro reo, denn die grobe Fahrlässigkeit wird so zum Auffangtatbestand für nicht bewiesenen Vorsatz.

Eine amerikanische Besonderheit ist der *Racketeer influenced and corrupt organization act* 1970, dort sind die Strafen noch drastischer und statt Normen, die minimale

---

335 Kritisch GODENZI/BÄCHLI-BIÉTRY, Tötungsvorsatz wider Willen? – Die Praxis des Bundesgerichts bei Raserdelikten. In: Schaffhauser (Hrsg.), Jahrbuch zum Strassenverkehrsrecht 2009, 561 ff.; das LG Berlin (2017 u. 2019) hat sogar Mord bejaht (Tötung mit «gemeingefährlichen Mitteln»).

336 Vgl. *Gauch/Schluep/Schmid/Emmengegger* N 2964 ff.; Palandt/*Grüneberg* Komm. BGB[77] § 276 BGB N 10; HONSELL/ISENRING/KESSLER, Haftpflichtrecht[5] (2015) 51.

rechtsstaatliche Erfordernisse beachten, werden ganz verschiedene Tatbestände unter unklaren Sammelbegriffen zusammengefasst (zum Bestimmtheitsgebot s. schon V 3). Dasselbe gilt für den Tatbestand der *Verschwörung* (conspiracy), für den sogar eine Verabredung zu einem zivilrechtlichen Delikt oder einer Vertragsverletzung genügen soll. Unverständlich ist auch die gleiche Bestrafung aller Täter, selbst wenn einer nur einen geringfügigen Beitrag geleistet hat. Ebenfalls unklar, wenn auch weniger krass, sind im deutschen Recht die Tatbestände der *kriminellen* und der *terroristischen Vereinigung* (§§ 129, 129a StGB), welche die Strafbarkeit ins Vor- oder Umfeld der eigentlichen Taten verlagern und mit denen tendenziell die Vorschriften über Anstiftung und Beihilfe ausgehöhlt werden.[337] Auch im Kampf gegen organisiertes Verbrechen und kriminelle Vereinigungen müssen rechtsstaatliche Standards, wie Bestimmtheitsgebot und Verhältnismässigkeit, eingehalten werden.

3. Neue Strafen und Tatbestände

Eine auch in Europa zu beobachtende **«Erziehungs- und Bevormundungskultur»** beschränkt die Rechte des Individuums in einem überregulierten Gemeinwesen. Die Lust am Erziehen[338] und Strafen ist ausgeprägt. Die ständig wachsende Zahl von Straftatbeständen und die immer grösseren Strafrahmen sind beunruhigende Anzeichen. Will man sich ein Bild von den Eingriffen in die Freiheit des Individuums

---

337 So ist z.B. fragwürdig, dass die Hauptangeklagte im NSU-Prozess, die an den Taten der verstorbenen Täter nicht direkt beteiligt war, wegen Mittäterschaft verurteilt wurde, statt wegen Beihilfe.

338 Weniger kritikwürdig erscheint demgegenüber der Ansatz des sog. *Nudging*, einer Verhaltenssteuerung durch Anstupsen oder Schubsen, soweit sich der libertäre Paternalismus in Grenzen hält (vgl. auch Fn 73).

machen, so muss man auch die zahllosen Straftatbestände des sog. *Nebenstrafrechts* einbeziehen. Es sind die unzähligen Strafnormen, die sich in verwaltungs- und wirtschaftsrechtlichen Gesetzen finden. In Deutschland enthält das vierbändige Loseblattwerk von *Erbs/Kohlhaas/Ambs*, Strafrechtliche Nebengesetze (236. Ergänzungslieferung 2021), allein über 400 solcher Gesetze. Selbst das BVerfG[339] hat dazu festgestellt: «Neben der zunehmenden Komplexität der Fallgestaltungen infolge des wirtschaftlichen und technischen Fortschritts sowie der Globalisierung, die auch in neuen Formen grenzüberschreitender Kriminalität in Erscheinung tritt, trägt der Bundesgesetzgeber durch eine immer stärkere strafrechtliche Durchdringung vieler Lebensbereiche zu dieser Entwicklung bei. Die Regelungsdichte des materiellen Strafrechts ist in den vergangenen Jahrzehnten beständig gestiegen; dies gilt besonders für das Wirtschafts- und das Nebenstrafrecht.» Die «immer stärkere strafrechtliche Durchdringung» ist ein problematischer Euphemismus für die illiberale Schaffung immer neuer Straftatbestände. Die in dieser Feststellung liegende Kritik sollte der Gesetzgeber ernst nehmen.

Eine neue Dimension staatlicher Erziehungskultur sind Fussfesseln oder das geplante Fahrverbot bei irgendwelchen Bagatelldelikten, die in keinem Zusammenhang mit dem Strassenverkehr stehen. Das sind Massnahmen, für die sich lediglich anführen lässt, dass sie weniger gravierend sind als die Gefängnisstrafe (oben 1). Ob ein derart beliebiges Sanktionsdenken und quasi ein belastendes Sonderrecht für Autofahrer mit dem Rechtsempfinden des Publikums vereinbar und unter dem Gleichbehandlungsaspekt für vertretbar gehalten wird, muss sich erst noch zeigen.

Kein Dienst an der Gerechtigkeit war in Deutschland auch die (rückwirkende) Aufhebung der Verjährung für Mord. Zusammen mit dem Umstand, dass der BGH den Beihilfebegriff

339 2 BvR 2628/10 u.a. Rn 3.

zuletzt enorm erweitert hatte, führte das dazu, dass immer mehr (nahezu) Hundertjährigen der Prozess gemacht wurde, die an den KZ-Morden nicht beteiligt waren, sondern dort lediglich als Sekretärin oder Wachmann beschäftigt waren.

Neben *Legalunrecht* gibt es auch **Justizunrecht**. Hier ist gegen das Gesetz nichts einzuwenden, aber die Anwendung durch die Justizbehörden ist fehlerhaft. Dafür zwei beliebig herausgegriffene Beispiele aus dem Strafrecht: Nicht selten verurteilen Gerichte junge Leute, die (meist aus Protest) noch essbare Lebensmittel aus *Müllcontainern* von Supermärkten holen, z.T. wegen besonders schweren Diebstahls. Das ist doppelt fehlerhaft: Einmal, weil weggeworfene Lebensmittel derelinquiert sind, sodass an ihnen kein Eigentum mehr besteht und kein Diebstahl begangen werden kann;[340] zum anderen, weil die Strafverschärfung des Einbruchdiebstahls nach § 243 Abs. 1 und 2 dStGB (wenn die Container umzäunt oder abgesperrt sind) für geringwertige Güter nicht gilt. Staatsanwaltschaften verkennen nicht selten, dass es ihre wichtigste Aufgabe ist, die Bürger vor Denunziation zu schützen. So ist es nicht zu beanstanden, wenn die Ermittlungen in ca. 70 Prozent aller Fälle eingestellt werden. Bei der Verfolgung von Delikten müssen Strafverfolgungsorgane Augenmass bewahren, sich jeden Verfolgungseifers und jeder moralischen Entrüstung enthalten und dürfen insbesondere den Grundsatz in dubio pro reo nie aus dem Auge verlieren. Ein abschreckendes Beispiel war die Verfolgung des ehemaligen Bundespräsidenten Christian Wulff wegen Vorteilsannahme und Bestechlichkeit. Es ging um teils lächerliche Vorwürfe,

---

340 Das gilt allerdings nicht, wenn die Container dem Abfuhrunternehmen gehören und dieses noch einen Verwendungszweck für den Inhalt hat (z.B. Schweinefutter). Dann ist die Einbringung in den Container nicht Dereliktion, sondern Übertragung an die Müllabfuhr zur weiteren Verwendung.

wie Annahme eines zinsgünstigen Hauskredits von einem Bekannten, oder eines Bobby-Cars für den Sohn von einem Autohaus. Das bedarf keines Kommentars und Wulff wurde schliesslich freigesprochen, hatte aber sein Amt verloren und war jahrelang medialer Verfolgung (namentlich durch *Spiegel* und *Bild*zeitung) und einem nervenaufreibenden Strafverfahren ausgesetzt. Die verantwortlichen Staatsanwälte hat natürlich niemand zur Rechenschaft gezogen.

Ein anderes Beispiel ist die nach US-amerikanischem Muster eingeführte *Kronzeugenregelung* (§ 46b dStPO, § 209 öStPO), die den Mittäter begünstigt, der die anderen verrät. In Strafverfahren nehmen nach US-amerikanischem Vorbild *deals* zwischen Täter und Staatsanwalt überhand, bei denen eine mildere Strafe für ein Geständnis ausgehandelt oder das Verfahren gegen Geldauflage gleich ganz eingestellt wird. In Deutschland gibt es ein ähnliches Instrument mit dem durch das sog. «Verständigungsgesetz» neu gefassten § 257c StPO.[341] Im Fall des früheren Formel 1-Bosses Ecclestone hat derselbe Münchener Richter, der einen ehemaligen Vorstand der Bayern LB wegen passiver Bestechung (Untreue und Steuerhinterziehung) für achteinhalb Jahre ins Gefängnis geschickt hatte, den dieser aktiven Bestechung beschuldigten Ecclestone (der nachweislich 44 Millionen USD an den Banker gezahlt hatte) wegen geringer Schuld und unklarer Beweislage gegen Geldauflage von 100 Millionen USD (nach § 153a dStPO) laufen lassen. Auch wenn es Unterschiede in den Verfahren gab – der Banker hatte gestanden, Ecclestone hingegen hatte behauptet, erpresst worden zu sein – lässt sich diese Ungleichbehandlung nicht rechtfertigen. Ecclestone hat, wenn man so will, dem Staat den Strafanspruch, wie bei einem Ablasshandel, abgekauft. Die Staatsanwaltschaft wollte 100 Millionen deshalb die Dollar. Das ist mehr als das dreifache der höchst-

[341] Krit. dazu oben bei Fn 161.

möglichen Geldstrafe. Wie geringe Schuld und 100 Millionen USD zusammenpassen, kann die Justiz nicht plausibel erklären. Der Fall geht in die Rechtsgeschichte ein, einerseits als Beispiel für einen gravierenden Verstoss gegen das gerade von der Strafjustiz streng einzufordernde *Gleichbehandlungsgebot* und andererseits für eine inakzeptable *Kommerzialisierung* der *Strafrechtspflege*.[342] Das Letztere gehört wiederum zu den mehrfach erwähnten, leider zahlreichen **US-amerikanischen Rechtsstaatsdefiziten**, die nach Europa herüberschwappen. Die US-Justiz kassierte namentlich von Banken viele Milliarden für die Einstellung von Strafverfahren, was beinahe noch schlimmer ist als die an Geschädigte gezahlten punitive damages, denn das den Unternehmen und Aktionären weggenommene Geld kommt meist nicht den Geschädigten zugute. Betrachtet man die scheinheilige moralische Entrüstung, die amerikanische Behörden bei der Verfolgung von Volkswagen in der Dieselaffäre an den Tag gelegt haben, im Vergleich zu ihrer Untätigkeit in der Hauskredite- und CDO-Affäre (soweit sie amerikanische Unternehmen betraf), so kann man feststellen, dass mit zweierlei Mass gemessen wird.

Unternehmens- und **Verbandsstrafen**, in Milliardenhöhe, die kumulativ zu der Bestrafung der fehlbaren Einzelpersonen hinzutreten, haben wenig Präventionswirkung und sind eine Fehlentwicklung, die namentlich in den USA vor allem den Effekt hat, Milliardensummen in die öffentlichen Kassen zu spülen. Bislang galt der Grundsatz *societas delinquere non potest*: eine Jur. Person kann (mangels Verschuldens) kein

[342] Von einer Ökonomisierung auf Kosten der Wahrheitsfindung spricht *Ignor*, Wahrheit und Gerechtigkeit als Ziel des Strafverfahrens, in: Müßig (Hrsg.), Ungerechtes Recht (2013) 1 ff., 17 ff.

Delikt begehen. Dieser Grundsatz ist unter US-amerikanischem Einfluss mehr und mehr aufgeweicht worden.[343] Im Unternehmensbereich laufen die Neuerungen auf eine Doppelbestrafung und auf eine Enteignung der Anteilseigner hinaus.[344] So verhängten die Staatsanwaltschaften, in der «Dieselaffäre» gegen den VW-Konzern unverhältnismässig hohe Bussgelder von 2,3 Milliarden EUR nach dem Gesetz über Ordnungswidrigkeiten wegen Verletzung der Aufsichtspflicht (sic!), da das deutsche Strafrecht solche Unternehmensstrafen (noch) nicht hergibt. Die Amerikanisierung des Europäischen Rechtswesens schreitet leider ungehindert fort. Auch anderen Herstellern drohen Bussen in einer Höhe, welche gerade jetzt notwendige Investitionen erschweren. Ein französisches Gericht verurteilte die UBS wegen Beihilfe zur Steuerhinterziehung zu einer Strafe von 3,7 Milliarden EUR zuzüglich 800 Millionen Schadenersatz. All das dient der Geldbeschaffung, hat aber mit Recht oder Moral nichts zu tun. Der UBS-Whistleblower (?) erhielt von der US-Regierung eine Belohnung von 104 Millionen USD.[345]

Die **EU** hat inzwischen sogar zahlreiche **Strafen für Staaten** im Programm, von der Nichteinhaltung des *Staatsdefizits* über die Verfehlung der Klimaziele (oben II 1 u. unten IX 3) bis zum *Leistungsbilanzüberschuss*, alles kann und soll bestraft werden. Einen defizitären Staat mit Milliardenstrafen zu bedrohen, ist aber ebenso sinnlos wie Strafen für Leistungsbilanzüberschüsse, die ein Staat gar nicht ohne Weiteres regulieren kann.[346] Ganz abgesehen davon, dass selbst und

---

343 Freilich gelten für das Unternehmensstrafrecht immer noch gewisse Einschränkungen, näher § 20 dOWiG, § 102 chSTGB und das öVerbandsstrafgesetz 2003.

344 G. WAGNER, Sinn und Unsinn der Unternehmensstrafe – Mehr Prävention durch Kriminalisierung? ZRG 2016, 112 ff.

345 Südd. Ztg. v. 20.2.2019, Artikel «Quittung».

346 Vgl. z.B. das sog. Sixpack von 2011 (später mehrfach ergänzt), die VOen 1173–1177/2011 und RL 2011/85 betreffend die haushalts-

gerade auch für Staaten wegen der Komplexität der Willensbildung in Organen und Gremien und der zerstreuten Zuständigkeiten die Einhaltung von EU-Regularien schwierig sein kann. Bei Nichteinhaltung bestimmter Vorgaben oder Grenzwerte gibt es in Vertragsverletzungsverfahren vom EuGH abgesegnete **Zwangsgelder** für jeden Tag der Zuwiderhandlung, die sich auf hunderte von Millionen addieren können. So droht z.B. Deutschland wegen Nichteinhaltung der Grenzwerte für die Nitratbelastung des Grundwassers ein tägliches Zwangsgeld von 875 000 Euro.[347]

und wirtschaftspolitische Überwachung der Mitgliedstaaten. Art. 6 VO 1173/2011 sieht bei übermässigem Defizit eine Geldbusse von 0,2 Prozent des jeweiligen BIP (!) vor, Art. 3 Abs. 5 der VO 1174/2011 0,1 Prozent wegen eines übermässigen makro-ökonomischen Ungleichgewichts.

347 Nach den Grundsätzen der Kommission (SEK [2005] 1568 Ziff. 14) kann das Zwangsgeld im Vertragsverletzungsverfahren von einem Grundbetrag von 600 EUR/Tag durch Multiplikation mit einem Schwere- und einem Dauerkoeffizienten, die ihrerseits mit einem zusätzlichen Länderfaktor (n) multipliziert werden (berechnet nach einer merkwürdigen Formel aus jeweiligem BIP und Stimmgewicht im Rat: für Deutschland gilt der Höchstfaktor von 25,4) auf eine solche Höhe hochgeschraubt werden. Neben dem Zwangsgeld ist zusätzlich die Verhängung eines Pauschalbetrages möglich. All das ist angeblich zur Abschreckung säumiger Mitgliedstaaten notwendig, wird für verhältnismässig erklärt und vom EuGH abgesegnet. Man fragt sich, wie es kommen konnte, dass so ein möglicher Umgang zwischen Staaten aussieht, die sich vertraglich zusammengeschlossen haben; gemeinschaftsfördend und sinnstiftend i.S.e. Europäischen Rechtsbewusstseins ist es jedenfalls nicht. Je mehr von Rechtsstaatsprinzipien, wie Subsidiarität oder Verhältnismässigkeit (usw.) die Rede ist, umso weniger werden sie beachtet.

Ein weiteres Einfallstor überzogener US-amerikanischer Sanktionen ist das **Europäische Kartellrecht**.[348] Die Kommission verhängt Bussen ohne jedes Mass wegen oft fragwürdiger Verstösse gegen Europäisches Wettbewerbsrecht. Darunter finden sich auch relative Kleinigkeiten, wie Behinderung von Re-Importen, unterschiedliche Preise für Musik-Downloads, der Verkauf eines Internetbrowsers nur zusammen mit einem Mediaplayer, überhöhte Lizenzgebühren für Informationen über das Betriebssystem Windows (Urt. V. 27.6.2012 T-167/08: 860 Millionen). Insgesamt hat Microsoft 1,68 Milliarden EUR bezahlt und wird schon wieder mit einer neuen Klage bedroht. Google soll eine Rekord-Busse von 2,4 Milliarden EUR zahlen wegen Benachteiligung von Konkurrenten bei der online-Produktsuche. Weiter hält es die Kommission u.a. für einen Missbrauch, dass Google den Herstellern von Android-Smartphones, die auch Google-Dienste verwenden wollen, immer nur ein komplettes Paket aus elf Apps anbiete (Strafe weitere 4,3 Milliarden EUR). So sorge etwa die Vorinstallation von Google als Standard-Suchmaschine dafür, dass die Verbraucher sie auch nutzten, statt sich die App eines Konkurrenten herunterzuladen. Das ist ein verfehltes Argument, denn die Nutzer (auch die von Apple's iPhone) verwenden Google schlicht deshalb, weil es die beste Suchmaschine hat.

Gegen europäische Lkw-Hersteller wurde eine Busse von 2,93 Milliarden Euro verhängt. Die Fa. MAN blieb als «Kronzeuge» straffrei. Die Höhe der Strafe wurde mit der Wichtigkeit marktgerechter Lkw- und Transportpreise begründet. Auf die naheliegende Idee, dass die exorbitanten Strafen die Lkw-Preise vielleicht noch weiter in die Höhe

348 Ohne Kritik dazu G. WAGNER, Schadenersatz bei Kartelldelikten, German Working Papers in Law and Economics Vol. 2007, Paper 18 https://EconPapers.repec.org/RePEc:bep:dewple:2007-1-1187 (10.4.2019).

treiben, ist offenbar keiner der Verantwortlichen gekommen. Die Autohersteller VW und BMW hat die Union mit einem Bussgeld von 875 Millionen Euro belegt. Diesmal war die Mercedes_Benz AG, die das «Kartell» gemeldet hatte, die «Kronzeugin». Der Vorwurf grenzte ans Lächerliche und Willkürliche: Die Hersteller hatten sich über Details der Abgasreinigung verständigt (wie die Grösse der notwendig gewordenen Behälter für Adblue). Abreden über technische Normen galten bislang als zulässig und haben nichts mit Preis- oder Konditionenkartellen zu tun. Die EU schnürt die Autoindustrie auch sonst mit überzogenen Regulierungen immer mehr ein (vgl. z.B die Vorgaben für den Flottenverbrauch, oben II 1 u. unten IX 3). Die EU-Kartellbussen haben im letzten Jahrzehnt einen Quantensprung gemacht und bewegen sich oft in Milliardenhöhe. Die Liste der Verurteilten ist lang und liest sich wie ein who is who der Industrie. In den letzten zwei Jahrzehnten hat die EU mehr als 30 Milliarden. Euro an Strafen eingenommen und dies ohne ausreichende Rechtsgrundlage. Nur selten wird gefragt, ob vielleicht an den Kartellstraftatbeständen etwas nicht stimmt. Die zentralen Vorschriften des EG-Wettbewerbsrechts über abgestimmtes Verhalten und Missbrauch einer marktbeherrschenden Stellung Art. 101 AEUV (= ex-Art. 81 EGV) und Art. 102 AEUV (= ex-Art. 82 EGV) genügen rechtsstaatlichen Anforderungen nicht (vgl. oben V 3). Ein anderes Gravamen ist die völlig überzogene Maximalhöhe der Geldbusse von 10 Prozent des Jahresumsatzes[349] (§ 23 Abs. 2 lit. a VO1/2003), die gegen das *Verhältnismässigkeitsprinzip* und die verfassungsrechtliche

349 Wie überzogen das ist, kann man daran sehen, dass die durchschnittliche Bruttoumsatzrendite mittlerer und grosser deutscher Unternehmen ca. 3 bis 5 Prozent beträgt: 95 bis 97 Prozent sind also Aufwand, der hier absurderweise zur Bemessungsgrundlage der Strafe gemacht wird; ein willkürlicher und fehlerhafter Ansatz, der das Rechtsgefühl grob verletzt.

Eigentumsgarantie verstösst, eine unpassende Referenzgrösse ist, weil die Umsatzrenditen bei den verschiedenen Unternehmensarten ganz unterschiedlich sind. Sachgerecht wäre allein eine gewinnorientierte Bemessung. Der Umsatz wurde offenbar nur gewählt, um möglichst hohe Bussen zu erzielen. Diese ist 1962 von der Kommission ohne eine rechtsstaatlichen Mindesterfordernissen entsprechende Grundlage eingeführt worden und gilt seitdem unter dem Schutz des EUGH, der sie für rechtens erklärt hat. Sie haben seither viele Milliarden in die Kassen der Kommission gespült. Ein weiteres Rechtsstaatsdefizit ist die häufige *Doppelbestrafung* nach europäischem und nach nationalem Strafrecht (Verbot des ne bis in idem).[350] Der entscheidende Einwand ist jedoch das Fehlen einer Strafkompetenz der EU und der Verstoss gegen den Grundsatz nulla poena sine lege certa et clara (vgl. oben IV 1). Der EG-Gesetzgeber glaubt – difficile satiram non scribere – die rechtsstaatlichen Erfordernisse von Strafen dadurch umgehen zu können, dass er in Art. 23 Abs. 5 KartVO 1/2003 einfach behauptet, dass es keine Strafe sei.[351] Die nicht einmal als Fiktion formulierte Aussage erinnert an den Mönch, der freitags einen Kapaun ass, nachdem er ihn zuvor mit den Worten gesegnet hatte: ich taufe dich Karpfen (ego te baptizo carpem). Sie missachtet auch die alte Weisheit, dass nicht die Kutte den Mönch macht, sondern das fromme Leben (cucullus non facit monachem, sed pia vita). Trotzdem hat der EuGH bislang die Bussen abgesegnet und die KartVO 1/2003 nie beanstandet. In Wahrheit ist der Strafcharakter nicht zu leugnen und vollends abwegig ist es, zu glauben, man

---

350 Vgl. MCALLISTER, Die Kartell-Geldbuße (2017) 27.

351 § 23 Abs, 5 EG KartVO: «Die nach den Absätzen 1 und 2 getroffenen Entscheidungen [sc. die Geldbussen] haben keinen strafrechtlichen Charakter»; dazu zuletzt *McAllister* 28. Richtig dagegen der Europäische Gerichtshof für Menschenrechte (EGMR 43509/08 – Menarini), der grundsätzlich anerkennt, dass auch für Kartellverfahren die strafrechtlichen Garantien von Art. 6 u. 7 EMRK gelten.

könne auf diese Weise Grundrechte wie nulla poena und das Verhältnismässigkeitsprinzip ausser Kraft setzen. Auch der Vorrang des gesamten Europarechts und damit auch der KartellVO vor dem nationalen Recht ist eine vorschnelle und undurchdachte Prämisse. Wäre das richtig, könnten durch Kommission und EuGH beliebig fundamentale Rechtsstaatsprinzipien ausgehebelt werden. Auch solche die in den Verträgen und der Grundrechtscharta niedergelegt sind. Der EuGH hätte das letzte Wort und könnte sie einfach ignorieren. Ein extremes Beispiel ist die Gesetzesumgehung (vgl. die Umgehung von Art. 123 Abs. 1 AEUV), die die Missachtung von Sinn und Zweck einer Norm durch gekünstelte Buchstabenauslegung verhindern will. Ignoriert sie der EuGH, so handelt er nach der ultra vires-Doktrin ausserhalb seiner Kompetenz.

VII. Kapitel: Tierschutz

Zu einem vernünftigen Umgang mit der Natur gehören der Natur- und Artenschutz sowie der *Tierschutz.*[352] Das zeigt schon in der Antike die Parabel vom «guten Hirten» (Jesaja 53, 6, Joh. 10, 11 ff. u. öfter).

Wie wir gesehen haben (oben I 1), hat Zeus für seine Geschöpfe folgende Ordnung (Nomos) erlassen: «Den Fischen, Tieren und Vögeln befahl er, einander zu fressen, weil unter ihnen keine Gerechtigkeit herrscht, dem Menschen aber gab er das Recht und die Gerechtigkeit.»[353] Besteht die Gerechtigkeit darin, nur seinesgleichen nicht zu fressen oder gilt das auch für andere Lebewesen? Ein anthropozentrisches Weltbild beschränkt das Fressverbot praktischerweise auf den Kannibalismus und plädiert ansonsten für das «Recht des Stärkeren». Verboten ist das Töten also nur gegenüber der eigenen Spezies. «Wahre menschliche Kultur gibt es (aber) erst, wenn nicht nur Menschenfresserei, sondern jede Art des Fleischgenusses als Kannibalismus gilt» (Wilhelm Busch zugeschrieben).

Eher vordergründige Kosmetik bleibt es deshalb, wenn *Tiere* heute *keine Sachen* mehr sind (§ 90a BGB, Art. 641a Abs.1 ZGB, § 285a ABGB); denn sie werden im Grundsatz wie Sachen behandelt. Lediglich Heilungskosten sind seither nicht mehr durch den Wert des Tieres begrenzt. Es gibt also beim Tier – anders als etwa beim Auto – keinen «wirtschaftlichen Totalschaden».

---

352 G. HAGER, Das Tier in Ethik und Recht (2015). Zur Gerechtigkeit gegen Tiere auch O. HÖFFE, Gerechtigkeit[5] (2015) 92 f.

353 Oben bei Fn 148: HESIOD, Theogonie 902; Werke 275; s. auch die Fabel vom Habicht und der Nachtigall, Werke 202 oben Fn 12 f.

Zu weit geht es wohl, wenn engagierte Tierschützer den Tieren eigene Rechtssubjektivität verleihen und sie durch Treuhänder und Verbandsklagen schützen wollen.

Mehr ethische Substanz hat der **Tierschutz**. Tierschutzgesetze in allen drei Ländern verfolgen Ziele wie den Schutz des Lebens, des Wohlbefindens und der Würde der Tiere und versuchen der besonderen Verantwortung des Menschen für das Tier als Mitgeschöpf Rechnung zu tragen. «Menschenrechte für Menschenaffen» ist allerdings eine übertriebene Forderung, selbst wenn sich die vom homo sapiens genetisch nur marginal unterscheiden. Verfehlt wäre es allerdings, nur die uns nächstverwandten Lebewesen zu bevorzugen. Dass man Tiere, die Schmerzen empfinden, «leidensfähig» sind, keinen Qualen aussetzen und sie nicht unter schlechten und quälenden Bedingungen halten sollte, ist selbstverständlich. Artgerechte Haltung und Beachtung des Tierwohls sind zentrale Forderungen. Noch heute gibt es aber inakzeptabel beengte Tierhaltung in Schweineställen mit viel zu wenig Platz, Hühnerkäfige in Legebatterien, Kühe in ganzjähriger Anbindehaltung, skandalöse Viehtransporte usw. Immer noch üblich ist auch Tierquälerei, wie die Kastration von männlichen Ferkeln, das Kupieren von Schwänzen bei Schweinen, das Abschneiden von Schnäbeln bei Hühnern oder das Absägen der Hörner bei Kälbern, alles oft ohne Betäubung. «Wer gegen Tiere grausam ist, kann kein guter Mensch sein» und: «Mitgefühl ist die Grundlage jeder Moral»[354].

Bezöge man in die Goldene Regel «Was du nicht willst, dass man dir tu', das füg' auch keinem anderen zu» (oben I 2) auch Tiere ein, so wäre klar, dass eine Tötung zum Verzehr nicht in Betracht kommt. Das wäre auch aus Gründen des Umweltschutzes zur Verringerung der Erderwärmung nützlich. Nach Schätzungen der Welternährungsorganisation FAO stammt

354 SCHOPENHAUER, Preisschrift über die Grundlage der Moral (1841) §§ 19 u. 22.

jede siebte Tonne Treibhausgas aus der Tierhaltung (Methanausstoss durch Kühe). Darüber hinaus würde viel weniger Futter und damit Anbaufläche und Wasser benötigt, wenn sich die Menschen auf eine vegetarische Ernährung beschränken könnten.

Wir verweigern den Tieren eine Gleichbehandlung mit der Begründung, dass sie keinen Verstand besitzen und nicht sprechen können. Das stumme Leid interessiert uns nicht. Wir blenden aus, dass Tiere wie Menschen leiden und Schmerzen empfinden, was das Entscheidende ist. *Jeremy Bentham*[355] ein früher Vorkämpfer des Tierschutzes hat hierauf hingewiesen. Leben bedeutet auch Leiden. Das gilt für alle Lebewesen.

---

355 An Introduction to the Principles of Morals and Legislation (1828) 235 f. Fn * a.E.: «It may one day come to be recognised that the number of the legs, the villosity of the skin, or the termination of the os sacrum are reasons equally insufficient for abandoning a sensitive being to the same fate. What else is it that should trace the insuperable line? Is it the faculty of reason or perhaps the faculty of discourse? But a full-grown horse or dog is beyond comparison a more rational, as well as more conversable animal, than an infant of a day or a week or even a month old. But suppose they were otherwise, what would it avail? The question is not, Can they reason?, nor Can they talk? but, *Can they suffer?*». – «Es mag der Tag kommen, an dem man begreift, dass die Anzahl der Beine, die Behaarung der Haut oder das Ende des Kreuzbeins gleichermassen ungenügende Argumente sind, um ein empfindendes Wesen dem gleichen Schicksal zu überlassen. Warum soll sonst die unüberwindbare Grenze gerade hier liegen? Ist es die Fähigkeit zu denken oder vielleicht die Fähigkeit zu sprechen? Aber ein ausgewachsenes Pferd oder ein Hund sind unvergleichlich vernünftigere sowie mitteilsamere Tiere als ein einen Tag, eine Woche, oder auch einen Monat alter Säugling. Aber angenommen, dies wäre nicht so, was würde das ausmachen? Die Frage ist nicht ‹können sie denken?› oder ‹können sie sprechen?›, sondern, *können sie leiden?*». – Eine ähnliche Meinung vertritt P. SINGER, Animal Liberation (1975).

Die wichtigste Forderung des Tierschutzes ist, dass ein Wirbeltier nicht ohne «vernünftigen Grund» *getötet* oder *verletzt* werden darf. Zulässig sind nach herrschender Lesart:

- Das Schlachten zur Lebensmittelgewinnung.
- Das Töten kranker oder verletzter Tiere als Massnahme der Euthanasie, die nur beim Tier erlaubt ist.
- Die Tötung im Rahmen der Tierseuchenbekämpfung.

Nach § 1 dTierschutzG darf niemand einem Tier ohne «vernünftigen Grund» Schmerzen, Leiden oder Schaden zufügen und ein Wirbeltier darf nach § 4 Abs. 1 S. 1 «nur unter wirksamer Schmerzausschaltung (Betäubung) in einem Zustand der Wahrnehmungs- und Empfindungslosigkeit oder sonst, soweit nach den gegebenen Umständen zumutbar, nur unter Vermeidung von Schmerzen getötet werden».[356]

Zweifelhaft ist schon die Beschränkung auf Wirbeltiere. Fragen kann man auch, ob Jagen oder Fischen ein «vernünftiger Grund» zu töten ist,[357] wenn die Lust am Erlegen und Fangen im Vordergrund steht.

Eingeschränkt und gesetzlich geregelt sind auch *Tierversuche* (§§ 7 ff.). Allerdings gibt es, namentlich in der Pharmaindustrie, immer noch ethisch fragwürdige Versuche an lebenden Tieren, insbesondere Mäusen und Ratten. Aids-Impfstoffe werden sogar immer noch an Affen getestet. Dagegen sind in Neuseeland seit dem Animal Welfare Act 1999 Tierversuche zum Nutzen des Menschen an «non-human hominids», also Schimpansen, Gorillas, Orang-Utans (usw.) verboten.[358]

---

356 Ähnliche Vorschriften enthalten Art. 1, 3 u. 4 chTSchG (SR 455).

357 Dagegen *G. Hager* 75 ff., 80.

358 SCHNABEL, Die Würde des Affen, *ZEIT online* v. 11.11.1999, *ZEIT Magazin* 46/1999.

VIII. Kapitel: Nationalökonomie und Gerechtigkeit

1. Verteilungsgerechtigkeit und Geldpolitik, insbesondere der Europäischen Zentralbank (EZB)

Ab der Mitte des 19. Jahrhunderts entstanden in vielen Länder Sozialdemokratische Arbeiterparteien, welche das Los der Arbeiter und die soziale Frage zu ihrem Programm machten. Auch der Verein für Socialpolitik befasste sich mit der sozialen Gerechtigkeit und der Lage der Arbeiterschaft.[359] Diese besserte sich im 20. Jahrhundert insbesondere nach dem 2. Weltkrieg erheblich. Ein Dauerproblem blieben freilich Lohn-Preis-Spiralen, durch die der Lohnzuwachs jedenfalls teilweise immer wieder aufgezehrt wurde.

Die **nachfrageorientierte Wirtschaftspolitik** des *Keynesianismus*[360] wurde zum wichtigsten Treiber der Staatsverschuldung und der Geldentwertung, die naturgemäss die Ärmeren am meisten trifft. Die Theorie von *Keynes* war vereinfacht und verkürzt die, dass sich der Staat in den Konjunkturzyklen antizyklisch verhalten soll, d.h. in einer Abschwungphase, wie sie in der grossen Depression der 1930er-Jahre vorlag, Schulden aufzunehmen und zu investieren und im darauffolgenden Aufschwung die Darlehen zurückzuführen und das Geld wieder einzusammeln. An dieser Theorie war nichts verkehrt, doch hat die Politik, von der an *einer* Legislaturperiode orientierten, kurzsichtigen Wahltaktik geleitet, alsbald nur

---

359 OSCHINA, Die Entwicklung des Vereins für Socialpolitik von seiner Gründung bis 1980 (2010). – Zur sozialen Gerechtigkeit schon oben II 3.

360 JOHN MAYNARD KEYNES, The General Theory of Employment, Interest and Money (1936).

noch das «deficit spending» praktiziert und im Aufschwung die Kredite nicht zurückgezahlt. Insbesondere die meisten westlichen Demokratien haben in mangelnder finanzpolitischer Disziplin riesige Schuldenberge angehäuft, denen ständig steigende Steuern und auch Staatspleiten gefolgt sind, unter denen die ärmeren Bevölkerungsschichten am meisten zu leiden hatten.

Auch die neuere Geldtheorie propagiert, dass der Staat, wenn er Herr einer eigenen Währung ist, durch die Zentralbank beliebig Geld schöpfen kann, um eine Rezession und Arbeitslosigkeit zu bekämpfen und Investitionen anzuschieben. Einen Monetarismus, der Geldpolitik als Konjunkturpolitik einsetzt, predigte auch die neoliberale Chicago Schule (Milton Friedman), die allerdings ad hoc – Strohfeuer ablehnte und eine verstetigte Geldschöpfung forderte. Wird freilich zuviel Geld «gedruckt» und dem Kreislauf später nicht wieder entzogen, so entsteht Inflation, die ja auch in Europa jezt wieder ganz massiv angewachsen ist und die es in Wirklichkeit schon lange gegeben hat, wenn man die Vermögenspreise, namentlich die extrem angewachsenen Grundstücks- und Börsenpreise einrechnet und korrekte Warenkörbe anlegt, die z.B. Mieten und Kosten selbstgenutzten Wohneigentums auch in den Ballungsräumen realitätsnah widerspiegeln. Durchschnittsverdiener können die Mieten in den Monopolregionen nicht mehr bezahlen, geschweige denn ein Haus erwerben.

In der Finanzkrise des Jahres 2008 hatte der Präsident der EZB, Mario Draghi, der «Retter», durch sein klares Statement, man werde tun «whatever it takes» die Spekulationen gegen den Euro erfolgreich beendet. Indessen hat man aber an der expansiven Geldpolitik viel zu lange festgehalten und nach dem Vorbild der USA und Japans, durch **Null- und sogar Negativzinsen** und massive Ausweitung der Geldmenge durch

Anleihenankäufe («Quantitative Easing») die Verschuldung der Staaten immer höher getrieben und Sparer und Inhaber von Geldvermögen enteignet.[361]

Zinsen sind in der Volkswirtschaft unverzichtbar. Sie regulieren den Ausgleich von Sparen und Investieren im Rahmen der volkswirtschaftlichen Gesamtrechnung. Ihre (temporäre) Abschaffung hat die Sparer enteignet, die Altersvorsorge erschwert, die Renten- und Pensionskassen geschädigt, die Schere zwischen Arm und Reich noch weiter geöffnet, und den Geschäftsmodellen von Banken, Versicherungen und Pensionskassen die Basis entzogen, ohne dass der von der EZB verfolgte Zweck auch nur annähernd erreicht worden wäre. Im Gegenzug wurde der Schuldendienst der öffentlichen Hand durch Wegfall der Zinsen allein in Deutschland (Bund, Länder und Gemeinden) seit 2008 um sagenhafte 436 Milliarden EUR entlastet. Getilgt wurde trotzdem kaum etwas. Das Finanzverhalten der öffentlichen Hand erinnert an das alte Bonmot von *Schumpeter*, dass sich eher ein Hund einen Wurstvorrat anlegt als eine demokratische Regierung eine Budgetreserve. Es geht aber nicht um eine Budgetreserve, sondern um die Tilgung eines riesigen Schuldenberges der öffentlichen Hand; in Deutschland – das noch verhältnismässig gut dasteht – waren es Ende 2021 ca. 2,5 Billionen Euro. Nur einige wenige Jahre wurde in einem ausgeglichenen Haushalt («schwarze Null») wenigstens die Nettoneuverschuldung ausgesetzt. Das war aber keine Leistung, weil der

361 In Kontrast hierzu hat die Kommission die (angeblich der Abschreckung vor einer schleppenden Zahlungsmoral dienenden) überzogenen Verzugszinsen von 9 Prozent über dem Basiszinssatz im Geschäftsverkehr der Unternehmen untereinander (z.B. § 288 BGB Abs. 2, § 456 UGB) nie reduziert. Das verletzt den Symmetriegedanken. Vor dem EU-Eingriff betrug der Verzugszins für Unternehmen seit einem Reichsabschied des Jahres 1600 annähernd 500 Jahre lang 4 bzw. 5 Prozent. Die Schweiz hat es vernünftigerweise dabei belassen.

Schuldendienst seit der Finanzkrise durch den Wegfall der Zinsen enorm reduziert worden ist. Die Zinseinsparungen sind kaum in die Schuldentilgung geflossen. Schon bei leichter Eintrübung der Konjunktur gab es Stimmen, die ein erneutes «deficit spending» forderten und im Zuge der Corona-Pandemie und der Ukraine-Krise wurden erneut Schuldenberge aufgehäuft als gäbe es kein Morgen. Eine solide Finanzpolitik scheint unter demokratischen Bedingungen ein Ding der Unmöglichkeit.

Die zweite Massnahme der **EZB** ist die unverhüllte **monetäre Staatsfinanzierung** durch **Ankauf von Staatsanleihen** und zuletzt auch Unternehmensanleihen in gigantischem Umfang («Quantitative Easing») durch das *Public Sector Purchase Programme (PSPP)* und das *Pandemic Emergency Purchase Programme (PEPP)*.

Diese EZB-Politik wurde im *Issing-Memorandum*[362], das zahlreiche frühere Zentralbankgouverneure unterzeichnet haben, scharf kritisiert. Diese haben auf den Verstoss gegen das Verbot der direkten Staatsfinanzierung in Art. 123 Abs. 1 AEUV und die Gefährlichkeit der EZB-Politik hingewiesen. Gleichwohl haben die beiden letzten Präsidenten der EZB, die beide aus olive belt-Staaten stammten, unbeirrt an ihrer Geldpoltik unter Umgehung des Art. 123 Abs. 1 festgehalten, die sie im Interesse ihrer überschuldeten Heimatstaaten, Italien und Frankreich u.a. weiterhin verfolgen.

Anstatt aus der ultralockeren Geldpolitik vorsichtig auszusteigen kurbelt die EZB mit ihren Anleihekäufen die Nachfrage immer noch an, während sich im globalen Handel, namentlich auf Seiten Chinas längst eine Angebotsverkappung und Lieferengpässe ergeben haben. Die Geldpolitik hat zu einer enormen **Inflation** geführt. Ohne die Mehrheit im EZB-Rat,

---

[362] faz-net 4.12.2019; ferner etwa STIGLITZ, Reich und Arm – Die wachsende Ungleichheit in unserer Gesellschaft (2015) 37 ff., 114.; kritisch auch *Thiel* FAZ 3.8.2021 S. 9.

die sich aus den olive belt-Staaten rekrutiert, hätte die EZB die Easy Money-Programme nicht durchführen können. Diese Mehrheit hat sie, weil – auch das ein folgenschwerer Fehler – für die 18 Euro-Staaten bei Entscheidungen über Geld- und Finanzpolitik gleiches Stimmrecht gilt, anstatt wie sonst, eine Stimmgewichtung nach Kapitalanteilen. Malta, Zypern oder Luxemburg usw. zählen also gleichviel wie Deutschland oder Frankreich. Auch hier regiert die Devise «Jedem das Gleiche» statt eines proportionalen Stimmgewichts («Jedem das Seine», vgl. oben III 1).

Der Vorwurf der **Vertragsumgehung** beruht darauf, dass die EZB/ESZB die Anleihen nur formal auf dem Sekundärmarkt erwerben. Das geschieht nur zum Schein, denn der Umweg vom Erwerb durch die Geschäftsbanken bis zur Weitergabe an das Zentralbankensystem dauert gerade mal ein paar Tage. Nach Auskunft der EZB beträgt die Haltefrisst der Banken «eher Tage als Wochen». Der Ankauf erfolgt zudem in einem von vornherein festgelegten und angekündigten Umfang, wobei auch feststeht, welche Staatsanleihen gekauft werden. Banken leihen den überschuldeten Staaten ungeachtet der Risiken bedenkenlos Geld zu Null- oder Niedrigzinsen wenn sicher ist, dass sie die Anleihen im Rahmen des vorher festgelegten Programms nach kurzer Haltefrist an das Eurosystem (EZB und ESZB) weiterreichen können. Dank dieser Politik zahlte Italien 2020 nur noch 0,6 Prozent Zinsen und Deutschland lukrierte einen Negativzins von 0,35 Prozent, was 2020 7 Milliarden EUR ausgemacht hat. Das ist die neue, auf Jahrzehnte angelegte Marktordnung, die Sparer enteignet sowie um einen Teil ihrer Altersvorsorge bringt und künftige Generationen übermässig belastet, weil demokratische Staaten mit kurzen Legislaturperioden keine Haushaltsdisziplin kennen. Dass die geldpolitische Begründung nur ein Vorwand ist und es in Wahrheit um Fiskalpolitik und **monetäre Haushaltsfinanzierung** geht, lässt sich auch daraus ersehen, dass die Anleihen bis zur Endfälligkeit gehalten und die Tilgungserlöse stets reinvestiert worden sind. Noch heute erwerben EZB/ESZB allein akonto des alten PSPP monatlich Anleihen in Höhe von 20 Milliarden EUR. Die 80 Milliarden Neuanleihen aus dem PEPP kommen oben drauf. Eine Schuldentilgung ist offenbar gar nicht mehr geplant, es geht in Richtung «ewige Anleihen» (vgl. oben). Schon werden auch Stimmen laut, die einen Schuldenschnitt unter Beteiligung der EZB/ESZB verlangen. Der ist zwar rechtlich ebenso unzulässig, wie die Umgehung des Art. 123 Abs. 1 AEUV, zeigt aber, wohin die Reise geht. In der Tat ist absehbar, dass die anwachsende Schuldenlast von den Mitgliedstaaten nicht mehr getragen werden kann. Deshalb unterstützte die EU unter dem irreführenden Titel «Next Generation EU» (NGEU) die Mitgliedstaaten inzwischen auch mit nicht rückzahlbaren Zuschüssen und Darlehen in Höhe von 750 Milliarden. Das ist in Wahrheit der Weg in die *Schuldenunion*, für den sich EU und EZB ausgesprochen haben, der aber gegen Art. 125 AEUV verstösst.

Die Anleihekäufe am Sekundärmarkt stellen eine klassische Umgehung des Art. 123 Abs. 1 AEUV dar. Da EZB und ESZB auf dem Primärmarkt nicht selber als Käufer auftreten dürfen, schieben sie die Geschäftsbanken vor, die wie *Strohmänner* fungieren, nur nicht verdeckt, sondern offen. Die Umgehung einer Vorschrift ist ebenso verboten wie ein unmittelbarer Verstoss (vgl. oben Fn 291 a.E.). Dass beides gleich unzulässig ist, entspricht uralten Rechtsgrundsätzen, die schon *Cicero* gekannt hat, der in de officiis I 41 den Gesetzesverstoss mit der rohen Gewalt des Löwen, die Umgehung mit der List des Fuchses verglich: Cum autem duobus modis id est aut vi aut fraude fiat iniuria: fraus quasi vulpeculae vis leonis videtur. Strohmann und Scheingeschäft sind seit der klassischen römischen Antike die bekanntesten Beispiele der Gesetzesumgehung. Und so verwendet die EZB neben dem Strohmann auch das Scheingeschäft und verheimlicht den wahren Zweck der Anleihekäufe durch Scheinargumente. Sie begründete die Ankaufsprogramme mit einer angeblichen Deflationsgefahr und einem deshalb notwendigen Inflationsziel von 2 Prozent. Dass dies ein Vorwand war, zeigt sich auch daran, dass die Massnahmen mitursächlich dafür waren, dass die Inflation schliesslich auf 11 Prozent gestiegen ist, dem Höchststand seit 70 Jahren. Die Rückkehr zu einer vertretbaren Geldpolitik (Wiedereinführung der Zinsen und Beendigung der Anleihekäufe) erfolgte viel zu langsam. Diese dramatische Geldentwertung wird durch Fehlen von Zinsen noch verschärft. Die vorgeblich geldpolitische Massnahme und die angebliche Deflationsgefahr – die es seit fast 100 Jahren nicht mehr gegeben hat – waren Scheinargumente, die verschleiern sollen, worum es in Wahrheit ging: die Finanzierung überschuldeter Staaten mit günstigen Krediten und die Vermeidung der Risikoprämien, die der Markt fordern würde. Seit die geldpolitische Scheinbegründung durch die hohe Inflation obsolet geworden ist, verstösst die EZB durch die Beschränkung des Ankaufs auf Anleihen von notleidenden Staaten ganz offen gegen Art. 123 Abs. 1 AEUV. Die so unterstützten Staaten gerieten allerdings durch das easy money der EZB und «ewige Anleihen» immer tiefer in die Verschuldung, sodass eine Rückzahlung der Schulden nicht mehr möglich und offenbar auch gar nicht mehr geplant ist. Vielmehr setzt man auf Tilgung durch Inflation, was bei einer Inflation von 9 Prozent eine «Tilgung» der Schulden in ca. 13 Jahren bedeutet.

Die ultralockere Geldpolitik hat auch die Spekulation angeheizt und die **Vermögenspreise** am Aktien- und Grundstücksmarkt aufgebläht, da das Geld mangels Zinsen in Grundvermögen und Aktien angelegt wurde und dieser «Anlagenotstand» Kurse und Preise getrieben hat. Die Grundstückspreise haben sich durch die Geldschwemme und die Verbilligung der Kredite in den letzten zehn Jahren vielerorts verdoppelt und die Aktienkurse verdreifacht. Auch die Mieten sind wegen der Geldpolitik der EZB drastisch gestiegen. Sie betragen in Ballungsgebieten bis zu 50 Prozent und mehr eines durchschnittlichen Monatseinkommens und sind für viele nicht mehr bezahlbar. Der Warenkorb der Verbraucherpreisindices bildet das nicht ab. Zum Beispiel enthält der Index von Eurostat noch immer keine Kosten von selbstgenutztem Wohneigentum und in Österreich wird der Wohnanteil nur mit 5,1 Prozent angesetzt. Auch sonst gibt der Lebenshaltungskostenindex die Belastung der unteren Einkommensgruppen nicht richtig wieder. Für diese ist die Inflation nicht nur «gefühlt» deutlich höher.

Die Staaten haben die «gekaufte Zeit» nicht zum Abbau der Schulden benutzt. Vielmehr ist die Staatsverschuldung durch die Anleihekäufe weiter gestiegen. Sie beträgt in mehreren Mitgliedstaaten der EU inzwischen 100 Prozent des BIP und mehr, z.B. 200 Prozent in Griechenland, 159 Prozent in Italien, 123 Prozent in Frankreich und 119 Prozent in Spanien, in Deutschland «nur» 80 Prozent. Die enorme Verschuldung hat nicht zu einer Verbesserung der Wirtschaftsleistung geführt. Die EZB hat ein Strohfeuer ohne Nachhaltigkeit entzündet die Inflation angeheizt sowie Fiskal- und zuletzt sogar Klimapolitik betrieben. Das erste ist ihr verboten, das zweite nicht ihre Aufgabe. Das Verbot der direkten monetären Staatsfinanzierung in Art. 123 Abs. 1 AEUV hat einen guten Grund, denn es soll gewährleisten, dass sich die Staaten nur am Markt und zu marktüblichen Zinsen finanzieren und übermässige Verschuldung vermeiden, weil sie das Risiko selber tragen und der Markt auf zu hohe Verschuldung mit höheren Zinsen reagiert. Die Staaten sollen sich im Interesse der Geldwertstabilität nicht mit EZB-Geld, dem keine Wertschöpfung zugrunde liegt, übermässig verschulden.

Leider hat sich der **Europäische Gerichtshof**[363] die Argumentation der EZB (in einem durch das deutsche BVerfG[364] veranlassten Vorlageverfahren) angeschlossen, die Massnahmen gutgeheissen und die flagrante Gesetzesumgehung einfach ignoriert.[365] Dies, obwohl das Gericht einige

[363] Urt. v. 11.12.2018, Az. C-493/17: Das Programm der EZB zum Ankauf von Staatsanleihen an den Sekundärmärkten (PSPP-Beschluss: Public Sector Asset Purchase Programme) gehe nicht über ihr Mandat hinaus und verletze auch nicht das Verbot der monetären Staatsfinanzierung. Das ist ein Fehlurteil, es ist aber rechtskräftig und nimmt nach überwiegender Meinung am Vorrang des EU-Rechts teil (dazu sogleich).

[364] BVerfGE 146, 216-293 hatte im Vorlagebeschluss zum EuGH «gewichtige Anhaltspunkte» dafür gesehen, dass der PSPP-Beschluss aufgrund seiner vorgängigen Ankündigung, seines Volumens und wegen seiner Dauer von mehr als zwei Jahren (usw.) vom Mandat der EZB nicht gedeckt ist und gegen das Verbot monetärer Staatsfinanzierung verstösst. Diese Argumente hat der EuGH in den Wind geschlagen (vgl. Fn 363).

[365] Ein anderes Beispiel einer vom EuGH autorisierten Gesetzesumgehung ist die Rechtsprechung zur Niederlassungsfreiheit im Gesellschaftsrecht. Seit den Urteilen Centros, Überseering und Inspire (EuGH v. 9.3.1999 C-212/97; 5.11.2002 C-208/00; 30.9.2003 C-167/01) kann jedermann mit einer ausländischen Briefkastenfirma in den Europäischen Mitgliedstaaten Geschäfte betreiben. Damit können nicht nur Steuern hinterzogen, sondern z.B. auch alle Vorschriften des nationalen GmbH-Rechts über Mindestkapital, Kapitalerhaltung und Gläubigerschutz umgangen werden. (In concreto war es eine Limited für 1 Pfund in London). Aus verbotener Gesetzesumgehung wird eine vom EuGH garantierte Wahlfreiheit. Das hat mit der Gewährleistung von Niederlassungsfreiheit (Art. 49 = ex-Art. 43 u. Art. 54 AEUV = ex-Art. 48 EGV) nichts mehr zu tun. Denn diese deckt die Zulassung blosser Scheingesellschaften ohne wirtschaftliche Aktivitäten nicht; krit. auch ZÖLLNER, GmbHR 2006, 1 ff.; G. RÜFFLER, in: Europäische Rechtskultur, Symp. Honsell (2009) 85 ff.; *Grigoleit* in: Neuner,

Jahre zuvor (2015)[366] noch zutreffend betont hatte, die potenziellen Erwerber der Staatsanleihen auf dem Primärmarkt dürften nicht die Gewissheit haben, dass das Zentralbankensystem ihnen diese mit Sicherheit abnehmen würde, weil sie sonst faktisch als Mittelspersonen (sprich Strohmänner) agieren würden. Genau dies war aber dann der Fall und der Umgehungscharakter der Programme ist offensichtlich. Auch wenn das Gericht das letzte Wort hat, ist dieser provokante Positionswechsel und Widerspruch zum vorletzten eigenen Urteil inakzeptabel. EZB und EuGH ignorieren auch den Vertrauensverlust, der mit der Euro-Politik der Gesetzesumgehung und dem eklatanten Verstoss gegen den EU-Vertrag auf lange Sicht verbunden ist. Der fehlende Protest der Nationalstaaten, die von der lockeren Geldpolitik zunächst profitieren, verstärkt den Euro- und Europa-Skeptizismus im Publikum. Auch erreicht der Vorrang des EU-Rechts vor nationalem Recht (oben VI 3 a.E.) seine Grenzen, wenn Institutionen der EU und der EuGH eine manifeste Gesetzesumgehung begehen, bzw. sich daran beteiligen.

Die willkürliche und vertragswidrige Entscheidung des EuGH hat das **deutsche Bundesverfassungsgericht (BVerfG)** in seinem Urteil v. 5.5.2020 (2 BvR 859/15) als «schlechterdings nicht mehr nachvollziehbar und daher objektiv willkürlich» (vgl. Rn. 112 f., Rn 116) und «methodisch nicht mehr vertretbar» (Rn 115) bezeichnet. Diese harschen Worte sollten die äusserste, weit hinausgeschobene, aber ebenso selbstverständliche und zwingende Grenze markieren, von der an Vorrang und Kompetenz des EuGH nach der **ultra vires-Doktrin** des BVerfG nicht mehr anerkannt werden. Leider hat das Gericht, im Widerspruch zu den starken Worten,

Grundrechte und Privatrecht aus rechtsvergleichender Sicht (2007) 266; *Eidenmüller* ZGR 2007, 168.

366 Vgl. EuGH C-62/14 Rn 104 ff. OMT – Gauweiler u.a.

nicht die Gesetzesumgehung als **«ausbrechenden Rechtsakt»** gerügt, sondern nur das Fehlen eines Nachweises der Verhältnismässigkeit des PSPP. Eine konsequente Entscheidung hätte das Anleihekaufprogramm klipp und klar als verbotene Staatsfinanzierung benennen müssen und als Umgehung des Verbots des Art. 123 Abs. 1 AEUV.[367] Das BVerfG ignoriert jedoch die Gesetzesumgehung ebenfalls und moniert stattdessen lediglich, dass die EZB bei der Durchführung des PSPP nur das währungspolitische Ziel, nicht jedoch die wirtschaftspolitischen Auswirkungen berücksichtigt und das nur vorgeschobene Inflationsziel (welches das BVerfG offenbar für bare Münze nimmt) nicht gegen die negativen Auswirkungen auf Sparer (usw.) abgewogen habe. Darin liege ein Verstoss gegen den Grundsatz der Verhältnismässigkeit und eine offensichtliche und strukturell bedeutsame Kompetenzüberschreitung. Die Prüfung der Verhältnismässigkeit nachzuholen, wie das BVerfG verlangt hat, machte allerdings schon deswegen keinen Sinn, weil das Gericht die Verletzung dieses Grundsatzes bereits selbst festgestellt hatte, wenn es zutreffend ausführt (LS 6b und Rn 165): «Die unbedingte Verfolgung des währungspolitischen Ziels unter Ausblendung der mit dem Programm verbundenen wirtschaftspolitischen Auswirkungen missachtet offensichtlich den Grundsatz der Verhältnismässigkeit aus Art. 5 Abs. 1 Satz 2 und Abs. 4 EUV.» Die richtige Balance in diesem Punkt indes wäre – wenn es sich bei der angeblich monetären Massnahme nicht um eine vorgeschobene Scheinbegründung handeln würde – im Grundsatz Sache der EZB und ein Eingreifen des Rechts erst bei krasser Unverhältnismässigkeit möglich. Allein überzeugend ist die

[367] Näher *Honsell* SZ 24.7.2020 S. 5; HONSELL/ROTH, Höchstgerichte auf Kollisionskurs – Die Ordnung der Zuständigkeiten zwischen EU und Mitgliedstaaten, ZIP 2020. 1451 ff.; zum problematischen Vorrang des EU-Rechts und der Stellung des EuGH vgl. auch oben V 2 u.VI 3 a.E.

Feststellung der Gesetzesumgehung, nicht die Rüge der Unverhältnismässigkeit. Es bleibt rätselhaft, weshalb das BVerfG nicht den wahren Grund angeführt hat, sondern auf die Verhältnismässigkeit ausgewichen ist, ein Aspekt, zu dem die harsche Kritik («nicht nachvollziehbar, methodisch unvertretbar») überhaupt nicht passt. Aber ganz abgesehen davon, dass das BVerfG die Gesetzesumgehung nicht beanstandet, sondern die monetäre Scheinbegründung akzeptiert hat, ging es nur noch um die Nachlieferung einer Begründung der Massnahmen, die es nicht gibt und nicht geben kann, weil die angebliche Deflationsgefahr bloss ein Vorwand war. Die verurteilte Bundesregierung und der Bundestag – EuGH und EZB unterliegen ja nicht der Jurisdiktion des BVerfG – haben von der EZB einen Nachweis der Verhältnismässigkeit verlangt und sich dann mit der Behauptung abspeisen lassen, dass diese gewahrt sei. Darauf hat das BVerfG in einer 180-Grad-Wendung festgestellt, dass die Verpflichtung aus seinem Urteil erfüllt sei, weil Bundestag und Bundesregierung «nicht untätig» geblieben seien. (BVerfG v. 29.4.2021 2 BvR 1651/15). Also viel Lärm um nichts. Das BVerfG hat wieder einmal die Backen aufgeblasen und letzlich trotz der starken Worte nicht gepfiffen. Dass der Makel eines «schlechterdings nicht nachvollziehbaren» Urteils schon dadurch entfallen soll, dass man nicht untätig bleibt, indem man sich mit der blossen Behauptung der Verhältnismässigkeit begnügt, ist juristischer Nonsens, den man weder verstehen, noch erklären kann. Die Politik ist's indes zufrieden und wir werden auch in Zukunft mit Kompetenzübergriffen und der Verletzung fundamentaler Rechtsprinzipien durch EuGH, EZB und EU leben müssen. Das BVerfG hat sich als Kontrollinstanz wohl endgültig desavouiert.

Die EU-Kommission hat das Urteil des EuGH sogar zum Anlass genommen als «Hüterin der Verträge» gegen Deutschland das 81. Vertragsverletzungsverfahren(!) einzuleiten.

Statt den Rechtsbruch und die Vertragsverletzung durch EZB und EuGH zu benennen und das Recht wiederherzustellen, wurde Deutschland in die Ecke von Ungarn und Polen gestellt und beschuldigt, sich nicht an EU-Recht zu halten und rechtsstaatliche Prinzipien zu verletzen, ein Vorwurf der in Wahrheit allein die EZB und den EuGH trifft. Das Vertrauen in die Rechtsstaatlichkeit der EU wird damit nachhaltig erschüttert. Während in Polen und Ungarn die Politik Einfluss auf die Justiz ausübt und den Rechtsstaat demontiert, ist es in Deutschland mit seiner (zu) grossen Macht des Verfassungsgerichts gerade umgekehrt. Dennoch verlangt die Kommission von Deutschland exakt das, was sie in Polen und Ungarn beanstandet, nämlich eine Einflussnahme auf die Justiz. Zwar regiert das BVerfG nicht selten zu weit in den politischen Bereich hinein und gängelt Regierung und Parlament. Gleichwohl haben diese ihrerseits (zu Recht) keine Kontrolle über das Gericht, und die Regierung dürfte keinen Einfluss nehmen, selbst wenn das Begehren der Kommission nicht so absurd, sondern gerechtfertigt gewesen wäre. Denn die Unabhängigkeit der Gerichte (Art. 97 Abs.1 GG) und die Gewaltenteilung sind ein Verfassungsprinzip, das verbietet, was die EU verlangt, nämlich eine Einflussnahme auf das Gericht. Das Vertragsverfahren wurde eingestellt, nachdem die Bundesrepublik auf Verlangen der Kommission den Vorrang des EU-Rechts noch einmal anerkannt und angeblich zugesagt hatte, sie werde «eine Wiederholung einer ultra vires-Feststellung künftig aktiv vermeiden» (Presseerklärung der Präsidentin der EU-Kommission v. 2.12.2021). In Wahrheit hat die Bundesregierung eine solche Unterwerfungserklärung nie abgegeben;[368] sie

368 Dazu eingehend G. Roth, Ultra vires: Der Aufschrei blieb aus, ZIP 2022, 1143. – Ein anderer gravierender Verstoss der Kommission gegen Rechtsstaatsprinzipien ist im achten Sanktionspaket gegen Russland enthalten, wo die Kommission allen Ernstes eine Rechtsberatung russischer Institutionen oder Firmen bei Auslegung und Anwendung der Sanktionsbestimmungen verbieten wollte. Es ist

wäre auch verfassungswidrig. Gleichwohl ist selbst bei Gesetzesverstössen, Gesetzesumgehungen und kompetenzwidrigem Handeln der EU eine Korrektur künftig nicht mehr zu erwarten, nachdem das BVerfG eingeknickt ist. Entscheidungen, die der EuGH durchgewunken hat, sind unanfechtbar, auch wenn sie fundamental gegen europäisches Recht verstossen.

Was die easy money- und Nullzins-Politik mit Recht und Gerechtigkeit zu tun haben? Der Süden Europas verliert die Wettbewerbsfähigkeit mit der Folge von Arbeitslosigkeit, namentlich unter Jugendlichen. In ganz Europa werden Pensionspläne illusorisch und Rentnern droht Altersarmut. Die Überhitzung des Immobilien- und Wohnungsmarktes hat dazu geführt, dass sich viele eine Wohnung nicht mehr leisten können, was zu einer neuen sozialen Frage geworden ist. Zudem öffnet die Inflationspolitik – von ihren sonstigen Schäden abgesehen – die Schere zwischen Arm und Reich immer weiter und führt zur Verarmung breiter Bevölkerungsschichten.

2. Generationengerechtigkeit

Ein anderes gravierendes Problem ist die Nichtbeachtung der Generationengerechtigkeit. Schon in der Aufklärung haben *Jefferson*, *Paine* und andere die Verantwortung für künftige Generationen eingefordert. *Jefferson* ging sogar soweit, nicht nur Kreditverpflichtungen des Staates, sondern die Geltung jeder gesetzlichen Bindung mit Ausnahme der Menschenrechte auf die Dauer von 19 Jahren zu beschränken,[369] was

inakzeptabel, wenn die Protagonisten der EU fundamentale Rechtsstaatsprinzipien derart missachten.

369 Ausführlich dazu KLEY, Die Verantwortung gegenüber künftigen Generationen – ein staatsphilosophisches Postulat von Thomas Jefferson, FS T. Fleiner (2003) 505 ff. m.Nw.

nach seiner Auffassung der Dauer einer Generation entsprach. Die Rücksicht auf die nachfolgenden Generationen hat also einen frühen Vorkämpfer. Da Politik dazu tendiert, zuerst an ihre heutigen Wähler zu denken und diese zufriedenzustellen, verstösst sie gegen das Nachhaltigkeitsprinzip und verkürzt Handlungsspielraum und Lebensbedingungen künftiger Generationen. Das lässt sich am Beispiel der **Staatsverschuldung**, an unbekümmertem **Ressourcenverbrauch** und an der **Umweltzerstörung** am besten zeigen, die alle zu Lasten zukünftiger Generationen gehen. Die anhaltenden Schülerdemonstrationen («Fridays for Future» und «last generation») sind kein Zufall. Zweifelhaft ist es aber, ob das Bundesverfassungsgericht das **Klima**schutzgesetz des Bundes deswegen für verfassungswidrig erklären kann, weil es die Umweltmassnahmen zur Eindämmung der Erderwärmung bloss bis zum Jahre 2030 festgeschrieben hat, anstatt auch für die folgenden Jahrzehnte, in denen als Ziel bis zum Jahre 2050 Klimaneutralität definiert war. Dies verletze die Freiheitsrechte künftiger Generationen (Beschluss v. 24.3./ 29.4.2021 – 1 BvR 2656/18, s. auch unten IX 3). Das ist im Grundsatz richtig, aber die Lage künftiger Generationen wird nicht dadurch verbessert, dass man neben dem Ziel der Klimaneutralität auch die Massnahmen weit in die Zukunft hinein festschreibt, was wegen der unsicheren Faktengrundlage keine wirkliche Planungssicherheit bietet. Auch die EU hat in einer Art Planwirtschaft, die Klimaziele im Jahr 2021 abermals «verschärft». Helfen würde nur, wenn auch in der ersten Dekade (bis 2030) noch strengere Massnahmen tatsächlich durchgeführt würden, um den Ressourcenverbrauch und die Klimaerwärmung zugunsten der jüngeren Generation weiter einzuschränken. Dem steht aber entgegen, dass es schwierig, wenn nicht unmöglich ist, tiefgreifende Massnahmen wie die Dekarbonisierung der gesamten Energiewirtschaft quasi übergangslos in wenigen Jahren zu realisieren. Dies gilt insbesondere seit dem überstürzten Ausstieg aus der Atomkraft nach der Reaktorkatastrophe von Fukushima. Die beinahe gleichzeitige Abschaltung von Kohle- *und* Atomkraftwerken sowie der Wegfall des russischen Gases infolge des Ukrainekrieges gefährden die Versorgungssicherheit und können zu Blackouts führen.

Nicht gewahrt wird die Generationengerechtigkeit auch bei der **Rente**. Diese ist in der BRD schon vor Jahrzehnten von einem *Kapitaldeckungsverfahren* auf ein *Umlageverfahren* umgestellt worden, bei dem die Rentenbeiträge der Arbeitnehmer nicht für die eigene Rente angespart, sondern für laufende Rentenleistungen verwendet werden. Das nennt man verharmlosend «Generationenvertrag» und verkürzt die Renten künftiger Generationen. Da im Jahr 2040 jeder Dritte über 65 Jahre alt sein wird, kommen dann nur noch 2 Erwerbstätige auf einen Rentner, der überdies immer älter wird. Die Rentenbeiträge steigen, die notwendige Ergänzung aus Steuermitteln beträgt bereits mehr als 30 Prozent und trotzdem werden die Renten erhöht, jedoch das Eintrittsalter viel zu geringfügig angehoben. Auch hier reagiert die Politik mit einem kurzsichtigen, auf die steigende Zahl der «Rentnerwähler» und den nächsten Wahltermin eingeengten Blick und verkürzt die Renten künftiger Generationen. Nicht beifallswert ist es auch, wenn die EU dem gigantische Schulden-Programm von 750 Milliarden EUR den Namen «Next Generation» gibt. Diese Mittel werden in der nächsten Generation längst verpufft sein, nur die Schulden werden bleiben. Zu diesem Programm, das nicht nur gegen die Interessen künftiger Generationen, sondern auch gegen den EU-Vertrag verstösst, vgl. oben 1. Die angebliche Rücksicht auf die nächste Generation hat einen ähnlichen Wahrheitsgehalt wie das «green washing» in Bezug auf die Umwelt.

3. Gerechtigkeit und Steuern

Die von politischer Seite gelegentlich geforderte Umverteilung zur Nivellierung der extremen Unterschiede zwischen Arm und Reich liessen sich am ehesten über die **Erbschafts-** und **Schenkungssteuer** erzielen. Denn der Gedanke ist naheliegend, dass sich leistungslose Einkommen für diesen Zweck am besten eignen. Gleichwohl hat man die Steuer in Österreich 2008 abgeschafft und in Deutschland macht sie auch nach der Reform gerade mal 1 Prozent des Steueraufkommens aus und in der Schweiz nur 0,76 Prozent. Dort fällt sie, wie die meisten Steuern, in die Zuständigkeit der Kantone und die Regelungen divergieren stark. Die deutsche Reform enthält zahlreiche Ausnahmen, vor allem zugunsten der Vererbung von Unternehmen, die das Bundesverfassungsgericht beanstandet hat.[370] Über die Neuregelung wurde heftig gestritten. Die Ausnahmen sind im Wesentlichen geblieben. Eine **Vermögenssteuer** gibt es in den deutschsprachigen Ländern nur noch in der Schweiz. Betrachtet man sie im systematischen Zusammenhang, so ist sie schonender und sozial gerechter als die Einkommensteuer, deren steile Progression und Höhe in Deutschland und Österreich beklagt werden. Bei einer angemessenen Reduzierung wäre eine massvolle Besteuerung grösserer Vermögen vorstellbar. Bedenken begegnen ihr namentlich bei der Unternehmensbesteuerung, weil sie ertragsunabhängig ist und zu einem Substanzverzehr führen kann. Auch betrifft sie zu ei-

---

[370] BVerfGE 138, 136 ff., 1 BvL 21/12, v. 17.12.2014. Obwohl das Gericht dem Gesetzgeber im Steuerrecht einen grossen Gestaltungsspielraum einräumt, hat es die weitgehende Verschonung beim Unternehmensübergang beanstandet und die einschlägigen §§ 13a und b ErbStG wegen Verletzung des Gleichheitssatzes für verfassungswidrig erklärt.

nem wesentlichen Anteil Grundstücke, die bereits der *Grundsteuer* unterliegen. Diese war allerdings in Deutschland und Österreich durch Einheitswerte gekennzeichnet, die weit unter dem Verkehrswert lagen und lange Zeit nicht valorisiert wurden. Auch neuere Bodenwerte gelten einigen (noch immer oder schon wieder) als zu niedrig. Andererseits kann der Staat der Besteuerung nicht unterschiedslos inflationäre Grundstückspreise zugrunde legen.

Eine Umverteilung durch Steuern bleibt in allen drei Ländern einstweilen Utopie.

Das Steuerrecht ist ein Feld zum Teil beträchtlicher Ungerechtigkeiten. Das lässt sich anhand einiger weniger Beispiele zeigen. Die in den letzten Jahrzehnten massiv erhöhte **Mehrwertsteuer** trifft naturgemäss die ärmeren Bevölkerungsschichten mehr als die wohlhabenderen, weil sie den grössten Teil ihres Einkommens für Verbrauchsgüter, Dienstleistungen usw. ausgeben müssen.

Willkürlich ist die Liste der Gegenstände, für die in Deutschland der ermässigte Mehrwertsteuersatz gilt: Zum Beispiel für Bücher, nicht aber für E-Books, für Hundekekse, nicht aber für Kinderkekse, für Pferde, nicht aber für Esel (usw.). Die Regel-Ausnahme-Ordnung ist ohne erkennbares Prinzip und verstösst gegen das Gleichbehandlungsgebot. Der gegenüber einem zunehmenden Lobbyismus zu nachgiebige Staat schafft zu den vielen Steuertatbeständen zahlreiche Ausnahmen. Im Gegenzug wird immer mal wieder der Steuersatz erhöht.[371]

---

371 Die Mehrwertsteuer beträgt in A 20 Prozent. In D 19 Prozent und in CH 7,7 Prozent. Der Spitzensteuersatz der Einkommensteuer beträgt in A 50 Prozent in D 45 Prozent und ist in CH kantonsweise verschieden, beträgt aber selten mehr als 40 Prozent; vor allem beginnt die Progression später und verläuft flacher. Zum Vergleich: Im Kaiserreich betrug die Einkommensteuer gerade mal 4 Prozent. Freilich gab es auch den Sozialstaat nicht und die zahlreichen Staatsaufgaben der Daseinsvorsorge.

Ähnliches gilt für viele Vergünstigungen bei der **Einkommensteuer** (vgl. schon oben I 2). Vorzugswürdig wäre eine einfachere, also weniger differenzierende, mithin «ungerechtere» Regelung bei niedrigerem Steuersatz. In Deutschland wurde das Wahlversprechen einfacherer Steuergesetze nie realisiert und die «Steuererklärung auf dem Bierdeckel» ist eine Utopie geblieben (zur Einfachheit der Gesetze s. oben III 1). Heute ist die Steuererklärung so kompliziert, dass man ohne einen Steuerberater kaum auskommt.

Der *progressive Einkommensteuertarif* ist an sich ein Musterbeispiel für die iustitia distributiva, denn auch für Belastungen gilt: nicht jeder die gleiche, sondern jeder die angemessene. Deshalb erhöht sich mit steigendem Einkommen nicht nur der zu zahlende Betrag, sondern auch der Steuersatz (vgl. auch oben I 3 a). Dabei führte es zu einer ungerechten Belastung, wenn für eine nominelle Lohnerhöhung, die nur die Inflation ausgleicht, eine progressiv steigende Steuer zu bezahlen ist und auch kleinere und mittlere Einkommen in die Progression hineinwachsen. (sog. «kalte Progression»). Vereinzelt wurde der Tarif in der Vergangenheit der Inflation angepasst, sodass die Besteuerung inflationsbedingter Scheingewinne wenigstens abgemildert wurde. Allerdings ist die Inflation zuletzt wieder stark angestiegen, ohne dass bislang eine Anpassung erfolgt wäre.

Kritisiert wird auch, dass der Staat in D und A *Arbeitseinkommen* nahezu doppelt so hoch besteuert wie *Kapitalerträge*, für die der fixe Steuersatz 25 Prozent beträgt. Dagegen ist diese Steuer in CH systemgerecht als Verrechnungssteuer mit einem Satz von 33 Prozent ausgestaltet, die mit der Einkommensteuer verrechnet wird. Als Gegenargument wird angeführt, dass die Kapitalien aus bereits versteuertem Geld gebildet wurden und daher nicht noch einmal besteuert werden sollten. Allerdings hat das Thema bei den Ersparnissen an Bedeutung verloren, weil die EZB die Zinsen weitgehend abgeschafft hatte (vgl. oben VIII 1). Relevant bleibt es auf dem

Aktienmarkt, der durch den dadurch verursachten Anlagenotstand einen enormen Boom erlebt hat.

Eine weitere Ungerechtigkeit ergibt sich beim **Ehegattensplitting**, das es nur in Deutschland gibt. Im Dritten Reich war die Zusammenveranlagung von Ehegatten eingeführt worden, was nach dem Krieg beibehalten worden ist. Dem lag das Bild von der Hausfrauenehe zugrunde. Infolge der zu steilen Progressionskurve führte die Zusammenlegung der Einkünfte in der Doppelverdienerehe zu einer höheren Steuerbelastung, was in der Folge vom Bundesverfassungsgericht beanstandet worden war (BVerfGE 6, 55). Um diesen Nachteil zu vermeiden, wurde das Ehegattensplitting nach § 32a Abs. 5 EStG eingeführt. Danach wird das zu versteuernde Einkommen der Ehegatten halbiert und daraus die Steuer berechnet, die dann verdoppelt wird. Das zu versteuernde Einkommen wird also zu gleichen Teilen auf beide Ehegatten verteilt. Welcher der Ehegatten wieviel zum ehelichen Gesamteinkommen beigetragen hat, ist unerheblich. Das Einkommen eines gemeinsam veranlagten Paares wird bei diesem Splittingverfahren mit dem gleichen Steuersatz belastet wie das halb so hohe Einkommen eines einzeln Veranlagten. Ungerecht ist dieser Vorteil insofern, als er unabhängig vom Vorhandensein von Kindern gilt, die den eigentlichen zusätzlichen Kostenfaktor in der Familie darstellen. Besonders krass sind die Auswirkungen, wenn ein Ehegatte verstirbt. Dann fällt nach einem «Gnadenjahr» der Splittingvorteil weg und die Witwe sieht sich mit den Waisen einem verringerten Einkommen und einer erhöhten Steuerbelastung ausgesetzt.

Ein anderer Stein des Anstosses sind Steuervorteile für **internationale Konzerne**, die den Gewinn nicht dort versteuern müssen, wo er angefallen ist, sondern in ein Niedrigsteuerland verlagern können. Dabei muss es sich gar nicht um sog. Steueroasen handeln. Auch Europäische Staaten betreiben untereinander einen «Steuerwettbewerb», der jedenfalls dem

Geist der Verträge diametral widerspricht. Namentlich kleinere Staaten, wie Luxemburg, Holland oder Irland, versuchen durch Steueranreize Konzerngesellschaften anzulocken. So zahlen Amazon in Luxemburg, bzw. Apple in Irland nur ganz wenig Steuern. Etliche Konzerne verlagern ihren Gewinn in niederländische Konzerngesellschaften, welche die Patente halten und dort auf Lizenzgebühren nur geringe Steuern zahlen. Inzwischen haben sich die meisten Staaten wenigstens auf eine Mindeststeuer von 15 Prozent geeinigt.

IX. Kapitel: Globale Gerechtigkeit

1. Gerechtigkeit und Globalisierung

Drängende Fragen der Gerechtigkeit stellen sich insbesondere im Zusammenhang mit der Globalisierung.[372] Weltweiter Handel und *globale Vernetzung* durch das *Internet* machen internationale Gerechtigkeit zum Thema. Dies betrifft zunächst den Gegensatz zwischen Demokratien und autoritären Staaten (Diktaturen). Im Handel mit diesen tritt das alte Spannungsverhältnis zwischen *utile* (zweckmässig) und *honestum* (anständig) wieder hervor (vgl. oben Fn 88). Ethik und Moral lassen sich im internationalen Handel nicht ausklammern. Dieser verlangt aber auch eine gerechte Ordnung und verantwortliches Handeln namentlich gegenüber der Dritten Welt. Der Kampf gegen Krankheit, Hunger und Elend erfordert eine Entwicklung der Dritten Welt. Ein eminentes Problem ist die Verteilung von Impfstoff an Länder der Dritten Welt, z.B. in der Corona-Pandemie. Weitere wichtige Themen der «globalen Gesellschaft» sind Geburtenkontrolle und Familienplanung, Schonung der Ressourcen und entschiedene Massnahmen zum Schutz der Umwelt. Dazu gehört weiter, dass man den Transfer von Arbeitsplätzen zulässt und den Export nicht durch Agrarzölle behindert. Der globale Handel, der durch das Internet gefördert wird, ist per se weder gut noch schlecht, doch wurden in den grossen

---

[372] Vgl. die Beiträge in: Broszies/Hahn (Hrsg.) Globale Gerechtigkeit (2016); HÖFFE, Gerechtigkeit 102 ff.; DERS., Demokratie im Zeitalter der Globalisierung[2] (2002); Alderheiden/Huster/Kirste (Hrsg.), Globalisierung als Problem von Gerechtigkeit und Steuerungsfähigkeit des Rechts (2001, ARSP Beiheft 79); Frank (Hrsg.), Ethik der Migration (2017); HAHN, Globale Gerechtigkeit, KREIDE, Transnationale Gerechtigkeit, SCHLEGEL/SCHUCK, Internationale Gerechtigkeit, alle in: Goppel/Mieth/Neuhäuser, Handbuch Gerechtigkeit (2016).

Krisen (wie Pandemie, Ukrainekrieg usw.) seine Schwächen deutlich. Dies zeigt sich etwa an der Störung der Lieferketten im Handel mit China. Die von der EU verordnete Liberalisierung des Energiemarkts hat zu völlig überhöhten Preisen geführt.[373] Insbesondere Energie und Lebensmittel sind enorm

---

[373] Als Fehlentwicklung hat sich auch die Anfang der Nullerjahre im Rahmen der spg. Liberalisierung des europäischen Energiemarkts eingerichtete Leipziger Strombörse EEX (European Energy Exchange) erwiesen, denn sie führt zu falschen Preissignalen. Einmal wird nicht der gesamte Strom dort gehandelt, sondern nur ein kleiner Teil von ca. 5 Prozent. Im Prinzip handelt es sich nur um kurzfristigen Bedarf, weil es weder sinnvoll noch üblich ist, den Strombedarf für langfristige Lieferpflichten kurzfristig an der Börse zu decken. Zum anderen nahm man eine Verallgemeinerung des «Preisdesigns» der EU (der sog. «Merit-Order») als Vorwand dafür, den Preis allein nach dem teuersten Angebot, also dem der Gaskraftwerke, zu bestimmen. Die Merit-Order macht Sinn, wenn mehrere Anbieter an einer Auktion teilnehmen. Denn alle würden zögern, als Erste ein Angebot abzugeben, wenn sie damit rechnen müssten, dass spätere Anbieter höhere Preise erzielen würden. Das Modell eignet sich indes nicht zur generellen Preisfindung auf dem Strommarkt. Denn es simuliert einen Wettbewerb zwischen allen Anbietern verschiedener Stromproduktionsarten und Kontrakten, den es in Wirklichkeit nicht gibt. Unter Berufung auf dieses Modell kam es während des Ukrainekrieges durch die hohen Gaspreise auch an der Strombörse zu extremen Preissprüngen, die weder durch erhöhte Herstellungskosten noch durch Verknappung des Angebots gerechtfertigt waren. Während zuvor alle Beteiligten mit der Regulierung durch die Kohle-Strom-Verordnung jahrzehntelang gut zurechtgekommen sind, hat also die von der EU durchgesetzte Liberalisierung in der Krise zu Exzessen geführt. Anstatt diese Spekulationen durch Preisfestsetzung auszuschliessen, hat man in den angeblich objektiven «Markt» nicht eingegriffen und berief sich auf das angebliche Knappheitssignal hoher Preise. Jedenfalls am Strommarkt hätte eine Preisfestsetzung nicht zu einer Verknappung des Angebots geführt. Schliesslich operierte man mit der Abschöpfung von «Übergewinnen» und Transferzahlungen

verteuert worden, eine Entwicklung, die durch Spekulation und Wetten auf künftige Preise an den Terminmärkten noch verstärkt wurde. Während die Absicherung gegen Währungsrisiken durch Hedging für die Exportwirtschaft Sinn macht, sind futures oder commodities aller sonstigen Güter und Vermögenswerte reine «Zocke» und wirken wie Brandverstärker. Hedgefonds und Investmentbanker, die mit den einzelnen Branchen nichts zu tun haben, wetten dort unter Einsatz von künstlicher Intelligenz und Algorithmen. Das sollte verboten werden. Durch Spekulation und Manipulation getriebene Preise, die auf keiner echten Angebotsverknappung beruhen, müssen staatlich festgesetzt werden. Die Versuche, sie mit Steuergeldern in Milliardenhöhe auf ein erträgliches Mass zu subventionieren, sind verfehlt. Der objektive Markt ist in Wahrheit eine Chimäre. Die extremen Ausschläge an den Börsen und Märkten sind entgegen einer verbreitenden Meinung in Politik und Ökonomie nicht ernstzunehmende Knappheitssignale, sondern Zeichen von Spekulation und Übertreibung.

Auch eine Regulierung der Finanzmärkte und des Handels mit Derivaten ist nach der Finanzkrise 2007/2008 nur halbherzig erfolgt. Die Weltwirtschaftskrise wurde durch die Lehmann-Pleite in den USA ausgelöst. In der Hypothekenaffäre wurde ca. die Hälfte aller toxischen Papiere im Umfang von fast einer (europ.) Billion Dollar nach Europa und Asien verkauft.[374] Die gebündelten Hypothekenpapiere, die wegen der Exzesse auf dem US-Immobilienmarkt und des seltsamen Kreditrechts, das keine persönliche Haftung kennt und die Schuldentragfähigkeit vernachlässigt, viele schlechte Risiken

aus Steuermitteln in Milliardenhöhe, einer Massnahme, welche die falschen Signale sendete und der Normalisierung der Märkte im Wege stand.

374 STIGLITZ, Reich und Arm – Die wachsende Ungleichheit in unserer Gesellschaft (2015) 89 f.

enthielten, waren gleichwohl von den drei grossen Ratingagenturen mit Triple A bewertet worden, da es ja Hypotheken gewesen seien. Die Käufer blieben auf den betrügerisch gepackten Papieren sitzen. Die Ratingagenturen mussten keinen Schadenersatz leisten. Einige haben Strafzahlungen an das US-Justizministerium durch günstige Vergleiche abgewendet.[375] Die Argumentation ging dahin, ein Rating sei eine durch die Meinungsfreiheit geschützte Meinungsäusserung. Diese Begründung bedarf angesichts einer zumindest grobfahrlässigen Falschbewertung von Fakten keines Kommentars. Zu hohen Strafen wurden jedoch namentlich ausländische Banken, etwa die Deutsche Bank verurteilt, die diese Papiere europäischen Banken vermittelt hatte. Die geschädigten Käufer in Europa und Asien erhielten freilich keinen Ersatz. Vergleicht man die Zurückhaltung des US-Justizministeriums in der Hypothekenaffäre mit dem Jagdeifer in der Dieselaffäre,[376] so muss man feststellen, dass mit zweierlei Mass gemessen wurde. Der Verfall moralischer Massstäbe in den USA, der sich auch in der Behandlung von Flüchtlingen widerspiegelt, bringt weltweit die westlichen Werte und ihren Gerechtigkeitsanspruch in Misskredit.

Die USA wurden als Vertragspartner durch US-Präsident Trump diskreditiert, durch eine populistisch-nationalistische

---

375 Zu den Vergleichen s. BUCHTER, Blackrock – Eine heimliche Weltmacht greift nach unserem Geld (2015) 48; zur Qualifikation der Ratings *Stiglitz*, 31, 76.

376 VW zahlte 24 Milliarden USD; Dieselkäufer konnten ihre alten Wagen zurückgeben und erhielten Schadenersatz, obwohl sie keinen Schaden erlitten hatten. Die amerikanische Justizbehörde schickte einen «Monitor» nach Wolfsburg, der dort für die Einhaltung amerikanischer «Grundrechtswerte» sorgt – ein absurdes Theater. Die nächste Aktion hat die amerikanische Börsenaufsicht gestartet, wegen Verletzung der Informations- und Aufklärungspflicht. Hier werden aber kaum Aktionäre entschädigt, sondern hauptsächlich die Staatskassen gefüllt.

America First-Doktrin und durch verfehlte Kritik am Multilateralism, zu dem oktroyierte Verträge und «deals» à la Trump keine vernünftige Alternative waren. Der Grundsatz, dass man Verträge halten muss (*Pacta sunt servanda*), Verlässlichkeit und Vertrauen wurden mutwillig beschädigt. Auch das Atomabkommen mit dem Iran wurde von den USA aufgekündigt und das Land erneut mit **Sanktionen** überzogen. Verboten waren danach z.B. der Handel mit Öl, Gold, Wertpapieren und Waren sowie Zahlungen in Dollar, Teilnahme am Swiftverfahren und am internationalen Zahlungsverkehr, den die USA monopolisieren. Gleichzeitig wurden dem Iran und allen Handelspartnern die «härtesten Sanktionen» angedroht, will heissen, Milliardenstrafen[377] für Unternehmen und Jahrzehnte Haft für physische Personen, die sich nicht an die völkerrechtswidrigen Sanktionen halten. Das stiess kaum auf Kritik und die Welt kuschte, aus Angst, selbst in den Sanktionsbann zu geraten. Dabei machte US-Präsident Trump willkürliche Ausnahmen nach «Gutsherren-Art»: So galten die Ölhandelssanktionen nicht für die Länder Italien, Griechenland und die Türkei sowie China, Indien, Japan, Südkorea und Taiwan. Alle anderen mussten aber mit horrenden Strafen rechnen. Im Westen beteiligte man sich aus Furcht vor Repressalien an diesen willkürlichen Massnahmen. So hat Kanada aufgrund eines US-amerikanischen Haftbefehls eine Huawei-Managerin festgenommen, der wegen Verstössen gegen völkerrechtswidrige Iran-Sanktionen in

377 Nachrichten wie diese Notiz aus *Zeit online* v. 1.7.2014 und 12.3.2015 gehören beinah zur täglichen Lektüre: Die PNB Paribas hat wegen Verstössen gegen Sanktionen gegen den Iran und den Sudan 8,9 Milliarden USD Strafe gezahlt. Die Commerzbank hat wegen desselben Vorwurfs 1,45 Milliarden USD Strafe bezahlt. Soweit ersichtlich, hat sich noch niemand die Mühe gemacht, einmal zusammenzuzählen, wie viele Milliarden an Strafzahlungen für beliebige «Delikte» die USA in den letzten Jahrzehnten weltweit eingesammelt haben.

den USA 30 Jahre Haft drohen.[378] Google hat aus ähnlicher Furcht Huawei vertragswidrig die Android-Software für die Mobiltelefone entzogen. Das war ein gravierender Vertrags- und Vertrauensbruch, der die internationale Zusammenarbeit nachhaltig beschädigt hat. Während Trump die halbe Welt mit Sanktionen oder Strafzöllen überzog, paktierte er mit Diktaturen wie Saudi-Arabien oder Nordkorea und hofierte mächtige Mörder wie Bin Salman und Kim Jong-Un. Auch sind die USA verschiedenen internationalen Abkommen nicht beigetreten.[379] Einstweilen scheint sich unter Präsident Biden die Hoffnung auf eine Abkehr von dieser fatalen Politik zu bestätigen, der z.B. dem Pariser Klima-Abkommen wieder beigetreten ist und auch mit dem Iran wieder verhandelt. Allerdings sind Verhandlungen mit dem verbrecherischen Regime der Mullahs, die morden und lügen und das Volk durch mörderische Revolutionswächter und eine korrupte Justiz unterdrücken, inzwischen nicht mehr sinnvoll.

Der Überfall auf die Ukraine und die Kriegsverbrechen Russlands haben weltweit zu massiven Sanktionen geführt, die im Grundsatz alternativlos sind, weil ein Kriegseintritt der Nato angesichts der russischen Atommacht und der Unberechenbarkeit Putins nicht in Frage kommt. Allerdings beeinflussen die Sanktionen das Kriegsgeschehen nicht. Notwendig wäre eine effizientere Unterstützung der Ukraine mit Waffen. Diese Nothilfe ist zu gering und zögerlich, to little, to late. Sie ist jedoch moralisch richtig und völkerrechtlich zulässig (vgl. unten 2), macht die Unterstützer nicht zur Kriegspartei

---

378 <https://www.welt.de/wirtschaft/article185195120/Konflikt-mit-China-Huawei-Managerin-drohen-30-Jahre-Haft-in-den-USA.html> 15.8.2019.

379 So etwa die UNICEF Kinderrechtskonvention, welche die USA als einziges UN-Mitglied nicht ratifiziert haben, oder das Abkommen über den Internationalen Strafgerichtshof in Den Haag, das von 123 Staaten ratifiziert wurde, nicht aber von den USA, Russland und China; dazu näher oben im Text.

und wird richtiger Ansicht nach auch durch eine Neutralität nicht ausgeschlossen.

2. Krieg und Frieden

Krieg bedeutet Tod und Not, Unfreiheit und Unterdrückung. Friede ist Voraussetzung von Freiheit und Gleichheit. Das lehrt vor allem die Geschichte. *Pax optima rerum* (Friede ist das Beste aller Dinge) war die Devise beim Westfälischen Frieden, mit dem der Dreissigjährige Krieg beendet wurde. Solange sich allerdings Angriffskriege und sonstige Menschenrechtsverbrechen nicht verhindern lassen, bleibt die Verwirklichung globaler Gerechtigkeit schon deshalb Utopie. Notwendig wäre eine starke UNO ohne Vetomächte im Sicherheitsrat, wie namentlich Russland, aber auch China oder die USA. Liesse sich das verwirklichen, so bedürfte es als Nächstes eines militärischen Monopols der Weltorganisation. Auch das ist eine alte Utopie.

Nach dem zweiten Weltkrieg entstand als Antwort auf die Naziverbrechen die **Genfer UN-Flüchtlingskonvention** (1951). In Art. 1 A 2 sind die Fluchtgründe zu eng definiert. Als politischer Flüchtling gelten nur Personen, die individuell verfolgt sind und ihr Heimatland verlassen haben, «aus der begründeten Furcht wegen ihrer Rasse, Religion, Nationalität, Zugehörigkeit zu einer bestimmten sozialen Gruppe oder wegen ihrer politischen Überzeugung verfolgt zu werden». Nicht als Fluchtgrund gelten Existenznot und Hunger infolge von Natur- und Klimakatastrophen sowie Bürgerkriege. Das ist zu eng und einer der Gründe dafür, weshalb zu wenig Flüchtlinge politisches Asyl erhalten. Weltweit sind für Flucht und Kriege Diktaturen, Raubbau und Umweltzerstörung die Hauptursachen. Aktuelle Beispiele sind der Krieg des Diktators Assad gegen sein eigenes Volk, der Überfall Putins auf die Ukraine, die Kriege um Religion und Macht zwischen Sunniten und Schiiten, der Terror durch Taliban, Islamisten und andere Fanatiker, der Stellvertreter-Krieg zwischen Huthi-Rebellen und Regierung im Jemen, an dem Iran und Saudi-Arabien beteiligt sind und der mit Hunger und Tod unsägliche Opfer in der Bevölkerung gefordert hat. Eine Schande sind auch die Folterlager in Libyen, die Toten im Mittelmeer und die Elendslager in Griechenland, nicht nur für Italien und Griechenland, sondern für ganz Europa. Das alles sind nur Beispiele aus Europa, Westasien und Afrika. Zynisches Unrecht ist es, wenn in Italien Fischer oder NGO's, die Boatpeople vor dem Ertrinken retten, wegen Schlepperei verurteilt und die Rettungsschiffe der NGO's beschlagnahmt werden. (Zum griechischen Umgang mit angeblichen Schleppern s. oben VI 2). In Wahrheit müssten Politiker wie der damalige Innenminister Salvini oder die Ministerpräsidentin Meloni wegen Verletzung von Menschenrechten und Verhinderung von Hilfeleistungen zur Verantwortung gezogen werden. Dasselbe gilt für das Zusammenwirken der Frontex mit der griechischen und libyschen Küstenwache bei pushbacks. Das sind Völkerrechtsverbrechen, welche die EU endlich bekämpfen muss. Sie muss die Seenotrettung wieder selbst organisieren und unmenschliches Handeln der Frontex unterbinden. Auch muss die Verteilung der Flüchtlinge auf die Mitgliedstaaten endlich durchgesetzt werden. Stattdessen ertrinken die von Griechenland und Italien zurückgeschobenen Migranten oder werden in libysche Folterlager zurückgebracht (vgl. auch oben VI 2). Man vermisst die Empörung einer gewissen community, die sich lieber über das N*-Wort aufregt. Von ethischem Orientierungsverlust zeugt auch der Vorschlag der EU-Kommission, Staaten, die keine Flüchtlinge aufnehmen, wie Ungarn oder Polen, könnten ihren «Solidarbeitrag» durch Beteiligung an den Kosten von Abschiebungen leisten: Als ob Aufnahme und Abschiebung von Flüchtlingen gleichwertige Beiträge wären.

Der Umgang mit Fremden und insbesondere mit Flüchtlingen ist ein Dauerthema und im Guten wie im Schlechten ein Beispiel für die «anthropologische Konstante». Einerseits war das Gastrecht heilig und Fremde genossen besonderen Schutz, andererseits wurde schon von den Sophisten die fehlende Gleichbehandlung von Hellenen und Barbaren beklagt. Fremde und Sklaven werden bei *Aristoteles* oft in einem Zug genannt und hatten nicht die gleichen Rechte wie die Bürger.[380] In Rom z.B. durfte nach der lex Sempronia de capite civis (123 v.Chr.) des Gaius Gracchus über einen Römischen Bürger nicht ohne Gerichtsverfahren und Urteil des Volkes entschieden werden. Cicero hat dagegen verstossen als er die Catalinarier hinrichten liess. Er selbst wurde später von den Häschern des Triumvirats ermordet. Für Fremde und Sklaven galt das Gesetz nicht. Sie konnten aufgrund magistratischer Entscheidung hingerichtet und sogar gekreuzigt werden. Die Ambivalenz des Fremdenproblems kann man auch heute sehen, wenn man etwa bedenkt, wie schnell die Willkommenskultur und das «Wir schaffen das» im Migrationsstrom des Jahres 2015 kleinlichen und repressiven gesetzlichen Regelungen gewichen ist, nachdem sich die Stimmung im Volk bald gedreht hatte. Humane Hilfe wurde wieder als «Gutmenschentum» oder «Helfersyndrom» bezeichnet. Natürlich können Deutschland oder Europa nicht alle Flüchtlinge aufnehmen. Man muss die Fluchtursachen in den Herkunftsländern bekämpfen. Auch gegen die dortige wirtschaftliche Not könnte man mit den Mitteln, die man in Europa für (eine oft nicht wirklich geglückte) Integration ausgeben muss, viel erreichen. Das Entstehen von Parallelgesellschaften ist eine Fehlentwicklung und die mangelnde Integration eine Belastung für Gesellschaft und Demokratie.

380 *Aristoteles,* Politik I 2 1252b 8 f. u. öfter. Zur Kritik der Sophisten oben bei Fn 192 ff.

Um Kriege zwischen verfeindeten Stämmen, Grenz- oder Religionskriege u.Ä. zu unterbinden, bedürfte es einer glaubwürdigen Einhaltung völkerrechtlicher Prinzipien durch die USA, einer handlungsfähigen UNO und einer präsenten und einsatzfähigen internationalen Friedenstruppe. Die UN-Sicherheitstruppen, die sog. «Blauhelme», können diese Aufgabe nicht erfüllen und auch die US-amerikanischen Kriege zur Gewährleistung von Sicherheit und Menschenrechten nach dem Zweiten Weltkrieg, man denke an Korea, Vietnam, Irak und Afganistan, waren nicht erfolgreich. Ein Konstruktionsfehler der UNO ist das Vetorecht der fünf ständigen Mitglieder des Sicherheitsrates nach Art. 27 Abs. 3 der UN-Charta, durch das oft notwendige Hilfen sogar bei Völkermord verhindert worden sind (z.B. Ruanda, Darfur, Irak, Syrien, Myanmar, Ukraine). So gab es weder zum Schutz der Jesiden im Irak noch der Rohingyas in Myanmar ein UN-Mandat und eine Syrien-Resolution ist stets am russisch/chinesischen Veto im Sicherheitsrat gescheitert. Allerdings wäre es eine Illusion zu glauben, die fünf ständigen Mitglieder des UN-Sicherheitsrates würden das usurpierte Vetorecht zugunsten einer vernünftigen und friedlichen Weltordnung freiwillig aufgeben. Die **humanitäre Intervention**[381] wird zu Unrecht nicht als Ausnahme vom universellen Gewaltverbot der UN-Satzung anerkannt.[382] Dabei wird verkannt, dass *Notwehr*- und *Nothilfe*massnahmen nach **Völkergewohnheitsrecht**[383] auch ohne einen entsprechenden Beschluss des Si-

---

381 Dazu LAUKÖTTER, Zwischen Einmischung und Nothilfe – Das Problem der «humanitären Intervention» aus ideengeschichtlicher Perspektive (2014).

382 Nach immer noch h.M. gelten auch humanitäre Interventionen ohne UN-Mandat als illegal (*Schweisfurth*, Völkerrecht 368).

383 S. etwa HUGO GROTIUS, De Iure Belli ac Pacis 1, 5, 2; 2, 25, 4 ff.; dazu auch *Laukötter* 141 f. – Der Kriegseinsatz im Kosovo (1998/99) war also richtiger Ansicht nach auch ohne UN-Mandat,

cherheitsrates möglich sind und ein unverzichtbarer, völkerrechtlicher Grundsatz bleiben, der naturrechtlich legitimiert ist. Das hat in einer multipolaren Welt mit mehreren Machtzentren,[384] in der sich ein Konsens in zentralen Fragen des Völkerrechts nur selten erzielen lässt, besondere Bedeutung.

Ein gewisser Fortschritt war zunächst bei Menschenrechtsverletzungen zu beobachten und es gelang (nach mehr als zweitausend Jahren) 2018 sogar, den **Angriffskrieg** zu ächten. Leider hat der russische Diktator Putin erneut diesen Zivilisationsbruch begangen, indem er einen verbrecherischen Angriffskrieg und einen mörderischen Bombenkrieg gegen die Bevölkerung der Ukraine entfesselt hat, in den der Westen aus Furcht vor einer atomaren Eskalation nicht eingegriffen hat. Eine Unterstützung der Ukraine mit Waffenlieferungen, die keine Kriegsteilnahme darstellt, erfolgte viel zu zögerlich und in zu geringem Umfang.

Solange nicht alle Atomwaffen beseitigt sind, ist ein dauerhafter Weltfriede nicht realistisch. Konjunktur hat wieder die alte römische, auf Abschreckung zielende Weisheit *Si vis pacem, para bellum* – Wenn du den Frieden willst, bereite den Krieg vor. Die «Friedensdividende», an die man nach dem Zerfall der Sowjetunion lange geglaubt hat, hat sich als Irrglaube erwiesen.

Der Überfall auf die Ukraine war nicht nur ein brutaler Angriffskrieg mit vielen Toten, zerstörten Städten und der grössten Flüchtlingswelle seit dem 2. Weltkrieg, sondern auch ein Verstoss gegen den Satz pacta sunt servanda, weil Russland im Budapester Memorandum von 1994, die Souveränität und

das am Veto Russlands und Chinas gescheitert ist, rechtmässig. Auch die Tragödie in Syrien hätte bei frühzeitiger Hilfe für das geschundene Volk einen anderen Verlauf nehmen können.

384 Die USA und die EU sowie die fünf aufstrebenden Industrienationen, die sog. BRICS Staaten Brasilien, Russland, Indien, China und Südafrika.

die Grenzen der Ukraine garantiert hatte, nachdem diese ihre Atomwaffen abgeliefert hatte. Auch insofern besteht eine Parallele zum Überfall Hitler-Deutschlands auf die Sowjetunion 1941, die zwei Jahre zuvor einen Nichtangriffspakt geschlossen hatten. Verträge werden beliebig gebrochen und es gilt einfach das «Recht des Stärkeren». Dass es ein solches Recht nicht gibt, wurde oben dargelegt (I 2 unten IV 1).

In der römischen Antike versuchte man die Ungerechtigkeit von Angriffskriegen durch rituelle Formen der Kriegserklärung zu verschleiern und definierte das bellum iustum, den «gerechten Krieg», nach Formalien, die auf die Sitte der Väter, den mos maiorum, zurückgeführt wurden.[385] Doch fragte man auch, ob ein Angriffskrieg jemals gerecht sein könne *(an bellare umquam iustum sit)*. Es war ein gewaltiger Fortschritt als endlich mit dem Römischen Statut v. 17. Juli 1998 Angriffskriege unter Strafe gestellt und ein **Internationaler Strafgerichtshof** (IStGH) mit Sitz in Den Haag geschaffen wurden. Das Statut wurde von 123 Staaten ratifiziert. Etliche Staaten, darunter, wie nicht anders zu erwarten, Russland und einige andere Vetomächte im UN-Sicherheitsrat, wie China und die USA sind dem Statut leider nicht beigetreten. Die

[385] So warf man bei der belli indictio eine blutige Lanze ins Lager der Feinde. Später, als die Kriege fern von Rom geführt wurden, erklärte man einfach ein Grundstück beim Tempel der Bellona zur terra hostilis und warf die Lanze dorthin (Servius, Komm. zu Vergil Aeneis 9, 529); tlw. abweichend in Einzelheiten LATTE, Römische Religionsgeschichte (1960) 121 ff. mit Quellen. S. auch Cic de off. I 36, 1 Ac belli quidem aequitas sanctissime fetiali populi Romani iure perscripta est. (2) Ex quo intellegi potest nullum bellum esse iustum, nisi quod aut rebus repetitis geratur aut denuntiatum ante sit et indictum. – Und das Kriegsrecht ist sehr gewissenhaft durch das Fetialrecht des römischen Volkes bestimmt worden. (2) Woraus man erkennen kann, dass kein Krieg gerecht ist, es sei denn, dass er entweder nach einer Genugtuungsforderung geführt wird oder vorher feierlich erklärt und angekündigt worden ist.

USA boykottieren den Gerichtshof, weil sie befürchten, dass sie dort angeklagt werden könnten. In der Schweiz wurde das Statut durch Art. 264 und 264a StGB und das ZISG umgesetzt (SR 351.6), in Deutschland durch das Völkerstrafgesetzbuch vom 26. Juni 2002 und in Österreich durch Bundesgesetz über die Zusammenarbeit mit dem Internationalen Strafgerichtshof (BGBl. I Nr. 135/2002) und §§ 321, 321a–k StGB). Damit sind in allen drei Ländern Völkermord, Verbrechen gegen die Menschlichkeit und Angriffskrieg (usw.) unter Strafe gestellt und die Zuständigkeit des IStGH anerkannt.

3. Umweltschutz und Klimawandel

Massnahmen zum Schutz der Umwelt und gegen den Klimawandel sind eher ein Gebot der Vernunft als der Gerechtigkeit (oben I). Der alte Begriff des Naturrechts erhält allerdings hier einen ganz neuen Sinn. Die sog. *Umweltgerechtigkeit* besteht in einer Ethik gegenüber der Natur;[386] andere sprechen von ökologischer Ethik.[387] Der Plünderung des Planeten muss Einhalt geboten, der Klimawandel gestoppt werden. Ob sich das Abschmelzen der Polkappen und das Ansteigen des Meeresspiegels überhaupt (noch) aufhalten lassen, ist ungewiss. Der Klimawandel, die Luftverschmutzung, der Ressourcenverbrauch, die Erosion der Böden, das Artensterben, die Versteppung von Landschaften, das Absinken des Grundwasserspiegels durch übermässige Wasserentnahme, das Abholzen des Regenwaldes, die Trockenlegung

386 S. etwa WALZ, Kritische Ethik der Natur (2007). Der Begriff wird auch so verstanden, dass Industrieländer, die für die CO_2-Belastung hauptsächlich verantwortlich sind, Armen einen Ausgleich zahlen.

387 VON DER PFORDTEN, Ökologische Ethik: zur Rechtfertigung menschlichen Verhaltens gegenüber der Natur (1996).

der Moore, die Überfischung der Meere, sind die drängendsten Beispiele für einen Raubbau an der Natur, der die menschliche Existenzgrundlage gefährdet und damit Ungerechtigkeit und Leid verursacht. Es ist höchste Zeit für eine Umkehr. Auch wenn effiziente Massnahmen ergriffen werden, dauert es Jahrzehnte bis ein Erfolg sichtbar wird. Notwendig sind neben der Bekämpfung der Erderwärmung vor allem die Reduktion der Luftverschmutzung, der Zugang zu sauberem Wasser, eine nachhaltige Landwirtschaft, welche Luft, Wasser und Böden schont, eine Bauordnung, die den Flächenverbrauch einschränkt usw.

Kein wirklich sinnvoller Weg ist es allerdings, der Natur eine eigene Rechtspersönlichkeit zuzuschreiben.[388] Denn in Wirklichkeit geht es nur um das Interesse der Menschen, als den einzigen Rechtssubjekten, an der Erhaltung eines bewohnbaren Planeten. Das soll nicht als Emanation eines anthropozentrischen Weltbilds missverstanden werden. Doch der notwendige Schutz des Planeten könnte auch bei Annahme einer eigenen Rechtspersönlichkeit nur über Menschen erreicht werden, die dessen Rechte geltend machen. Eine solche Annahme wäre also ein unnötiger Umweg.

Zur Reduktion der **Erderwärmung** und zur Erreichung der sog. **CO_2-Neutralität** werden grosse Anstrengungen unternommen (vgl. auch oben VIII 2). In der EU werden den Automobilherstellern immer niedrigere Flottenverbrauchswerte vorgeschrieben, die nur durch einen hohen Anteil an Elektroautos zu erreichen sind, wenn Milliardenstrafen vermieden werden sollen.[389] Da Elektroautos wegen der energieintensiven Herstellung der Batterien und wegen des Betriebs (auch)

---

388 Diese Idee vertritt etwa STRATENWERTH, Freiheit und Gleichheit (2007) 99 ff. m.Nw.

389 Allerdings handelt es sich dabei insofern um eine Mogelpackung, als Elektro- und sogar Hybridfahrzeuge doppelt angerechnet werden. Da letztere als Firmenfahrzeuge steuerlich extrem begünstigt

mit Kohlestrom bis auf Weiteres immer noch eine ungünstigere Umweltbilanz haben als Verbrennungsmotoren, sind diese Massnahmen nicht zielführend, solange die **Dekarbonisierung** der **Energiewirtschaft** nicht entscheidende Fortschritte macht. Die angedrohten Milliardenstrafen haben freilich bewirkt, dass die Automobilhersteller versuchen, den Anteil von E-Autos massiv zu erhöhen. Im Übrigen weiss heute niemand, wie ein so grosser Bestand an E-Autos zusätzlich aus einem Stromangebot versorgt werden kann, das zu 100 Prozent erneuerbar, also dekarbonisiert sein soll. Dasselbe gilt für die – bei sonstiger Strafe – gebotene energetische Sanierung von Millionen von Wohnungen, deren Öl- oder Gasheizungen durch Wärmepumpen ersetzt werden sollen. Selbst nachdem der CO_2-freie Atomstrom von der EU mit einem grünen Label versehen worden war, wurde der Ausstieg aus der Atomkraft in Deutschland nicht rückgängig gemacht. Die gigantische Energielücke muss u.a. durch Bezug aus (weniger sicheren) ausländischen Atomkraftwerken geschlossen werden. Diese Aspekte werden aus der politischen Diskussion regelmässig ausgeblendet. In Deutschland ist dank extremer Subventionierung von Wind- und Sonnenstrom durch hohe Einspeisevergütung zu Lasten der privaten Stromverbraucher der Anteil erneuerbarer Energie auf ca. 50 Prozent angestiegen. Allerdings hatte sich der Strompreis schon vor der durch den Ukrainekrieg ausgelösten Energiekrise verdreifacht und war mit über 35 Cent pro kWh weltweit am höchsten. Die jährliche Mehrbelastung der privaten Haushalte be-

---

werden, ist der Absatz hoch und die Automobilindustrie kann hoffen, mit dieserart entschärften EU-Vorgaben die Strafen zu vermeiden, auch wenn die Hybridfahrzeuge gar nicht oder kaum elektrisch gefahren werden. Freilich bahnt sich hier ein ähnliches Desaster an wie bei dem Diesel-Betrug, der seinen Anfang ebenfalls bei strengen Vorgaben und zweifelhaften Ausnahmen in der EU-Gesetzgebung genommen hat.

trug 26 Milliarden Euro. Der hohe Strompreis hat dazu geführt, dass 2018 in Deutschland nahezu 300 000 Haushalten der Strom abgeschaltet wurde, weil sie ihre Rechnung nicht mehr bezahlen konnten. Auch die Verteuerung der **CO_2-Emmission** durch Besteuerung oder **einen Zertifikatehandel** ist problematisch, denn sie müsste, jedenfalls wenn sie den gewünschten Effekt haben sollte, dramatisch gesteigert werden. Das würde soziale Verwerfungen nach sich ziehen, weil diese Massnahmen ärmere Bevölkerungsschichten am stärksten treffen. Die verbreitete Lenkungs- und **Planungseuphorie** vernachlässigt diesen Effekt von Steuern und Lenkungsabgaben oder im EU-Jargon «Strafen». Insbesondere greift es wiederum zu kurz, wenn die **Klimapolitik** im Rahmen des **«Green Deal»,** mit dem die Kommission die EU klimaneutral machen will, ständig Ziele verschärft und Vorgaben macht, die heute technisch noch gar nicht erreichbar sind und mit Sanktionen für Mitgliedstaaten und Betriebe belegt. Die strafweise Erzwingung von Zielen, deren Erreichbarkeit ungewiss ist, macht keinen Sinn. Leider hat sich auch das dt. BVerfG[390] dieser realitätsfernen Politik angeschlossen und das KlimaschutzG für (tlw.) verfassungswidrig erklärt. Der Vorwurf ist: dass es die zur Erreichung des für das Jahr 2050 (zuletzt: 2045) anvisierten *Zieles* notwendigen *Massnahmen* nur bis 2030 festgeschrieben waren, statt bis 2050. Das verletze die Freiheitsrechte der jungen Generation (vgl. oben VII 2). Gericht und Politik glauben offenbar, dass – entsprechende Anstrengungen vorausgesetzt – der für das gigantische **Dekarbonisierungsprogramm** erforderliche grüne Strom planungssicher bereitgestellt werden könnte. Wegen der Umstellung auf E-Fahrzeuge, der Ersetzung von Öl- und Gasheizungen durch Wärmepumpen und der Dekarbonisierung der Industrie rechnet man mindestens mit einer Verdreifachung des Strombedarfs. Es ist aber unrealistisch, dass sich solche

[390] Beschluss v. 24.3.2021 1 BvR 2656/18.

Mengen aus Wasser-, Wind- und Sonnenkraft (usw.) in Deutschland herstellen lassen. Das wurde – mit Rücksicht auf die Wahl – von keiner Partei klar ausgesprochen. Auch der Bedarf an grünem Strom für Herstellung und Transport von grünem **Wasserstoff** ist bei einem bescheidenen Wirkungsgrad der Elektrolyse und beträchtlichen Transportverlusten enorm und die in den bisher verfügbaren Verfahren herstellbaren Mengen sind zu gering. Man würde grünen Wasserstoff u.a. für Energiespeicherung benötigen, um die Versorgung auch für die Zeiten zu sichern, in denen Sonnen- oder Windenergie nicht ausreichend zur Verfügung steht, ferner für Verkehr (Lastwagen, Busse, Flugzeuge) und Industrie (Stahl- u. Aluminiumherstellung, Zement, Chemie usw.). Da so viel grüner Wasserstoff kaum zur Verfügung stehen wird, fördert die EU als Brückentechnologie auch «blauen» Wasserstoff, der aus Erdgas hergestellt wird. Russland (der frühere Hauptlieferant Deutschlands) liefert aber seit dem Überfall auf die Ukraine jedenfalls zur Zeit kein Erdgas mehr. Es besteht ein umwelt- und geopolitisches Dilemma. Realistisch ist in dieser Notsituation allein die vorübergehende Verlängerung von Atom- und Kohlenutzung, sowie der Einsatz von Flüssiggas und es macht keinen Sinn, wenn sich Klimaaktivisten aus Protest dagegen auf die Strasse kleben.

Zum «Green Deal» der EU gehört auch die sog. Taxonomie-Verordnung,[391] mit der Atomstrom und Erdgas als grün und

---

[391] Die VO EU 2020/852 wurde angeblich zur Verhinderung von «Greenwashing» erlassen. Inzwischen hat jedoch die EU-Kommission der französischen Forderung nachgegeben und sogar Atomstrom und Erdgas zu grünen Produkten erklärt, was bedeutet, dass auch diese Energien Investoren empfohlen und mit EU-Mitteln gefördert werden können. Das ist in der Tat «Greenwashing» durch die EU und so haben einige Länder Klage erhoben. Während in Deutschland trotz des Engpasses bei der Stromherstellung die

bestimmte Finanzprodukte als nachhaltig klassifiziert werden. Die auch von der EZB propagierte Privilegierung «nachhaltiger» Unternehmen beim Ankauf von Anleihen überschreitet – wie übrigens ganz generell die Ausgabe von Unternehmensanleihen – deren Mandat und führt zu Ungleichbehandlungen. Geldpolitik (heute ohnehin oft nur ein Vorwand zur Verschleierung verbotener Staatsfinanzierung, vgl. VIII 1) sollte nicht mit Klimapolitik vermengt werden, sonst kommt es zur Überlagerung und Verdoppelung von Massnahmen.

Die schon für 2045 angepeilte Klimaneutralität Deutschlands wird die Erderwärmung nicht aufhalten; denn der deutsche Anteil an weltweitem, klimaschädlichem Kohlendioxyd beträgt nur 2 Prozent. Auch wenn alle Anstrengungen unternommen werden müssen, kann man sich schon fragen, ob das Geld für die extrem teuren Massnahmen für das nur schwer zu erreichende Ziel einer vollständigen Klimaneutralität für Deutschland nicht in anderen Teilen der Welt mit weit grösserer Effizienz eingesetzt werden könnte. Erfolg verspräche z.B. der Bau von Sonnenkollektoren in sonnenreicheren Gegenden, die weltweite Aufforstung von Wäldern und Bepflanzung von Steppen und Wüsten sowie eine radikale Ausschöpfung aller Möglichkeiten der Energieeinsparung.

Ein unermüdlicher Warner vor den Gefahren eines übetriebenen Wachstums und der Plünderung des Planeten ist der Club of Rome, der bereits 1972 die «Grenzen des Wachstums»[392] thematisiert hat. Heute ist wieder nur von Wachstum die Rede

---

letzten funktionsfähigen und sicheren Atomkraftwerke abgeschaltet und rückgebaut werden, erteilt die EU dem Atomstrom ein grünes Label. Solch krasse Widersprüche hält die Union auf Dauer nicht aus. Auch wenn man (für eine Übergangszeit?) auf Atomstrom und Gas nicht verzichten kann, bedeutet dies nicht, dass diese Energiequellen gleich förderungswürdig und nachhaltig wären wie Sonnen-, Wasser- oder Windenergie (usw.).

392 D. H. Meadows (et. al. ed.), The Limits to Growth (1972).

und die Einsicht, dass wir unsere Lebensgrundlage zerstören und «man Geld nicht essen kann»,[393] ist wieder geschwunden. Jedenfalls haben Wachstumsfetischisten Konjunktur. Im Westen gilt ein Wachstum unter 2 Prozent als zu gering, in China sind selbst 6 Prozent zu wenig. Es liegt auf der Hand, dass Entwicklungsländer ein höheres Wirtschaftswachstum haben müssen als entwickelte Industriestaaten. Dennoch hält die Politik auch bei diesen ein ständiges Wirtschaftswachstum für notwendig, weil man so eine Verteilungsmasse erhält, ohne umverteilen zu müssen und weil bei einem Wachstum nahe Null die Gefahr einer Rezession besteht. Die unterstellte Notwendigkeit eines unaufhörlichen Wachstums ist ökonomisch nicht begründbar. Sie ist nur eine politische Maxime demokratischer Parteien, die der Erkenntnis folgt, dass man mit einem Wirtschaftswachstum Wahlen eher gewinnt und dass eine Verteilung von Überschüssen politisch leichter durchsetzbar ist als eine echte Umverteilung. Man pflegt zu sagen, dass Stillstand immer Rückschritt bedeutet. «Wer nicht vorwärts geht, der kommt zurücke!» (Goethe). «Ein Fahrrad fällt um, wenn man es anhält.» (Jacques Delors). Doch taugen solche Beobachtungen auch als Metapher für die Entwicklung der Wirtschaft? Wirtschaftspsychologisch hat das Theorem eine gewisse Berechtigung. Denn natürlich strebt jeder Unternehmer nach Verbesserung von Produktion und Ertrag und verpasst leicht den Anschluss an die stetig fortschreitende Entwicklung, wenn er nicht ständig investiert und Innovationen verwirklicht. Die daraus resultierenden Einsparungen bei Ressourcen und Energie werden aber regelmässig durch vermehrten Verbrauch übertroffen. Den Staaten fällt die Aufgabe zu, die richtige Mitte zu halten zwischen Wachstum und Rezession. Das gilt zur Schonung des Planeten und seiner begrenzten Ressourcen. Global ist

---

393 Weissagung der Cree: «Only after the last tree has been cut down / Only after the last river has been poisoned / Only after the last fish has been caught / Then will you find that money cannot be eaten.»

dies freilich genauso schwierig umzusetzen, wie die Begrenzung der Erderwärmung.

Vordringlich ist eine **gerechte Verteilung** der **Beitragslasten** zur Erreichung der Ziele, die wiederum nach Tragfähigkeit und unter Beachtung des Schutzes der Schwächeren erfolgen muss. Gleichzeitig ist darauf zu achten, dass dabei der Schutz der Freiheiten nicht stärker eingeschränkt wird als dies zur Erreichung der Ziele notwendig ist (vgl. oben II 1).

X. Kapitel: Zusammenfassung und Schluss

1. Zusammenfassung

Auch wenn Juristen und Rechtsphilosophen keine einfache Antwort geben können auf die abstrakte Menschheitsfrage, was Gerechtigkeit ist, so sagt uns das unverbildete Rechtsempfinden des Laien und das nicht durch eine Déformation professionelle beeinträchtigte Judiz des Juristen doch stets, was (und wenn etwas) im konkreten Fall ungerecht ist. Die positive Aussage, was gerecht ist, dagegen ist schwieriger. Solange es kein Unrecht gibt, erübrigt sich die Frage nach der Gerechtigkeit. Erst durch das Unrecht wird sichtbar, was gerecht ist. Das zeigt auch der Jahrtausende alte Kampf um die unveräusserlichen Menschenrechte, die in der UN-Deklaration von 1948 verankert und weltweit eine Aufgabe de tous les jours sind.

Die Gerechtigkeit ist keine Illusion, sondern objektiv das oberste Ideal und die Leitidee des Rechts und der Rechtsordnung. Subjektiv ist sie eine Tugend, von der Aristoteles gesagt hat, sie sei staunenswerter als Morgen- und Abendrot. Sie wird vorausgesetzt in allen Formen menschlichen Zusammenlebens, sei es in Staat, Gesellschaft oder Familie (usw.). Die materielle Gerechtigkeitsethik wird seit der Antike als «Naturrecht» bezeichnet, dem Gesetzgebung und Rechtsprechung idealiter entsprechen sollen. Dieses Natur- oder Vernunftrecht hat seine Quelle in einer humanen Ethik und entspringt unserem Gewissen. Allerdings stellt das Recht nicht so hohe Anforderungen wie Moral und Ethik, sondern begnügt sich mit neutralem und nicht rechtswidrigem Handeln. Es gibt nur wenige allgemeine Aussagen über Gerechtigkeit. Ihr Fundament und gewissermassen ihr Minimalstandard sind in der berühmten goldenen *Regel* zusammengefasst: «Was du nicht willst, dass man dir tu', das füg' auch keinem anderen zu.» Das sagt mehr als es auf den ersten Blick den Anschein hat und stimmt überein mit dem kategorischen Imperativ von Kant. Die Maxime reflektiert das psychologische Faktum, dass wir empfindlich sind, wenn uns selbst Unrecht geschieht, dagegen je nach Empathiefähigkeit nur mehr oder weniger, wenn es anderen widerfährt. Bei Platon und Epikur und später erneut bei Hobbes und anderen wird aus der goldenen Regel der Gesellschaftsvertrag entwickelt. Damit nicht das «Recht des Stärkeren» gilt, schliessen die Bürger den Vertrag. Diese Vorstellung eines contractualism lebt bis zum heutigen Tage fort. Es geht aber nicht nur um das friedliche Nebeneinander und den gegenseitigen Nutzen. Auf der Gemeinschaft beruht auch die sittliche Existenz des Menschen als Einzelwesen mit einer sozialen Moral.

Auch die Unterscheidung der zwei Arten der Gerechtigkeit, der zuteilenden und der ausgleichenden, lässt sich von der griechischen Antike bis in unsere Tage verfolgen. Bei der ersten geht es um die Verteilung von Gütern oder Privilegien, aber auch Lasten durch den Staat. Nach der alten seit Aristoteles gültigen Doktrin soll nicht eine formale Gerechtigkeit herrschen, bei der alle *das Gleiche* bekommen und behalten sollen, sondern eine materielle, die proportional *Jedem das Seine* (suum cuique) zuteilt. An diesem Ansatz wurde kritisiert, dass er eine Leerformel ist, die nicht sagt, was *das Seine* ist. Die Kritik verkennt, dass die Konkretisierung des suum cuique durch das Naturrecht erfolgt. Daneben hat die Maxime insofern einen konkreten Gehalt als sie Ungerechtigkeit durch Gleichbehandlung von Verschiedenem ausschliesst (oben I 1 und I 3a) und rationale Differenzierung, also vernünftige Unterscheidung (reasonable discrimination) erfordert. Paradigmatisch für eine fehlerhafte formale Gleichheit ist die Forderung nach einem bedingungslosen Grundeinkommen für alle. Ein überzeugendes Beispiel proportionaler

Gerechtigkeit ist dagegen die progressive Einkommensteuer (I 3 a u. VII 4).

Bei der ausgleichenden Gerechtigkeit geht es um die Korrektur von Rechtsverhältnissen der Bürger untereinander, bei denen sich durch ungleiche Macht eine Abweichung von der richtigen Mitte und dem rechten Mass ergeben hat. Die Massstäbe für das einem jeden Zustehende sind schwieriger zu ermitteln als die richtige Mitte.

Die erste Forderung an die Gerechtigkeit ist das Unterbleiben von Unrecht. Gerechtigkeit ist allerdings mehr als die blosse Abwesenheit von Unrecht, so wie Glück mehr ist als das blosse Ausbleiben von Unglück. Es genügt auch nicht, wenn niemand unterdrückt oder diskriminiert wird. Zur sozialen Gerechtigkeit gehört gesellschaftliche Teilhabe. Seit der griechischen Antike und erneut im englischen Utilitarismus war anerkannt, dass jedes Mitglied der Gesellschaft die Chance auf die Verwirklichung von Glück haben soll. Das Streben nach Glück (pursuit of happiness), propagiert in der US-amerikanischen Unabhängigkeitserklärung, gehört zu den unveräusserlichen Menschenrechten.

Die Existenz einer materiellen Gerechtigkeitsethik jenseits des staatlichen positiven Rechts kann nicht bezweifelt werden. Gleichgültig ist, ob man sie als Naturrecht bezeichnet oder als göttliche Ordnung oder ob man auf eine Herkunftsangabe verzichtet und schlicht das Gewissen als Quelle einer humanen Ethik angibt, die seit der griechischen Antike als Naturrecht bezeichnet wird und deren zentrale Forderung die Achtung der Menschenwürde und der Menschenrechte ist. Die Existenz eines Natur- oder Vernunftrechts wird allerdings von einer verbreiteten Juristenmeinung immer wieder bestritten. Zwar ist richtig, dass das Recht kein Natur-, sondern ein Kultur- und Sozialphänomen ist und dass aus dem Sein kein Sollen folgt. Doch wird das Naturrecht gerade vor dem Hintergrund ungerechter Gesetze oder Entscheidungen sichtbar. Man kann nicht leugnen, dass es ein «Sittengesetz in uns» gibt, und das «Naturrecht» bleibt der beste Garant der menschlichen Würde. Diese und die aus ihr resultierenden Menschenrechte werden heute auch durch die Verfassungen, durch die UN-Deklaration der Menschenrechte und die Europäische Menschenrechtskonvention gewährleistet. Das war ein grosser Fortschritt, ändert aber nichts an ihrer Geltung a priori.

Das Naturrecht steht auch für die Überwindung des formalen und rigiden Rechts und für materielle Gerechtigkeit und Billigkeit. Die (Einzelfall-)Gerechtigkeit gerät oft in Konflikt mit dem formellen Recht und dem Argument der Rechtssicherheit. Sie soll jedoch letztlich die Oberhand behalten, und der Missbrauch formaler Rechtspositionen ist unzulässig. Grundsätzlich sollte man eine «Härte im Einzelfall» aus Gründen der Rechtssicherheit nicht leicht in Kauf nehmen. Doch ist diese Erkenntnis leider nicht Gemeingut. Fragen kann man auch, ob rigorose Form- und Fristvorschriften, wie wir sie heute noch haben, wirklich überall unverzichtbar sind.

Zur Gerechtigkeit gehört auch die Freiheit. Der Umfang der Freiheitsverbürgung wird bestimmt und eingeschränkt durch das Gemeinwohl und die Freiheit der anderen, die sich schon aus dem in der Demokratie zentralen Gebot der Gleichbehandlung ergibt. Ein Beispiel von vielen für Freiheitsbeschränkungen aus Gründen des Gemeinwohls sind Sicherheitsvorkehrungen gegen Terrorakte oder Massnahmen zur Bekämpfung einer Pandemie, wie z.B. Kontaktbeschränkungen. Freiheit und Gleichheit bedingen sich wechselseitig: Je mehr Gleichheit verwirklicht wird, umso weniger Freiheit gibt es und je mehr Freiheit, umso weniger Gleichheit. In einer Ordnung in der alle gleich viel haben und haben sollen, entfällt der Anreiz zur Vergrösserung des Wohlfahrtsgewinnes und es entsteht Armut. Das umgekehrte Modell, dem wir heute weltweit näher sind, führt zur Anhäufung von Reichtum bei wenigen und mehr oder weniger bescheidenen Verhältnissen der vielen. Wie immer kommt es auf das richtige Mass, die rechte Mitte an, ein ausgewogenes Verhältnis von Freiheit und Gleichheit, in dem das Ergebnis privaten Gewinnstrebens soweit abgeschöpft und umverteilt wird, dass alle ein Auskommen haben und die Schere zwischen Arm und Reich nicht zu weit auseinandergeht. Das wird am besten verwirklicht in einer sozialen Marktwirtschaft und entspricht dem Sozialstaatsgebot von Art. 20 Abs. 1 GG und Art. 12 u. 41 BV. Es ist auch ein Kompromiss zwischen den Maximen «Jedem das Seine» und «Allen das Gleiche».

2. Schluss

Der dialektische Antagonismus von gut und böse ist im Menschen angelegt. Das unveränderliche und ewige «Naturrecht», das man gleichsam als Externalisierung unseres Gewissens betrachten kann, verlangt immer und überall, das Böse zu meiden und nach dem Guten und Gerechten (bonum et aequum) zu streben, das wir ja erkennen können.

Der Fortschritt der Menschheit in Technik und Wissenschaften war noch nie so gross wie heute. Er hat unsere Lebensweise grundlegend verändert. Im sozialen Bereich dagegen gibt es trotz etlicher Verbesserungen noch nichts Vergleichbares. Vielmehr entstehen aus technischem Fortschritt neue soziale Risiken, wie z.B. durch Internet und Überwachungsstaat. Doch bleibt die Hoffnung, dass die Menschheit auch hier ähnliche Fortschritte erzielt. Dabei sind Erkenntnisse der Aufklärung wieder aktuell, die für das demokratische Gemeinwesen erneuert und beachtet werden müssen.[394] Das gilt zuallererst für die Bewahrung der unveräusserlichen Menschenrechte, die nicht nur den Kern der westlichen Werte

394 Dazu zuletzt *Pinker*, Aufklärung jetzt (Fn 156).

ausmachen, sondern globale Geltung beanspruchen. Im Verhältnis zu Diktaturen und illiberalen Demokratien muss trotz aller Rückschläge weiterhin versucht werden, durch Annäherung und Austausch einen allmählichen Wandel herbeizuführen. Es bleibt die Aufgabe, die Welt humaner und gerechter zu machen und Natur und Umwelt für künftige Generationen zu bewahren.

Sachregister